Todo seu

QUINTO VOLUME DA SÉRIE CROSSFIRE

SYLVIA DAY

Todo seu

Tradução
ALEXANDRE BOIDE
JULIANA ROMEIRO

Copyright © 2016 by Sylvia Day

A Editora Paralela é uma divisão da Editora Schwarcz S.A.

*Grafia atualizada segundo o Acordo Ortográfico
da Língua Portuguesa de 1990, que entrou em vigor
no Brasil em 2009.*

TÍTULO ORIGINAL One With You
CAPA Olga Grlic
IMAGENS DE CAPA anel de diamante © Fotovika/ Shutterstock; anel de pedras vermelhas © James Guilliam/ Getty Images
PREPARAÇÃO Lígia Azevedo
REVISÃO Renato Potenza Rodrigues e Larissa Lino Barbosa

Dados Internacionais de Catalogação na Publicação (CIP)
(Câmara Brasileira do Livro, SP, Brasil)

Day, Sylvia
   Todo seu / Sylvia Day ; tradução Alexandre Boide, Juliana Romeiro. — 1ª ed. — São Paulo : Paralela, 2016.

   Título original: One With You.
   ISBN 978-85-8439-017-5

   1. Ficção norte-americana 2. Histórias eróticas
I. Título.

16-01804   CDD-813

Índice para catálogo sistemático:
1. Ficção : Literatura norte-americana 813

[2016]
Todos os direitos desta edição reservados à
EDITORA SCHWARCZ S.A.
Rua Bandeira Paulista, 702, cj. 32
04532-002 - São Paulo - SP
Telefone: (11) 3707-3500
Fax: (11) 3707-3501
www.editoraparalela.com.br
atendimentoaoleitor@editoraparalela.com.br

*Para Hilary Sares, que ficou no fogo cruzado comigo
da primeira à ultima palavra.*

1

Nova York era a cidade que nunca dormia; não sentia nem sono. Meu apartamento no Upper West Side tinha o nível de isolamento acústico esperado para um empreendimento de altíssimo padrão, mas mesmo assim o barulho do lado de fora entrava pelas janelas — o passar ritmado dos pneus sobre o asfalto gasto, os freios com anos de uso, as buzinas incessantes dos táxis.

Quando saí do café de esquina para a sempre movimentada Broadway, o burburinho da cidade tomou conta de mim. Como conseguiria viver sem a cacofonia de Manhattan?

Como conseguiria viver sem *ele*?

Gideon Cross.

Segurei seu rosto e senti a receptividade ao meu toque. Essa demonstração de carinho e vulnerabilidade me deixou tocada. Algumas horas antes, cheguei a pensar que Gideon nunca mudaria, que eu precisaria ceder demais para compartilhar minha vida com ele. Pouco tempo mais tarde, admirava sua coragem, e duvidava da minha.

Estava exigindo mais dele do que de mim mesma? Fiquei envergonhada com a possibilidade de tê-lo pressionado tanto para mudar enquanto eu continuava obstinadamente a mesma.

Ele estava diante de mim, alto e forte como sempre. De calça jeans, camiseta e um boné de beisebol enfiado na cabeça, muito diferente do multibilionário que o mundo imaginava conhecer, mas ainda tão poderoso que afetava todos por quem passava. Com o canto dos olhos, notei como as pessoas ao redor reparavam nele, sempre parando para uma segunda olhada.

Fosse com os ternos de três peças de sua preferência ou com roupas casuais, o corpo longilíneo e musculoso de Gideon era inconfundível. A maneira como se movia e a autoridade que emanava de seu autocontrole impecável tornavam impossível para ele se misturar à multidão.

Nova York engolia tudo o que surgia em suas ruas, mas Gideon controlava a cidade com rédea curta.

E ele era meu. Mesmo com a aliança em seu dedo, às vezes eu ainda não conseguia acreditar nisso.

Gideon jamais seria um homem como outro qualquer. Era a ferocidade disfarçada de elegância, a perfeição escondida entre falhas. Era o que dava sentido ao meu mundo, e ao mundo em si.

Mesmo assim, tinha me mostrado que cederia até o limite do suportável por mim. Isso me deu determinação para provar que merecia o sofrimento que o obriguei a encarar.

Ao nosso redor, o comércio da Broadway começava a abrir. O trânsito na rua começou a ficar mais pesado, com os carros pretos e os táxis amarelos sacolejando sobre a superfície irregular. Os moradores saíam, levando o cachorro para passear ou se dirigindo ao Central Park para uma corrida matinal, aproveitando o pouco tempo que tinham antes de mais um dia de trabalho começar a todo vapor.

A Mercedes estacionou bem quando nos aproximamos, e pude ver a silhueta vultosa de Raúl ao volante. Angus parou o Bentley logo atrás. Os carros levariam cada um de nós para a própria casa. Como era possível considerar aquilo um casamento?

Mas *nosso* casamento era assim, apesar de não ser essa a vontade de nenhum dos dois. Tive que impor um limite quando Gideon contratou meu chefe para tirá-lo da agência em que eu trabalhava.

Entendia o desejo do meu marido de que eu me juntasse a ele nas Indústrias Cross, mas tentar me forçar a isso agindo pelas minhas costas... Isso eu não podia permitir, não com um homem como Gideon. Ou estávamos juntos de verdade — tomando todas as decisões *juntos* —, ou nosso relacionamento não ia funcionar.

Ergui a cabeça e olhei para seu rosto deslumbrante. Seu remorso era bem claro, assim como seu alívio. E seu amor. Muito amor.

Ele era tão lindo que me deixava sem fôlego. Seus olhos eram azuis como o mar caribenho, seus cabelos eram grossos e pretos, chegando até o pescoço. Os ângulos de seu rosto foram esculpidos à perfeição, algo que me deixava maravilhada e quase incapaz de pensar racionalmente. Fiquei impressionadíssima com sua beleza desde a primeira vez que o vi, e de tempos em tempos ainda me surpreendia em momentos de admiração febril. Gideon me deixava boquiaberta.

Mas o que mais me encantava era quem ele era por dentro, sua força interior, sua energia incessante, sua inteligência afiada, sua determinação implacável e seu coração...

"Obrigada." Meus dedos percorreram suas sobrancelhas grossas e escuras, que sempre se moviam quando eu tocava sua pele. "Por ter me ligado. Por ter me contado sobre seu sonho. Por vir me encontrar aqui."

"Eu iria a qualquer lugar para ver você." Ditas com fervor e determinação, essas palavras soaram como uma promessa.

Todo mundo tem seus demônios. Os de Gideon estavam escondidos sob seu autocontrole implacável, mas quando dormia eles o atormentavam em pesadelos violentos e assustadores que não queria compartilhar comigo. Tínhamos muito em comum, mas o abuso que havíamos sofrido na infância era um trauma que nos aproximava e nos afastava ao mesmo tempo. Isso me fez querer lutar ainda mais por Gideon e o que tínhamos juntos. Nossos abusadores já haviam tirado coisas demais de nós.

"Eva... A sua vontade é a única coisa neste mundo capaz de me manter distante."

"Obrigada por isso também", murmurei com um aperto no coração. Nossa separação recente tinha sido dura para nós dois. "Sei que não é fácil para você me dar tanto espaço, mas precisamos disso. Também sei que exijo muito de você..."

"Demais."

Minha boca se curvou ao ouvir um sinal de irritação na voz dele. Gideon não estava acostumado a não conseguir o que queria. "Eu sei. E você respeitou isso, porque me ama." Mas, apesar de Gideon ter odiado ser privado de mim, estávamos juntos agora porque aquilo o tinha mudado positivamente.

"Sinto muito mais que amor por você." Ele segurou meus pulsos, apertando-me de um jeito autoritário que me fez ceder.

Balancei a cabeça, sem medo de admitir que precisávamos um do outro de um jeito que a maioria das pessoas não consideraria saudável. Mas nosso relacionamento era assim. E era muito importante para mim.

"Vamos no mesmo carro para o consultório do dr. Petersen." Seu tom ao dizer essas palavras foi de ordem, mas seus olhos inquisitivos em mim faziam com que parecesse uma pergunta.

"Como você é mandão", brinquei, querendo que nossa despedida se desse em um clima leve, de esperança. Nossa sessão de terapia semanal com o dr. Lyle Petersen era dali a algumas horas, e não poderia vir em um momento melhor. Tínhamos feito bastante progresso. Seria bom receber orientação quanto aos próximos passos.

Ele enlaçou minha cintura com os braços. "Te amo."

Segurei a bainha de sua camiseta, agarrando-me ao tecido macio. "Também te amo."

"*Eva*." Senti seu hálito quente no meu pescoço. Manhattan pulsava ao nosso redor, mas sem provocar nenhuma distração. Quando estávamos juntos, nada mais importava.

Deixei um ruído grave de desejo escapar, e meu corpo, que tanto queria Gideon pressionado contra mim, estremeceu. Inspirei profundamente para sentir seu cheiro, acariciando os músculos firmes de suas costas. A sensação que me invadiu foi de perder a cabeça. Eu estava viciada nele — de corpo, alma e coração — e havia passado vários dias sem uma dose, o que me deixou abalada, desequilibrada, incapaz de funcionar plenamente.

Gideon me envolveu com seu corpo muito maior e mais forte que o meu. Eu me senti segura em seu abraço, querida e protegida. Nada seria capaz de me magoar ou me atingir enquanto estivesse nos braços dele. Queria que Gideon sentisse essa mesma sensação de segurança comigo. Precisava que soubesse que podia baixar a guarda e respirar um pouco, que eu nos protegeria.

Eu precisava ser mais forte. Mais esperta. Mais intimidadora. Tínhamos inimigos, e Gideon estava lidando com eles sozinho. Era de sua natureza ser protetor, e esse era um dos traços de sua personalidade que eu mais admirava. Mas eu precisava mostrar a todos que eu era uma adversária tão temível quanto meu marido.

Acima de tudo, precisava mostrar isso a Gideon.

Senti seu calor, ainda agarrada nele. Seu amor. "Vejo você às cinco, garotão."

"Nem um minuto a mais", ele ordenou com um tom bem sério.

Dei uma risadinha, encantada com seu lado durão. "Senão...?"

Ele se inclinou para trás e me lançou um olhar sério antes de dizer: "Vou buscar você".

Eu devia ter entrado na ponta dos pés na cobertura do meu padrasto, prendendo a respiração, já que pela hora — pouco depois das seis da manhã — a possibilidade de ser pega era grande. Mas entrei dando passos determinados, com os pensamentos voltados para as mudanças que precisaria promover.

Havia tempo para tomar um banho — e nada além disso —, mas eu não queria. Fazia tempo demais que Gideon não me tocava. Tempo demais que não sentia suas mãos em mim, seu corpo dentro do meu. Não queria tirar os resquícios de seu toque. Aquilo me daria forças para o que estava por vir.

Um abajur se acendeu sobre uma mesinha. "Eva."

"Minha nossa!", eu disse, assustada.

Quando me virei, dei de cara com minha mãe sentada em um dos sofás da sala de estar.

"Você me deu um baita susto!", acusei, levando a mão ao coração disparado.

Ela ficou em pé, com um robe de cetim que chegava até o chão envolvendo suas pernas tonificadas e ligeiramente bronzeadas. Eu era sua única filha, e nós parecíamos irmãs. Monica Tramell Barker Mitchell Stanton era obcecada pela aparência. A beleza jovial era seu grande trunfo para manter seu histórico de casamentos com homens ricos.

"Antes que você comece", aviso, "sim, precisamos falar sobre o casamento. Mas preciso me arrumar e pegar minhas coisas para poder voltar para casa hoje..."

"Você está tendo um caso?"

A pergunta seca e direta me assustou mais que ser surpreendida no meio da sala. "*Quê? Não!*"

Ela soltou o ar com força, e a tensão abandonou visivelmente seus ombros. "Graças a Deus. Então o que está acontecendo? O desentendimento com Gideon foi sério mesmo?"

Bem sério. Por um tempo, temi que as decisões dele acabassem com nosso relacionamento. "Vamos nos acertar, mãe. Foi só uma briguinha à toa."

"Uma briguinha à toa que fez com que você o evitasse durante *dias*? Não é assim que se resolve as coisas, Eva."

"É uma longa história..."

Ela cruzou os braços. "Não estou com pressa."

"Bom, eu estou. Preciso me arrumar para o trabalho."

A mágoa ficou estampada no rosto dela, e meu remorso foi imediato.

Houve um tempo em que eu queria ser como minha mãe quando crescesse. Passava horas experimentando suas roupas, cambaleando sobre seus saltos, melecando meu rosto com seus cremes e cosméticos caríssimos. Tentava imitar sua voz rouca e sussurrada e seus gestos sensuais, com a certeza de que ela era a mulher mais maravilhosa e perfeita do mundo. A maneira como os homens reagiam à presença dela, como a olhavam e a agradavam... Bom, eu queria ter essa mesma aura mágica.

No fim, eu me tornei uma cópia dela sem tirar nem pôr, a não ser pelos cabelos e pela cor dos olhos. Mas só na aparência. Não podíamos ser mais diferentes e, infelizmente, isso era motivo de orgulho para mim. Parei inclusive de seguir seus conselhos, a não ser para assuntos de moda e decoração.

Aquilo precisava mudar. E com urgência.

Tentei diversas táticas no meu relacionamento com Gideon, mas não havia pedido a ajuda da única pessoa próxima de mim que sabia como era ser casada com homens importantes e poderosos.

"Preciso de um conselho, mãe."

Minhas palavras pairaram no ar por um instante, então vi a reação que causaram. Os olhos dela se arregalaram de surpresa. Um instante depois, minha mãe desabou no sofá, como se seus joelhos tivessem fraquejado. Senti o quanto a havia afastado de mim.

Quando me sentei em frente a ela, estava com o coração apertado. Eu tinha aprendido a tomar cuidado com o que compartilhava com minha mãe, fazendo de tudo para evitar menção a informações que poderiam dar início a brigas enlouquecedoras.

Nem sempre fora assim. Nathan, o filho de um dos meus padrastos, arrancou de mim uma relação tranquila com minha mãe, além da minha inocência. Depois de ficar sabendo do abuso, ela mudou, tornando-se superprotetora a ponto de me seguir e me sufocar. Monica Tramell sempre foi uma mulher absolutamente confiante, menos em relação a mim. Comigo ela era ansiosa e invasiva, e às vezes beirava a histeria. Ao longo dos anos, fui forçada a evitar a verdade em várias ocasiões, guardando segredos de todos que amava só para manter as coisas tranquilas.

"Não sei de que tipo de esposa Gideon precisa", confessei.

Ela jogou os ombros para trás, assumindo uma postura indignada. "*Ele* está tendo um caso?"

"Não!" Soltei uma risada sem graça. "Ninguém está tendo um caso. Não faríamos isso um com o outro. Não conseguiríamos. Não precisa se preocupar com isso."

O recente caso da minha mãe com o meu pai talvez fosse o verdadeiro motivo dessa preocupação. Será que ela estava com a consciência pesada? Ou repensando sua relação com meu padrasto? Eu não sabia como me sentir a respeito, porque amava demais meu pai, mas também achava que Stanton era o marido perfeito para minha mãe.

"Eva..."

"Gideon e eu nos casamos em segredo algumas semanas atrás." Como era bom poder contar isso.

Ela piscou uma vez. Duas vezes. "Quê?"

"Ainda não contei ao papai", continuei. "Mas vou ligar para ele hoje."

Os olhos dela se encheram de lágrimas. "*Por quê?* Eva... Como foi que nos afastamos tanto assim?"

"Não chora." Levantei e fui me sentar ao lado dela. Segurei suas mãos, e ela me deu um abraço forte.

Ao sentir seu cheiro tão familiar, fui invadida pela tranquilidade possível apenas nos braços de uma mãe. Por alguns momentos, pelo menos. "Não foi nada planejado, mãe. Viajamos num fim de semana e Gideon me pediu em casamento. Eu aceitei, então ele tomou as providências... Foi uma coisa espontânea. No calor do momento."

Ela se inclinou para trás, revelando o rosto molhado de lágrimas e um fogo no olhar.

"Ele se casou com você sem um acordo pré-nupcial?"

Dei risada. Era inevitável. Claro que minha mãe ia se preocupar com os detalhes financeiros. O dinheiro era o que movia sua vida. "Eu assinei um acordo."

"Eva Lauren! Você pelo menos leu o documento? Ou foi uma coisa espontânea também?"

"Li tudinho."

"Mas você não é advogada! Meu Deus, Eva... Achei que fosse mais esperta que isso!"

"Até uma criança de seis anos entenderia aqueles termos", rebati, irritada com o verdadeiro problema do meu casamento: gente demais interferindo no meu relacionamento com Gideon, gerando uma distração constante que nos impedia de lidar com as coisas que de fato precisavam ser resolvidas. "Não precisa se preocupar com o acordo pré-nupcial."

"Você deveria ter mandado o documento para Richard ler. Não sei por que não fez isso. Que irresponsabilidade! Eu não..."

"Eu li, Monica."

Eu e minha mãe nos viramos ao ouvir a voz de Stanton. Ele entrou na sala pronto para o trabalho, com um terno azul-marinho impecável e gravata amarela. Eu imaginava que Gideon seria muito parecido com meu padrasto quando chegasse à idade dele: enxuto, distinto, mais confiante do que nunca como macho alfa.

"Você leu?", perguntei, surpresa.

"Cross me mandou algumas semanas atrás." Stanton foi até minha mãe e segurou as mãos dela. "Eu não seria capaz de negociar termos mais favoráveis."

"Sempre é possível conseguir termos mais favoráveis, Richard!", minha mãe rebateu.

"Existem recompensas para datas como aniversário de casamento e nascimento de filhos, e nenhuma penalidade para Eva além de terapia de casal. Uma eventual separação causaria uma distribuição mais que equilibrada dos bens. Quase mandei o documento para o advogado de Cross revisar. Imagino que ele consideraria totalmente desaconselhável."

Minha mãe sossegou por um instante, refletindo a respeito. Em seguida se levantou, furiosa. "Você sabia que eles iam se casar em segredo? E não me disse nada?"

"Claro que não sabia." Ele a abraçou, falando como se estivesse se dirigindo a uma criança. "Pensei que estivessem planejando o futuro. Você sabe que esse tipo de negociação demora meses. Mas, nesse caso, eu não teria nem pedido tudo isso."

Fiquei em pé. Tinha que me apressar para não chegar atrasada ao trabalho. Naquele dia, principalmente, eu precisava chegar na hora.

"Aonde você vai?" Minha mãe se desvencilhou de Stanton. "A conversa ainda não terminou. Você não pode despejar uma bomba como essa e ir embora."

Virei para encará-la, mas fui andando para trás. "Preciso mesmo me trocar. Que tal a gente se encontrar na hora do almoço para conversar melhor?"

"Você não pode estar..."

"Corinne Giroux", eu a interrompi.

Minha mãe arregalou os olhos, e logo depois franziu a testa. Um nome. Não precisei dizer mais nada.

A ex de Gideon era um problema que não exigia maiores explicações.

Era raro alguém ir a Manhattan e não se sentir imediatamente em um lugar familiar. Os cenários da Big Apple haviam sido imortalizados em inúmeros filmes e programas de TV, espalhando pelo mundo todo o amor que os habitantes de Nova York sentiam pela cidade.

Eu não era exceção.

Adorava a elegância art déco do Chrysler Building. Conseguia me localizar em qualquer parte da ilha só avistando o Empire State. Fiquei impressionada com a altura da Freedom Tower, que dominava a paisagem no centro da cidade. Mas o Edifício Crossfire era de outra categoria. Eu já achava isso antes mesmo de me apaixonar pelo homem cuja visão levou à construção do prédio.

Quando Raúl estacionou a Mercedes, observei com admiração o vidro safira que envolvia a forma de obelisco do edifício. Ergui a cabeça e deixei que meu olhar se dirigisse até o alto, para o espaço iluminado que abrigava a sede das Indústrias Cross. Os pedestres passavam sem parar ao meu redor, a calçada lotada de homens e mulheres de negócios com pastas de couro em uma das mãos e um copo fumegante de café na outra.

Senti a presença de Gideon antes mesmo de vê-lo, com meu corpo todo vibrando assim que ele saiu do Bentley, estacionado logo atrás da Mercedes. O ar ficou carregado de eletricidade, como se uma tempestade estivesse a caminho.

Eu me virei para ele com um sorriso no rosto. Não era coincidência chegarmos no mesmo instante. Soube disso assim que vi seus olhos.

Estava usando terno preto, camisa branca e gravata prata. Mechas escuras e sensuais de seus cabelos roçavam a mandíbula e o colarinho. Gideon ainda me encarava com a mesma ferocidade sensual que me atraíra a princípio, mas agora havia também ternura em seus olhos azuis reluzentes e uma receptividade que para mim significava mais do que tudo.

Dei um passo à frente quando ele se aproximou. "Bom dia, Moreno Perigoso."

Ele abriu um sorriso cheio de malícia. A brincadeira deixou seus olhos ainda mais calorosos.

"Bom dia, esposa."

Estendi a mão e me senti segura quando ele a segurou com força.

"Contei para minha mãe hoje de manhã... sobre o casamento."

Uma sobrancelha escura se ergueu em surpresa, e o sorriso dele pareceu ainda mais triunfante. "Ótimo."

Rindo de sua possessividade indisfarçada, dei um esbarrão de leve nele com o ombro. Gideon agiu rápido, puxando-me para perto e me beijando no canto da boca.

Sua alegria era contagiante. Fez minhas entranhas se aquecerem, iluminando espaços que andavam escuros nos últimos dias. "Vou ligar para meu pai assim que tiver um tempinho. Ele precisa saber."

Gideon ficou sério. "Por que agora, e não antes?"

Ele falou baixinho, para manter nossa privacidade. Pessoas passavam sem parar, quase sem prestar atenção em nós. Mesmo assim, hesitei em responder, sentindo-me exposta demais.

E então... a verdade simplesmente apareceu. Eu estava escondendo coisas demais das pessoas que amava. Pequenas, grandes. Tentando manter tudo como estava, ao mesmo tempo que ansiava por mudanças.

"Eu estava com medo", contei.

Ele se aproximou um pouco mais, com um olhar intenso no rosto. "E agora não está mais."

"Não."

"Hoje à noite você me conta por quê."

"Tá", eu disse, concordando com a cabeça.

Gideon segurou minha nuca, em um gesto ao mesmo tempo possessivo e carinhoso. Seu rosto se mantinha impassível, mas seus olhos... aqueles olhos azuis... eram um turbilhão de emoções. "Nós vamos conseguir, meu anjo."

O amor tomou conta de mim, inebriante como um bom vinho. "Pode apostar."

Foi estranho passar pela porta da Waters Field & Leaman, contando mentalmente os dias em que ainda poderia me gabar de trabalhar na prestigiada agência de publicidade. Megumi Kaba acenou para mim da recepção, batendo no fone para mostrar que não podia falar. Acenei de volta e fui para minha mesa com passos confiantes. Havia muito a fazer.

15

Mas eu precisava começar pelo mais importante. Guardei a bolsa na última gaveta, acomodei-me na cadeira e entrei no site da minha floricultura on-line favorita. Sabia exatamente o que queria. Uma dúzia de rosas brancas em um vaso de cristal vermelho.

Branco de pureza, amizade, amor eterno. E também da paz. Demarquei minhas linhas de batalha ao forçar uma separação com Gideon e, no fim, saí vencedora. Porém não queria ficar em guerra com meu marido.

Nem tentei elaborar um bilhete engraçadinho para acompanhar as flores, como havia feito no passado. Escrevi simplesmente o que sentia em meu coração.

Você é um milagre, sr. Cross.
Eu te admiro e te amo demais.
Sra. Cross

O site abriu a tela para finalizar o pedido. Cliquei no botão de confirmar e pensei por um momento no que Gideon acharia do presente. Um dia, queria vê-lo receber minhas flores. Ele sorria quando Scott, seu assistente, entrava na sala com elas? Interrompia uma conversa para ler o bilhete? Ou esperava por um raro momento de folga para ter mais privacidade?

Abri um sorriso ao considerar as possibilidades. Eu adorava presentear Gideon.

E em breve teria mais tempo para escolher os mimos.

"Você está pedindo demissão?"

O olhar incrédulo de Mark Garrity se ergueu da carta de demissão para mim.

Senti um nó no estômago ao ver a expressão do meu chefe. "Estou. Desculpa por ser assim tão repentino."

"Amanhã é seu último dia?" Ele se recostou na cadeira. Seus olhos eram alguns tons mais claros que sua pele chocolate e expressavam surpresa e decepção. "Por quê, Eva?"

Soltando um suspiro, eu me inclinei para a frente e apoiei os cotovelos nos joelhos. Mais uma vez, decidi contar a verdade. "Sei que não é muito profissional da minha parte, mas... tive que redefinir minhas prioridades e... não posso dedicar toda a minha atenção ao trabalho no momento, Mark. Desculpa."

"Eu..." Ele soltou o ar com força e passou as mãos pelos cabelos crespos e pretos. "Que droga... O que posso dizer?"

"Que você me perdoa e não vai ficar bravo comigo?" Soltei uma risadinha sem graça. "Sei que é pedir demais."

Ele abriu um sorriso maroto. "Você sabe que não quero perder você, Eva. Não sei se deixei claro como você é importante para mim. Você me faz trabalhar melhor."

"Obrigada, Mark. Mesmo." Era mais difícil do que eu imaginava, apesar de ser a melhor e a única decisão possível naquele momento.

Meus olhos se voltaram para a vista que estava atrás do meu chefe. Como gerente de contas júnior, ele tinha um escritório pequeno, de frente para um prédio do outro lado da rua, mas era um horizonte tão nova-iorquino quanto o das janelas do espaçoso escritório de Gideon Cross no último andar.

Em vários sentidos, aquela divisão de andares espelhava a maneira como eu tentava definir minha relação com Gideon. Eu sabia quem ele era. Sabia *o que* ele era: um homem que pertencia a uma categoria exclusiva. Adorava isso, e não queria mudar nada; só desejava poder chegar ao nível dele por mérito próprio. O que não imaginei foi que, ao me recusar a aceitar que o casamento tinha mudado tudo, eu o estava rebaixando ao meu nível.

Eu nunca seria reconhecida por chegar até o topo por merecimento. Para algumas pessoas, seria sempre aquela que o fez através do casamento. E precisava aprender a conviver com isso.

"Para onde você vai?", perguntou Mark.

"Sinceramente... ainda não sei. Só sei que não posso continuar aqui."

Meu casamento não aguentaria muita pressão mais antes de desmoronar, e eu havia permitido que se aproximasse perigosamente da beira do abismo ao querer distância. Ao me colocar em primeiro lugar.

Gideon Cross era um oceano vasto e profundo, e por um momento eu temi me afogar nele. Mas não podia mais viver com medo. Não depois de perceber que meu maior temor era perdê-lo.

Tentando me manter neutra, eu tinha afastado Gideon. E, irritada por isso, não percebi que, se quisesse ter algum controle, era preciso assumir as rédeas da situação.

"Por causa da conta da LanCorp?", questionou Mark.

"Em parte." Alisei minha saia de risca de giz, afastando meus pensamentos do ressentimento de Gideon pelo fato de ter contratado Mark. A gota d'água havia sido a LanCorp procurar a Waters Field & Leaman com um pedido específico para que Mark e, portanto, eu cuidássemos da conta, uma manobra que Gideon encarou com desconfiança. O esquema de pirâmide de Geoffrey Cross tinha aniquilado a fortuna da família Landon, e tanto Ryan Landon como Gideon precisaram recomeçar a partir do prejuízo dos pais.

Landon, porém, ainda tinha sede de vingança. "Mas principalmente por motivos pessoais."

Depois de endireitar a postura, Mark apoiou os cotovelos na mesa e se inclinou na minha direção. "Sei que não é da minha conta e não quero me intrometer, mas você sabe que Steven, Shawna e eu estamos aqui para o que der e vier. Gostamos de você."

Sua sinceridade fez meus olhos se encherem de lágrimas. Steven Ellison, o noivo de Mark, e sua irmã Shawna se tornaram amigos queridíssimos em Nova York, uma parte importante da rede de relações que construí depois de me mudar para a cidade. Independentemente do que acontecesse, não queria perder contato com aquelas pessoas que tinha aprendido a amar.

"Eu sei." Abri um sorriso triste. "Qualquer coisa eu ligo para vocês, prometo. Mas vai ser melhor assim. Para todos nós."

Mark relaxou e retribuiu o sorriso. "Steven vai pirar. Acho melhor você contar para ele."

Ao pensar no empreiteiro grandalhão e sociável, a tristeza se foi. Steven ficaria uma fera comigo por deixar seu parceiro na mão, mas no fim entenderia. "Ah, qual é?", brinquei. "Você não faria isso comigo... Já está sendo difícil o bastante."

"Eu não me importaria de deixar tudo ainda mais difícil."

Dei risada. Sentiria falta de Mark e do meu trabalho. Demais.

Como ainda era cedo em Oceanside, na Califórnia, quando fiz a primeira pausa do dia, mandei uma mensagem de texto para meu pai, em vez de ligar. **Avisa quando acordar, preciso contar uma coisa.** Como sabia que, como bom policial, meu pai sempre pensava no pior, acrescentei: **Não é ruim, é só uma novidade.**

Mal tinha colocado o celular no balcão da sala do café quando o aparelho tocou. O rosto bonito do meu pai apareceu na tela, seus olhos acinzentados como os meus brilhando na tela.

De repente, fiquei nervosa. Quando peguei o celular, minha mão tremia. Eu amava muito meus pais, mas sempre considerei meus sentimentos pelo meu pai mais profundos que pela minha mãe. E, se por um lado ela nunca hesitava em apontar meus defeitos, meu pai sempre pareceu pensar que eu não tinha nenhum. Desapontá-lo, ou magoá-lo, era uma ideia insuportável.

"Oi, pai. Tudo bem?"

"Eu é que pergunto, querida. Comigo, tudo na mesma. E com você? O que foi?"

Fui até a mesa mais próxima e sentei em uma cadeira para me acalmar.

"Eu disse que não era ruim, e mesmo assim você está preocupado. Acordei você."

"Tenho a obrigação de me preocupar", ele falou, com o divertimento evidente na voz grossa. "E você não me acordou, eu estava me preparando para uma corridinha antes de começar o dia. Qual é a notícia?"

"Hã..." As lágrimas bloquearam minha garganta, e eu engoli em seco. "Minha nossa, é mais difícil do que eu pensava. Falei para Gideon que estava preocupada com a mamãe, mas que você ia levar numa boa, e agora..."

"Eva."

Respirei fundo. "Gideon e eu nos casamos."

Houve um silêncio preocupante do outro lado da linha.

"Pai?"

"Quando?" A rouquidão em sua voz acabou comigo.

"Algumas semanas atrás."

"Antes de você vir me visitar?"

Limpei a garganta. "Sim."

Silêncio.

Que massacre. Pouquíssimo tempo antes, tinha contado sobre o abuso que sofri de Nathan, o que quase acabou com ele. E agora aquilo...

"Pai... Você está me deixando nervosa. A gente estava numa ilha muito, muito linda. E sempre tem casamentos no resort em que ficamos, eles têm toda a estrutura... é como Las Vegas. Tem um juiz de paz e um tabelião de plantão por lá. Era a ocasião perfeita, sabe? A oportunidade perfeita." Minha voz falhou. "Pai... por favor, fala alguma coisa."

"Eu... não sei o que dizer."

Uma lágrima quente escorreu pelo meu rosto. Minha mãe escolheu o dinheiro em vez do amor, e Gideon era o exemplo perfeito de homem que ela escolheria para casar em vez do meu pai. Eu sabia que esse era o ponto fraco dele, e não seria fácil contorná-lo.

"Ainda vamos fazer uma cerimônia oficial", falei. "Queremos que os amigos e a família participem..."

"Era só isso que eu queria, Eva." Ele grunhiu. "É como se Cross tivesse roubado você de mim! Eu deveria levar minha filha ao altar, já estava aceitando a ideia, aí ele resolve fazer tudo sozinho? E você nem me conta? Esteve aqui, na minha casa, e não me falou nada? Isso magoa, Eva. Magoa mesmo."

Não havia como segurar as lágrimas depois disso. Elas vieram em profusão, borrando minha visão e fechando minha garganta.

Tive um sobressalto quando a porta da sala do café se abriu e Will Granger entrou. "Ela deve estar aqui", disse meu colega. "Ah..."

Ele se interrompeu quando viu meu rosto, e o sorriso desapareceu de seus olhos atrás dos óculos retangulares.

Um braço o empurrou.

Gideon. Seu corpo preencheu a abertura da porta e seus olhos se cravaram em mim, deixando-me gelada. Ele parecia um anjo vingador, com o terno escuro fazendo-o parecer competente e perigoso ao mesmo tempo, o rosto endurecido em uma linda máscara impassível.

Pisquei várias vezes, tentando processar como e por que ele estava ali. Antes de chegar a uma conclusão, Gideon parou na minha frente e tomou meu celular, baixando os olhos para a tela antes de levar o aparelho ao ouvido.

"Victor." Ele falou o nome do meu pai em tom de alerta. "Eva está abalada demais, então você vai ter que falar comigo."

Will deu um passo atrás e fechou a porta.

Apesar da dureza das palavras de Gideon, seus dedos roçaram meu rosto com uma leveza inenarrável. Seus olhos estavam voltados para mim, e a fúria em seu brilho azul me fez estremecer.

Gideon estava *furioso*. E meu pai também. Dava para ouvir os berros dele.

Segurei meu marido pelo pulso, sacudindo a cabeça, sentindo um pânico repentino ao perceber que os dois homens que mais amava não gostavam um do outro — ou, ainda pior, se detestavam.

"Tudo bem", murmurei. "Estou bem."

Ele estreitou os olhos e fez com a boca: *Não está, não.*

Quando Gideon voltou a falar com meu pai, sua voz estava firme e controlada, o que a fazia parecer ainda mais assustadora. "Você tem o direito de estar irritado e magoado, eu entendo. Mas não quero que Eva sofra por isso... Não, claro que eu nem imagino como deve ser, já que não tenho filhos."

Tive que me esforçar para ouvir, torcendo para que a redução do volume do outro lado da linha significasse que meu pai estava se acalmando, e não ficando ainda mais nervoso.

Gideon ficou tenso de repente, afastando a mão de mim. "Não, eu não ficaria feliz se minha irmã se casasse em segredo. Mas não seria nela que descontaria minha raiva..."

Fiz uma careta. Meu marido e meu pai tinham uma coisa em comum: ambos eram absurdamente protetores com as pessoas que amavam.

"Pode falar comigo quando quiser, Victor. Eu vou até sua casa, se for necessário. Quando me casei com Eva, assumi a responsabilidade total pela vida e pela felicidade dela. Aceito as consequências sem problemas."

Gideon estreitou os olhos enquanto escutava.

Em seguida, ele se sentou ao meu lado, pôs o celular sobre a mesa e ligou o viva-voz.

A voz do meu pai reverberou no ar. "Eva?"

Respirei fundo, soltei um suspiro trêmulo e apertei a mão que Gideon estendeu para mim. "Estou aqui, pai."

"Querida..." Ele respirou fundo também. "Não fica chateada. É que... eu preciso absorver melhor a notícia. Não estava esperando por isso e... preciso pensar melhor. Podemos conversar mais tarde? Quando eu voltar do trabalho?"

"Claro."

"Ótimo." Ele ficou em silêncio.

"Te amo, pai." As lágrimas que escorriam pelo meu rosto ficaram evidentes na minha voz, e Gideon aproximou sua cadeira de mim, roçando a coxa na minha. Era impressionante como ele me dava forças, o alívio que eu sentia com ele para me apoiar. Era diferente do apoio oferecido por Cary. Meu melhor amigo era afiado como uma lança, mas Gideon era um escudo.

E eu precisava ser forte o bastante para admitir que precisava de um.

"Também te amo, linda", disse meu pai, com uma tristeza de cortar o coração. "Ligo para você mais tarde."

"Certo. Eu..." O que mais podia dizer? Não fazia a menor ideia de como consertar as coisas. "Tchau."

Gideon desligou o telefone e olhou para a mão trêmula que apertava a sua. Seus olhos estavam cravados em mim, cheios de ternura. "Não precisa ficar com vergonha, Eva. Está bem?"

Fiz que sim com a cabeça. "Não estou com vergonha."

Ele segurou meu rosto, limpando as lágrimas com os polegares. "Não aguento ver você chorar, meu anjo."

Lutei para conter minha tristeza, sufocando-a para lidar com ela mais tarde. "Por que você está aqui? Como sabia o que eu estava fazendo?"

"Vim agradecer pelas flores", murmurou.

"Ah. Você gostou?" Consegui abrir um sorriso. "Queria que pensasse em mim."

"Faço isso o tempo todo. A cada minuto." Ele me abraçou e me puxou para mais perto.

"Você podia ter me mandado um bilhete."

"Ah." Seu sorrisinho fez minha pulsação acelerar. "Mas aí eu não poderia fazer isso."

Gideon me puxou para seu colo e me deu um beijo atordoante.

A gente vai se ver em casa hoje? A mensagem de Cary chegou na hora do almoço, enquanto eu esperava o elevador para descer. Minha mãe já estava lá, e eu ainda precisava organizar melhor meus pensamentos. Tínhamos muito o que conversar.

Eu só esperava que ela me ajudasse a lidar com a situação em vez de piorar as coisas.

É a ideia, respondi para meu querido e às vezes terrível colega de apartamento, digitando enquanto entrava no elevador. **Tenho terapia depois do trabalho, e vou jantar com Gideon. Talvez chegue tarde.**

Jantar? Vc precisa me contar tudo.

Eu sorri. **Claro.**

Trey ligou.

Soltei o ar com força, como se tivesse prendido a respiração, o que provavelmente tinha feito sem perceber.

Não dava para culpar o namorado de Cary por ter se afastado quando meu amigo descobriu que a garota com quem transava estava grávida. Trey não conseguia aceitar a bissexualidade de Cary, e um bebê significava que sempre haveria uma terceira pessoa naquela relação.

Cary deveria ter assumido o compromisso com Trey em vez de continuar aprontando, mas eu entendia o medo por trás daquela atitude. Conhecia muito bem os pensamentos que passavam pela cabeça ao se ver diante de uma declaração de amor de alguém incrível depois de passar por tudo o que Cary e eu tínhamos passado.

É bom demais para ser verdade. Não pode ser real.

Eu compreendia o lado de Trey também, e, se quisesse terminar tudo, era uma decisão que precisava ser respeitada. Mas ele era a melhor coisa que acontecera na vida de Cary em um bom tempo. Eu ficaria arrasada se a relação deles não desse certo. **O que ele falou?**

Eu conto quando a gente se encontrar.

Cary! Isso é sacanagem.

Ele só respondeu quando eu estava passando pelas catracas do saguão. **Nem me fala.**

Senti um aperto no coração. Não havia como interpretar aquilo como uma boa notícia. Dando um passo para o lado para permitir a passagem dos demais, escrevi: **Te amo loucamente, Cary Taylor.**

Tb te amo, gata.

"Eva!"

Minha mãe, uma presença impossível de não ser notada mesmo durante o movimentado horário de almoço no Crossfire, percorreu o espaço entre nós com suas sandálias de salto. Sendo baixinha, Monica Stanton poderia se perder naquele mar de ternos, mas chamava atenção demais para que isso acontecesse.

Carisma. Sensualidade. Fragilidade. A combinação bombástica que fez de Marilyn Monroe uma estrela descrevia perfeitamente minha mãe. Vestida em um macacão azul-marinho sem manga, ela parecia bem mais jovem do que era e bem mais confiante do que estava. As panteras da Cartier que adornavam seu pescoço e seu pulso mostravam a todos que se tratava de uma mulher rica.

Ela veio diretamente na minha direção e me envolveu em um abraço que me pegou de surpresa.

"Mãe."

"Está tudo bem?" Ela se afastou e observou meu rosto.

"Está, sim. Por quê?"

"Seu pai ligou."

"Ah." Lancei um olhar preocupado para ela. "Ele não recebeu a notícia muito bem."

"Não mesmo." Ela deu o braço para mim, e nós saímos. "Mas ele vai superar. Só não está pronto para aceitar que você não é mais só dele."

"Porque eu lembro demais você." Meu pai nunca tinha se recuperado da perda da minha mãe. Ele ainda a amava, mesmo depois de mais de duas décadas separados.

"Que bobagem, Eva. A semelhança até existe, mas você é muito mais interessante."

Isso me fez rir. "Gideon diz mesmo que sou interessante."

Minha mãe abriu um sorriso largo, fazendo os homens que passavam ao lado quase quebrarem o pescoço para continuar olhando para ela. "Claro. Ele conhece bem as mulheres. Mesmo você sendo um arraso, é preciso muito mais que isso para fisgar um marido desses."

Parei diante da porta giratória e deixei que minha mãe saísse primeiro. A onda de calor úmido que me atingiu quando pisei na calçada cobriu imediatamente minha pele com uma camada de suor. Havia momentos em que eu duvidava que algum dia fosse me acostumar àquela umidade, mas era um dos preços a pagar por morar na cidade que eu amava. A primavera tinha sido linda, e o outono também seria. Era a época perfeita do ano para renovar os votos com o homem que tinha conquistado minha alma e meu coração.

Eu estava agradecendo a Deus pela existência do ar-condicionado quando vi o chefe do aparato de segurança de Stanton esperando junto ao carro preto estacionado.

Benjamin Clancy inclinou a cabeça para mim e me cumprimentou com seu jeito tranquilo e confiante. Sua conduta era sempre muito profissional, mas eu me sentia tão grata a ele que era difícil me segurar para não abraçá-lo e beijá-lo.

Gideon matou Nathan para me proteger. Clancy tomou as providências para que meu marido jamais tivesse que pagar por aquilo.

"Oi", eu o cumprimentei, vendo meu sorriso refletido em seus óculos escuros estilo aviador.

"É bom ver você, Eva."

"Eu estava pensando a mesma coisa."

Ele não sorria abertamente. Não era o jeito dele. Mas sua sinceridade era visível.

Minha mãe entrou no carro primeiro, e eu me acomodei ao lado dela no banco de trás. Enquanto Clancy contornava a traseira do veículo, ela chegou mais perto e estendeu a mão.

"Não se preocupe com seu pai. Ele tem esse temperamento latino passional, mas os acessos de raiva nunca duram muito. Ele só quer a sua felicidade."

Apertei os dedos dela de leve. "Eu sei. Mas queria muito que papai e Gideon se dessem bem."

"São dois homens de personalidade forte, querida. Vão se estranhar de vez em quando."

Ela estava certa. Eu queria que os dois tivessem uma amizade tipicamente masculina, compartilhando interesse por carros esportivos e dando tapinhas nas costas um do outro. Mas era preciso aceitar a realidade, fosse ela qual fosse.

"Você tem razão", admiti. "Eles são bem crescidinhos. Vão se entender." Pelo menos era o que eu esperava.

"Claro que vão."

Com um suspiro, olhei pela janela. "Acho que tenho a solução para o problema Corinne Giroux."

Houve uma pausa antes de minha mãe falar. "Eva, você precisa esquecer essa mulher. Ela não merece sua preocupação e não deveria ter esse poder sobre você."

Encarei minha mãe. "É o segredo que envolve nosso relacionamento que a tornou um problema. Todo mundo tem muita curiosidade quanto a Gideon. Ele é lindo, rico, sexy e brilhante. As pessoas querem saber tudo a seu respeito, mas ele é tão cauteloso com seus assuntos privados que ninguém sabe quase nada. É só por isso que existe interesse sobre o que Corinne possa escrever sobre o tempo que passou com ele."

Ela me lançou um olhar desconfiado. "O que você está me dizendo?"

Remexendo na bolsa, saquei meu tablet. "Precisamos de mais *disso*."

Acionei a tela e mostrei uma foto minha com Gideon tirada horas antes, na frente do Crossfire. A maneira como ele segurava minha nuca era ao mesmo tempo carinhosa e possessiva, e meu olhar voltado para o seu não deixava dúvidas a respeito do meu amor e da minha admiração. A ideia de exibir um momento de tanta intimidade para o mundo todo ver era de virar o estômago, mas eu precisava superar aquilo. Precisava me abrir mais.

"Gideon e eu precisamos parar de nos esconder", continuei. "Precisamos ser *vistos*. Passamos tempo demais isolados. O público quer ver que o playboy milionário finalmente se tornou o príncipe encantado de alguém. Todo mundo gosta de contos de fadas, mãe, e de finais felizes. Preciso dar às pessoas a história que elas querem, assim Corinne e o livro dela vão parecer patéticos."

Minha mãe jogou os ombros para trás. "É uma péssima ideia."

"Não é, não."

"É terrível, Eva! Não troque sua privacidade por *nada* neste mundo. Alimentar a curiosidade alheia só deixa as pessoas ainda mais famintas. Não se torne um alvo dos tabloides!"

Cerrei os dentes. "Não vai ser assim."

"Por que se arriscar?" A voz da minha mãe soava estridente. "Por causa de Corinne Giroux? O livro dela vai aparecer e sumir em um piscar de olhos, mas você nunca vai se livrar dos holofotes depois de entrar neles!"

"Não te entendo. É impossível ser casada com Gideon *sem* estar nos holofotes! Pensei que fosse melhor aprender a dominar o palco."

"Uma coisa é ser conhecida, outra é ser assunto de programas de fofoca!"

Soltei um grunhido quase silencioso. "Acho que você está exagerando."

Ela sacudiu a cabeça. "Confie em mim, essa não é a maneira de lidar com a situação. Você já conversou com Gideon? Duvido que ele concorde com isso."

Eu a encarei, realmente surpresa com sua reação. Pensei que fosse me apoiar, considerando a importância que dava para o casamento com homens poderosos.

Então vi o medo em seus olhos e sua boca contorcida.

"Mãe", falei com um tom de voz suave, recriminando-me por não ter me dado conta antes. "A gente não precisa mais se preocupar com Nathan."

Ela me encarou. "Não", respondeu, nem um pouco mais calma. "Mas depois de tudo aquilo por que você passou... ter qualquer coisa que você falar ou decidir dissecada por puro entretenimento... pode ser um novo pesadelo."

"Não posso deixar que outras pessoas determinem como eu e meu casamento seremos vistos!" Eu estava cansada de me sentir uma vítima. Queria partir para a ofensiva.

"Eva, você não pode..."

"Então me dê uma alternativa que não seja ficar sem fazer nada e deixar o assunto de lado, mãe." Virei a cabeça para o outro lado. "A gente não vai entrar em um acordo, e eu não vou mudar de ideia a não ser que me venham com uma melhor."

Ela soltou um ruído de frustração e não disse mais nada.

Queria mandar uma mensagem para Gideon a respeito. Uma vez ele me disse que eu era excelente em gerenciar crises. Sugeriu inclusive que cedesse meus talentos às Indústrias Cross nessa função.

Por que não começar por um assunto mais íntimo e importante?

2

"Mais flores?", Arash Madani perguntou ao entrar no meu escritório pelas portas duplas de vidro.

O advogado caminhou até o local onde estavam as rosas brancas de Eva, na mesa de centro entre os sofás, bem no centro do meu campo de visão. Ali, elas distraíam minha atenção das telas com cotações da Bolsa logo atrás.

O bilhete que acompanhava as flores estava sobre o vidro escuro da minha mesa. Passei os dedos sobre ele, lendo aquelas palavras pela centésima vez.

Arash pegou uma rosa e a levou ao nariz. "Qual é o segredo para ganhar umas dessas?"

Eu me recostei na cadeira, observando distraidamente que a gravata esmeralda dele combinava com os decanters de cristal que decoravam o bar. Até sua chegada, as garrafas coloridas e o vaso vermelho de Eva eram os únicos pontos de cor nos domínios monocromáticos do meu escritório. "Encontrar a mulher certa."

Ele devolveu a flor ao vaso. "Vai em frente, Cross, pode esfregar na minha cara."

"Prefiro me gabar em silêncio. Trouxe alguma coisa para mim?"

Ao se aproximar da mesa, ele sorriu como quem quer demonstrar que ama seu trabalho, coisa de que eu não duvidava. Seu faro para a caça era quase tão apurado quanto o meu.

"O acordo com Morgan está indo bem." Ajeitando a calça feita sob medida, ele se sentou em uma das duas cadeiras diante da minha mesa. Seu estilo era um pouco mais chamativo que o meu, mas isso não era exatamente um defeito. "Já acertamos os pontos principais. Ainda estamos alinhando algumas cláusulas, mas vai estar tudo pronto na semana que vem."

"Ótimo."

"Você é mesmo um homem de poucas palavras", disse. Então perguntou, como quem não quer nada: "Vai fazer alguma coisa no fim de semana?".

Fiz que não com a cabeça. "Eva talvez queira sair. Se for o caso, posso tentar fazer com que ela mude de ideia."

Arash deu risada. "Vou dizer uma coisa, até esperava que você fosse sossegar em algum momento — afinal, acontece com todo mundo —, mas não pensei que seria assim tão repentino."

"Nem eu." Não era exatamente verdade. Nunca esperei ser capaz de compartilhar minha vida com alguém. Nunca neguei que meu passado era uma sombra sobre meu presente, mas tampouco sentia necessidade de mencionar esse passado antes de Eva. Não era possível mudar o que tinha acontecido, então por que mexer naquilo?

Fiquei em pé e caminhei até a parede envidraçada com pé-direito duplo para observar a cidade que se estendia em todo o seu esplendor do outro lado.

Quando não sabia que Eva existia, nem sonhava em encontrar a única pessoa no mundo capaz de aceitar e amar todas as minhas facetas.

E eu a havia encontrado justo no coração de Manhattan, no prédio que construíra contrariando os conselhos das pessoas mais próximas a mim, correndo grandes riscos. Era caro demais, diziam, e desnecessário. Mas eu precisava que o nome Cross fosse lembrado e mencionado de outra forma. Meu pai tinha jogado nosso nome na lama, mas eu o elevei às alturas na cidade mais importante do mundo.

"Você não demonstrou nenhum sinal de que as coisas estavam caminhando para isso", Arash comentou atrás de mim. "Se lembro bem, dormiu com duas mulheres na festa do Cinco de Mayo, e algumas semanas depois veio me dizer para elaborar um acordo pré-nupcial dos mais malucos."

Observei a cidade, aproveitando um raro momento para apreciar a vista proporcionada pela altura e pela posição da minha sala no Edifício Crossfire. "E desde quando eu sou do tipo que fica adiando a assinatura de um acordo?"

"Uma coisa é expandir os negócios; mudar sua vida do dia para a noite é outra bem diferente." Ele deu uma risadinha. "E então, quais são os planos? Inaugurar a casa de praia?"

"Ótima ideia." Levar minha mulher de volta ao litoral da Carolina do Norte era um dos meus objetivos. Tê-la só para mim seria o céu. Nada se comparava à felicidade de ficar a sós com Eva. Sua companhia me revitalizava, fazia-me desejar uma vida que nunca quis ter antes.

Construí meu império com a mente voltada para o passado. Agora, graças a ela, eu o expandiria voltado para nosso futuro juntos.

O telefone na mesa piscou. Era Scott na linha um. Apertei o botão e ouvi sua voz pelo alto-falante. "Corinne Giroux está na recepção. Disse que precisa entregar algo para você rapidinho. Como é particular, quer entregar pessoalmente."

"Ah, claro", comentou Arash. "Talvez mais flores."

Olhei feio para ele. "Mulher errada."

"Quem me dera que minhas mulheres erradas fossem como Corinne."

"Continue pensando nisso enquanto vai até a recepção pegar o que ela veio trazer."

Ele ergueu as sobrancelhas. "Sério? Poxa."

"Se ela quer conversar, pode conversar com meu advogado."

Ele se levantou e se dirigiu à porta. "Pode deixar, chefe."

Olhei para o relógio. Quinze para as cinco. "Sei que você ouviu tudo, Scott, mas, só para deixar claro, Madani vai se encarregar dela."

"Sim, sr. Cross."

Pelo vidro que separava minha sala do restante do andar, vi Arash caminhar até a recepção e afastei o assunto da minha mente. Eva viria me encontrar em breve, e eu esperava por isso desde o início do expediente.

Obviamente não seria assim tão simples.

Um vulto vermelho apareceu no canto do meu campo de visão e fez com que eu me virasse para a porta. Vi Corinne caminhando na direção da sala, com Arash em seu encalço. Ela ergueu a cabeça, e nossos olhares se cruzaram. Seu sorriso tenso se ampliou, e a transformou de uma mulher linda em uma deslumbrante. Mas eu só conseguia admirá-la da mesma maneira que admirava qualquer uma a não ser Eva — de forma objetiva, sem nenhum envolvimento.

Agora que estava casado e feliz, percebia o erro terrível que teria cometido caso tivesse me casado com Corinne. Era uma pena que ela se recusasse a aceitar aquilo.

Fiquei em pé e fui para a frente da mesa. Lancei um olhar a Arash e Scott para avisá-los de que lidaria com a situação. Se Corinne queria se dirigir diretamente a mim, eu daria a ela uma última oportunidade de não fazer besteira.

Corinne entrou na sala. Usava sapatos vermelhos de salto alto e um vestido tomara que caia da mesma cor, mostrando bem suas pernas compridas e sua pele clara. Os cabelos pretos e lisos estavam soltos, caídos sobre os ombros. Ela era o oposto perfeito da minha esposa, e uma síntese de todas as mulheres que passaram pela minha vida.

"Gideon. Imaginei que você teria alguns minutos para uma velha amiga."

Encostei na mesa e cruzei os braços. "Considere uma cortesia da minha parte não chamar os seguranças. Seja breve, Corinne."

Ela sorriu, mas seus olhos, da cor da água-marinha, estavam tristes.

Corinne trazia uma caixa vermelha debaixo do braço. Ela se aproximou e a estendeu para mim.

"O que é isso?", perguntei, sem me mover.

"As fotos que vão aparecer no livro."

Minhas sobrancelhas se ergueram. Descruzei os braços e peguei a caixa, movido pela curiosidade. Não muito tempo antes, estávamos juntos, mas já não me lembrava bem dos detalhes do relacionamento. Só haviam restado impressões, momentos mais marcantes e arrependimento. Eu era jovem demais e tinha uma autoestima perigosamente baixa.

Corinne pôs a bolsa sobre a mesa, roçando no meu braço. Com cautela, apertei o botão que controlava a opacidade da divisória de vidro.

Se ela queria dar um show, eu precisava garantir que não haveria plateia.

Abri a tampa da caixa e dei de cara com uma foto de nós dois abraçados diante de uma fogueira. Sua cabeça estava apoiada no meu ombro, e seu rosto estava virado para mim para que a beijasse.

A lembrança me veio à mente. Tínhamos feito uma visita à casa de um amigo nos Hamptons. Estava frio, já era fim de outono.

Na foto parecíamos felizes e apaixonados. Em certo sentido, acho que estávamos. Mas recusei o convite de passar a noite lá, para a decepção de Corinne. Com meus pesadelos, seria impossível dormir ao lado dela. E eu não podia comê-la, apesar de saber que era isso que ela queria, porque o quarto de hotel que mantinha para isso estava a quilômetros de distância.

Tantas preocupações. Tantas mentiras e evasivas.

Respirei fundo para me desvencilhar do passado. "Eva e eu nos casamos mês passado."

Ela ficou tensa.

Deixei a caixa em cima da mesa, peguei meu celular e mostrei a foto que servia de fundo de tela — o beijo que havia selado nossos votos.

Corinne virou a cabeça e olhou para o outro lado. Em seguida pegou a caixa, remexeu na pilha de fotos e encontrou uma nossa na praia.

Eu estava em pé com água até a cintura. Corinne estava agarrada a mim, com as pernas em torno do meu corpo, os braços sobre meus ombros e as mãos nos meus cabelos. Com a cabeça jogada para trás, ela ria, em uma imagem que irradiava alegria. Eu a segurava com força, os olhos vidrados nela. Havia gratidão ali, e admiração. Afeto. Desejo. Quem não me conhecesse pensaria que eu estava apaixonado.

Era esse o objetivo de Corinne. Sempre neguei que tivesse amado alguém antes de Eva, e era a absoluta verdade. Da forma mais pública possível, Corinne estava determinada a provar que eu havia mentido.

Ela se inclinou para a frente, olhou para a foto e depois para mim. Sua expectativa era tangível, como se eu pudesse estar prestes a ter uma grande epifania. Corinne passou os dedos no colar, e percebi que eu o havia dado de presente, uma corrente simples com um pingente de coração dourado.

Cacete. Eu não sabia quem havia tirado a foto, nem me lembrava de onde estávamos na ocasião, e não fazia diferença.

"O que você quer provar com isso, Corinne? Nós namoramos. E terminamos. Você se casou, e eu também. Não existe mais nada entre nós."

"Então por que está exaltado? Você não é indiferente a mim, Gideon."

"Não mesmo. Você me irrita. Essas fotos só me fazem apreciar ainda mais o que tenho com Eva. E saber que isso vai deixar você magoada não me deixa com nenhuma saudade do passado. Este é nosso último adeus, Corinne." Eu a encarei com firmeza, para que visse minha determinação. "Se voltar aqui, os seguranças não vão deixá-la entrar."

"Eu não vou voltar. Você vai ter que..."

Scott me chamou pelo telefone, e eu atendi. "Sim."

"A srta. Tramell está aqui para ver o senhor."

Eu me inclinei sobre a mesa outra vez, acionando o botão que abria a porta. Um instante depois, Eva entrou.

Algum dia eu conseguiria estar na presença dela sem sentir o chão se mover sob os pés?

Ela parou de repente, dando-me o prazer de olhá-la de alto a baixo. Eva era loira, e seus cabelos claros emolduravam um rosto delicado e acentuavam os olhos acinzentados e tempestuosos que eu poderia passar horas admirando — como já tinha passado. Era baixinha e cheia de curvas, com um corpo delicioso e macio na cama.

Eu diria que era angelicalmente linda, não fosse sua sensualidade escancarada, que sempre me fazia desejar sexo *selvagem*.

Contra minha vontade, minha mente se lembrou de seu cheiro e sua pele sob minhas mãos. De sua risada aberta que me enchia de alegria. De seu pavio curto, que me fazia estremecer. Eram recordações viscerais. Tudo dentro de mim ganhou vida em uma onda de energia e atenção. Eu não sentia isso em nenhum momento quando não estava com ela.

Corinne foi a primeira a falar. "Olá, Eva."

Senti a irritação tomar conta de mim. A necessidade de defender e proteger a pessoa mais importante da minha vida era primordial.

Eu me endireitei, joguei a foto de volta na caixa e fui até minha mulher. Em comparação com Corinne, estava vestida com decoro, com uma saia preta de risca de giz e uma camisa de seda sem mangas com um brilho perolado. A onda de calor que senti era a prova de que eu precisava para determinar qual delas era mais sexy.

Eva. Naquele dia e sempre.

A atração que senti me fez atravessar a sala com passos largos e acelerados.

Meu anjo.

Não disse isso em voz alta, porque não queria que Corinne ouvisse. Mas notei que Eva sentiu a demonstração de carinho. Estendi a mão e, ao sentir a familiaridade de sua pele, apertei com força.

Eva se virou a fim de cumprimentar a mulher que de forma nenhuma era páreo para ela. "Corinne."

Eu não me virei para olhar.

"Preciso ir", Corinne disse atrás de mim. "Essas cópias são suas, Gideon."

Incapaz de tirar os olhos de Eva, falei por cima do ombro: "Pode levar. Eu não quero".

"Você deveria ver até o fim", ela rebateu, chegando mais perto.

"Por quê?" Irritado, olhei para Corinne quando ela parou ao nosso lado. "Se eu tiver algum interesse, posso sempre dar uma folheada no seu livro."

O sorriso dela ficou tenso. "Adeus, Eva. Gideon."

Quando ela saiu, dei mais um passo na direção da minha esposa, eliminando de vez a distância entre nós. Segurei sua outra mão, inclinando-me para a frente a fim de inalar seu perfume. Uma sensação de calma me invadiu.

"Que bom que você veio." Murmurei as palavras junto à sua testa, querendo a maior proximidade possível. "Estava morrendo de saudade."

Fechando os olhos, ela se apoiou contra mim com um suspiro.

Sentindo a tensão em seu corpo, apertei suas mãos com mais força. "Tudo bem com você?"

"Sim, estou bem. Só não esperava vê-la aqui."

"Eu também não." Por mais que detestasse me afastar, ficar pensando naquelas fotos era ainda pior.

Voltei à mesa, tampei a caixa e joguei tudo no lixo.

"Pedi demissão", ela contou. "Amanhã é meu último dia."

Era o que eu queria, o que acreditava ser o melhor a fazer e a medida mais segura a tomar. Mas sabia que era uma decisão difícil. Eva adorava seu emprego e as pessoas com quem trabalhava.

Ciente de que ela sabia ler minhas reações como ninguém, mantive um tom de voz neutro. "É?"

"É."

Eu a observei. "E o que vai fazer agora, então?"

"Tenho um casamento para organizar."

"Ah." Abri um sorriso. Depois de tantos dias temendo que estivesse arrependida, era um alívio ouvir aquilo. "Bom saber."

Eu a chamei mais para perto dobrando o dedo.

"Vem você até aqui", ela rebateu, com um olhar de desafio.

Como eu poderia resistir? Fui até ela no meio da sala.

Era por isso que conseguíamos superar todos os obstáculos que encontrávamos. Com ela eu havia aprendido a ceder.

Eva jamais seria a esposa dócil que meu amigo Arnoldo Ricci desejava para mim. Era independente e determinada demais. E absurdamente ciumenta. Era exigente e teimosa, e gostava de me desafiar só para me deixar maluco.

Tudo aquilo funcionou comigo como nunca tinha acontecido antes, porque Eva era perfeita para mim. Eu acreditava naquilo mais que em qualquer outra coisa no mundo.

"É isso que você quer?", perguntei baixinho, observando seu rosto em busca de uma resposta.

"É *você* que eu quero. O resto é só logística."

Minha boca ficou seca e meu coração acelerou. Quando ela levantou a mão para mexer nos meus cabelos, eu a peguei e a deixei no meu rosto, fechando os olhos para aproveitar seu toque.

A semana anterior se desfez. Os dias que passamos separados, as horas de silêncio, o medo paralisante... Eva havia me mostrado o dia todo que estava pronta para seguir em frente, que eu havia tomado a decisão certa ao conversar com o dr. Petersen. Ao conversar com *ela*.

Ela não só não recuou como queria mais. E ainda dizia que *eu* era um milagre?

Eva suspirou. Senti sua tensão se dissipar. Ficamos lá parados, reconectando-nos, buscando no outro a força de que precisávamos. Fiquei impressionado ao me dar conta de que era capaz de dar um pouco de paz de espírito a ela.

E o que Eva me dava em troca?

Tudo.

A maneira como o rosto de Angus McLeod se iluminou quando viu Eva sair do Crossfire me deixou comovido de um jeito impossível de explicar. Ele era um homem reservado por natureza e por ofício. Quase nunca demonstrava seus sentimentos, mas abria uma exceção para Eva.

Ou talvez não conseguisse se segurar. Como eu.

"Angus." Eva abriu seu sorriso radiante para ele. "Você está elegante como nunca."

Observei o homem que eu amava como um pai bater na aba do quepe de chofer e abrir um sorriso envergonhado.

Depois do suicídio do meu pai, minha vida virou um turbilhão. Durante os anos confusos que se seguiram, meu único ponto de estabilidade era Angus, um homem contratado para ser motorista e guarda-costas e que acabou se transformando em meu esteio. Em uma época em que me sentia isolado e traído, quando minha própria mãe se recusava a acreditar que eu estava sendo repetidamente estuprado pelo terapeuta que contratara para me ajudar, Angus me ajudou a manter os pés no chão. Ele nunca duvidou de mim. Quando saí de casa para tocar minha própria vida, ele foi comigo.

"Não vamos estragar tudo desta vez, rapazinho", Angus me disse quando as pernas bem torneadas da minha mulher desapareceram dentro do Bentley.

Abri um sorrisinho. "Obrigado pelo voto de confiança."

Entrei e me acomodei ao lado de Eva, enquanto Angus contornava o carro até a porta do motorista. Apoiei minha mão na coxa dela para chamar sua atenção. "Quero levar você à casa da praia este fim de semana."

Ela prendeu a respiração por um momento então soltou o ar com força. "Minha mãe convidou a gente para ir a Westport. Stanton chamou Martin, sobrinho dele, que namora Lacey, colega de apartamento de Megumi, não sei se você lembra... Cary também vai, claro. Eu disse que a gente ia."

Segurando-me para não demonstrar a decepção, considerei minhas opções.

"Quero que a gente participe dessas coisas de família", ela continuou. "Além disso, minha mãe quer conversar sobre um plano que eu elaborei."

Escutei seu relato da conversa que teve com Monica no almoço.

Eva olhou para mim quando terminou. "Ela me disse que você não ia gostar da ideia, mas sei que já usou os paparazzi antes, quando me deu aquele tremendo beijo no meio da calçada. Você queria que a foto fosse tirada."

"Sim, mas foi uma coisa de momento, nada planejado. Sua mãe tem razão, isso é diferente."

Seus lábios se curvaram, e decidi repensar minha estratégia. Queria que ela participasse de tudo na minha vida. Isso significava que precisava encorajá-la, não impor obstáculos. "Mas você tem razão, meu anjo. Se existe um público interessado no livro de Corinne, é uma demanda que precisa ser suprida de alguma maneira."

O sorriso que Eva abriu foi minha recompensa.

"Pensei em pedir para Cary tirar umas fotos nossas no fim de semana", ela falou. "De momentos mais apaixonados e casuais que os dessas imagens de eventos sociais. Podemos vender nossas preferidas para a mídia e doar o dinheiro para a Crossroads."

A fundação que criei tinha financiamento de sobra, mas eu entendia que o dinheiro era um benefício secundário do plano de Eva para mitigar o impacto do livro de fofocas de Corinne. Eu lamentava o sofrimento que a situação causaria à minha mulher e estava disposto a apoiá-la como fosse possível, mas aquilo não significava que não tentaria passar o fim de semana a sós com ela.

"Podemos fazer uma viagem mais curta", sugeri, começando a negociação com um pedido extremo, o que me daria margem para ceder um pouco. "Vamos na sexta à noite para a Carolina do Norte e passamos o domingo em Westport."

"Ir da Carolina do Norte até Connecticut e depois voltar a Manhattan no mesmo dia? Ficou louco?"

"Podemos ficar na casa de praia até sábado à noite, então."

"Não podemos ficar sozinhos tanto tempo, Gideon", ela respondeu baixinho, colocando a mão sobre a minha. "Precisamos seguir o conselho do dr. Petersen por um tempo. Namorar, aparecer em público, aprender a lidar com nossos... problemas. Mas sem usar o sexo como muleta."

Eu a encarei. "Não acredito que você está dizendo que não vamos trepar."

"Só até a gente casar. Não vai ser..."

"Eva, a gente já casou. Você não pode me pedir para manter distância."

"Mas estou pedindo."

"Não."

Ela contorceu a boca. "Você não pode negar."

"*Você* é que não pode negar", rebati, sentindo meu coração disparar. Minhas mãos começaram a suar e um leve pânico se instalou. Era uma coisa irracional, irritante. "O desejo é mútuo."

Ela tocou meu rosto. "Às vezes meu desejo é até maior, e não nego isso. Mas o dr. Petersen está certo. Avançamos tão depressa que varamos um monte de lombadas a toda. Acho que esse é o momento para tirar um pouco o pé do acelerador. Só por algumas semanas, até o casamento."

"Algumas *semanas*? Minha nossa, Eva." Eu me afastei, passando as mãos nos cabelos e olhando pela janela. Minha cabeça estava a mil. O que significava? Por que estava me pedindo aquilo?

Como é que eu ia convencê-la a desistir da ideia?

Senti quando ela chegou mais perto e se aninhou em mim.

Sua voz saiu bem baixinha. "Não era você quem tanto defendia os benefícios de adiar o prazer?"

Eu a encarei. "E isso por acaso deu certo?"

Aquela noite foi um dos maiores erros que cometi no nosso relacionamento. Tudo começou muito bem, então a aparição inesperada de Corinne estragou tudo, provocando um dos piores desentendimentos que Eva e eu tivemos — uma discussão que se tornou ainda mais explosiva por causa da tensão sexual que provoquei e só saciei mais tarde.

"A gente era muito diferente naquela época." Eva recuou, encarando-me com seus olhos acinzentados. "Você não é o mesmo homem que me ignorou naquela noite."

"Não ignorei você."

"E eu não sou mais a mesma mulher", ela continuou. "Ver Corinne hoje me deixou um pouco tensa, mas eu *sei* que ela não é uma ameaça. Sei que você está comprometido... Nós dois estamos. É por isso que vamos conseguir fazer o que estou propondo."

Abri um pouco as pernas para me alongar. "Eu não quero."

"Eu também não. Mas acho uma boa ideia." Ela abriu um sorriso suave. "É tradicional e romântico esperar até a noite do casamento. Imagina como vai ser quando a gente voltar a transar."

"Eva, a gente não precisa disso para ter uma vida sexual intensa."

"Precisamos fazer sexo por diversão, e não porque é o que segura nosso relacionamento."

"Sexo é as duas coisas, e não tem nada de errado nisso." Era como se ela estivesse me pedindo para parar de me alimentar, o que eu estaria mais inclinado a aceitar.

"Gideon... temos uma relação incrível. Todo esforço é válido para deixá-la ainda mais sólida."

Fiz que não com a cabeça. A ansiedade que estava sentindo me irritou. Era um sinal de descontrole, o que não podia acontecer. Eva não merecia aquilo.

Inclinei-me para a frente e levei a boca ao seu ouvido. "Meu anjo, se não está sentindo falta do meu pau dentro de você, então preciso comparecer mais, e não me afastar."

Seu estremecimento me fez sorrir por dentro. Mesmo assim, ela sussurrou de volta: "Tenta, por favor. Por mim".

"Porra." Eu me recostei de novo no assento. Por mais que quisesse dizer não para ela, não conseguia. Nem mesmo para aquilo. "Que saco."

"Não fica bravo. Se eu não achasse que é importante tentar, não teria pedido. E é por tão pouco tempo."

"Eva, cinco minutos para mim já seriam muito tempo. Estamos falando de semanas."

"Amor..." Ela deu uma risadinha. "Você está fazendo biquinho. Que lindo." Ela se inclinou para a frente e me beijou no rosto. "É uma concessão e tanto. Obrigado."

"Não concordei em facilitar as coisas para você."

Ela foi descendo os dedos pela minha gravata. "Claro que não. A gente pode deixar as coisas mais divertidas. Um desafio. Vamos ver quem desiste primeiro."

"Eu", murmurei. "Não tenho nenhum incentivo para vencer essa parada."

"E eu? Embrulhada em um laço — e nada mais — como seu presente de aniversário?"

Franzi a testa. Nada poderia ser melhor que aquilo, nem mesmo Eva saindo nua de dentro de um bolo. "O que meu aniversário tem a ver com a história?"

Eva abriu um sorriso deslumbrante, que só me fez desejá-la mais. Ela era o sol da minha vida em todos os momentos, mas, quando estava debaixo de mim, se contorcendo de prazer, pedindo para usar mais força... ir mais fundo...

"É quando a gente vai se casar."

Demorei um segundo para registrar suas palavras no meu cérebro dominado pela luxúria. "Não sabia disso."

"Nem eu, até hoje à tarde. Quando fiz minha última pausa do dia, entrei na internet para ver se tinha alguma coisa em setembro ou outubro que eu precisava levar em conta quando fosse decidir a data. Como a gente vai se casar na praia, não pode estar frio, então tem que ser no mês que vem ou no seguinte."

"Ainda bem que existe o inverno", resmunguei.

"Tarado. Enfim... Aí recebi um alerta do Google sobre você..."

"Você ainda recebe isso?"

"... e tinha uma postagem sobre a gente em um site de fãs. Tinha..."

"Site de fãs?"

"Pois é. Existe um monte de sites e blogs sobre você. Como está vestido, com quem está saindo, os eventos em que aparece."

"Meu deus."

"O site em que entrei tinha um monte de dados sobre você: altura, peso, cor dos olhos, data de nascimento... tudo mesmo. Para ser sincera, fiquei meio assustada, porque essas pessoas sabem um monte de coisas sobre você que eu nem imagino, o que é mais um motivo para a gente se conhecer melhor e conversar mais..."

"Posso passar esses dados enquanto a gente transa. Problema resolvido."

Ela abriu um sorriso divertido. "Engraçadinho. Enfim, é uma ótima ideia, não? Assim você nunca vai esquecer nosso aniversário de casamento."

"Nosso aniversário de casamento é 11 de agosto", eu a lembrei secamente.

"Vamos ter duas datas para comemorar." Ela passou os dedos pelos meus cabelos, fazendo minha pulsação disparar. "Ou podemos comemorar todos os dias entre uma data e outra."

De 11 de agosto a 22 de setembro — um mês e meio. Só de pensar nisso as semanas seguintes sem sexo já se tornaram um pouco mais suportáveis.

*

"Eva. Gideon." O dr. Lyle Petersen se levantou e sorriu quando entramos em seu consultório. Era um homem alto, e seus olhos baixaram até nossas mãos dadas. "Vocês parecem bem."

"Estou me sentindo muito bem", Eva falou, parecendo forte e segura.

Eu não disse nada, só estendi a mão para ele.

Aquele terapeuta sabia coisas sobre mim que eu esperava nunca ter que compartilhar com ninguém. Por isso, não me sentia muito à vontade com ele, apesar das cores neutras e da mobília confortável de seu consultório. O dr. Petersen era um homem agradável, tranquilo. Seus cabelos grisalhos bem cortados suavizavam sua aparência, mas não mudavam o fato de que se tratava de uma pessoa observadora e incisiva.

Era difícil confiar em alguém que conhecia tão bem minhas vulnerabilidades, mas eu precisava me esforçar, porque não tinha escolha — o dr. Petersen era uma figura fundamental no meu casamento.

Eva e eu nos acomodamos no sofá, e ele se sentou em sua poltrona. Deixou o tablet de lado e nos observou com seus olhos azuis afiados, que exalavam inteligência.

"Gideon", ele começou, "conte o que aconteceu desde que nos falamos na terça."

Eu me recostei no sofá e fui direto ao ponto. "Eva decidiu seguir seu conselho de se abster do sexo até nosso casamento se tornar público."

A risada baixa e rouca de Eva veio logo em seguida. Ela se inclinou na minha direção e me segurou pelo braço. "Percebeu o tom de acusação?", perguntou ao terapeuta. "Por culpa sua, ele não vai me ter por duas semanas."

"São mais de duas semanas", argumentei.

"Mas menos de três", ela rebateu, sorrindo para o dr. Petersen. "Eu sabia que esse seria o primeiro assunto que ele mencionaria."

"Você começaria por onde, Eva?", ele perguntou.

"Gideon me contou detalhes de seu pesadelo ontem à noite." Ela me olhou. "Foi um grande avanço. Um divisor de águas para nós dois."

O amor em seus olhos enquanto falava era inegável, assim como a gratidão e a esperança. Senti um nó na garganta. Falar sobre as coisas perturbadoras que atormentavam minha cabeça foi a coisa mais difícil que precisei fazer — até contar ao dr. Petersen sobre Hugh tinha sido mais fácil —, mas ver aquele olhar no rosto de Eva fazia tudo valer a pena.

As coisas mais terríveis sobre nós serviam para nos unir. Era uma loucura, mas também uma maravilha. Puxei sua mão para meu colo, cobrindo-a com as minhas. Só sentia amor, gratidão e esperança naquele instante.

O dr. Petersen pegou o tablet. "Foi uma semana de grandes revelações para você, Gideon. O que motivou isso?"

"Você sabe."

"Eva se afastou de você."

"E parou de falar comigo."

Ele olhou para Eva. "Foi porque Gideon contratou seu chefe para tirá-lo da agência onde você trabalha?"

"Isso foi a gota d'água", ela admitiu, "mas estávamos por um fio. Alguma coisa precisava mudar. Não dava para continuar andando em círculos, tendo sempre as mesmas discussões."

"Então você se afastou. O que poderia ser descrito como chantagem emocional. Qual era sua intenção?"

Ela contorceu os lábios, pensando a respeito. "Eu diria que foi por desespero."

"Por quê?"

"Porque Gideon estava... determinando quais seriam as linhas que definiriam nosso relacionamento. E eu não conseguia nem imaginar viver dentro daqueles limites pelo resto da vida."

O dr. Petersen fez algumas anotações. "Gideon, o que você achou da maneira como Eva lidou com a situação?"

Pensei um pouco antes de responder. "Foi como se o tempo tivesse parado, só que mil vezes pior."

Ele me olhou. "Lembro que, quando você veio aqui pela primeira vez, não falava com Eva havia alguns dias."

"Ele terminou comigo", ela falou.

"Ela me deixou", rebati.

Foi outra noite em que nos abrimos um para o outro. Ela me contou sobre os abusos de Nathan, revelando a fonte inconsciente da nossa atração. Depois tive um pesadelo sobre o assédio que sofria, e Eva me forçou a falar a respeito.

Não consegui, e ela me deixou.

Eva se irritou. "*Ele* terminou tudo *comigo* em um comunicado mandado pelo correio interno da empresa! Quem é que faz uma coisa dessas?"

"Eu não terminei nada", corrigi. "Queria que você voltasse. Você sempre se afasta quando as coisas não..."

"*Isso* é chantagem emocional." Ela soltou minha mão e se virou para mim. "Você se afastou com o propósito explícito de me fazer aceitar aquela situação. Se não estou satisfeita com alguma coisa, você se afasta até eu não conseguir aguentar mais."

"Não foi isso que você fez comigo?" Cerrei os dentes. "Você não parece ter nenhum problema com isso. Se eu não mudar, você se manda."

Aquilo acabava comigo. Ela já tinha mostrado várias vezes que era capaz de virar as costas para mim e nunca mais olhar para trás, enquanto eu mal conseguia respirar sem ela. Era um desequilíbrio claríssimo no nosso relacionamento, que dava a ela uma vantagem significativa em tudo.

"Você parece ressentido, Gideon", comentou o dr. Petersen.

"E eu não?" Eva cruzou os braços.

Fiz que não com a cabeça. "Não é ressentimento. É... frustração. Não posso me afastar, mas ela pode."

"Isso não é justo! E não é verdade. O único recurso que tenho é fazer você sentir minha falta. Por mais que eu tente conversar, você só faz o que quer. Não me conta as coisas, não me consulta."

"Estou tentando melhorar."

"*Agora*, mas precisei me afastar para que fizesse isso. Seja sincero, Gideon: quando apareci você percebeu que existia um vazio na vida que podia ser preenchido, mas o resto tinha que ficar como estava."

"O que eu queria era só que... a gente se curtisse por um tempo."

"O meu direito de decidir as coisas por mim mesma é importante! Você não pode querer tirar isso de mim e ainda ficar puto se eu não gostar!"

"Minha nossa." A verdade nua e crua. Foi como se eu tivesse levado um soco. Considerando o passado de Eva, fazê-la sentir — nem que fosse só por um momento — que eu limitava seu poder de decisão era um golpe brutal. "Eva..."

Eu sabia do que ela precisava, reconheci logo de cara. Tínhamos uma palavra de segurança que sempre respeitei, em público e a dois. Quando ela a dizia, eu parava. E a lembrava daquilo sempre, mostrava a ela que a escolha de parar ou continuar era totalmente sua.

Mas não consegui fazer o mesmo no que dizia respeito ao trabalho. Era uma coisa imperdoável.

Eu me virei para ela. "Meu anjo, não foi minha intenção fazer você se sentir impotente. Eu nunca, nunca *mesmo*, imaginei que era assim que você encararia as coisas. Desculpa."

As palavras não eram suficientes. Nunca eram. Queria ser um recomeço para ela. Como pudera agir como os babacas com quem tinha se relacionado no passado?

Ela me encarou com seus olhos que viam tudo o que eu preferiria manter escondido. Pelo menos uma vez, fiquei contente com isso.

Sua postura combativa se amenizou. Seu olhar foi atenuado pelo amor. "Acho que eu não tinha deixado isso tão claro."

Eu me senti incapaz de expressar o que se passava na minha cabeça. Quando conversamos sobre cumplicidade e dividir nossos fardos, não fiz a relação com sua necessidade de decidir as coisas por si mesma. Pensei que poderia defendê-la dos problemas que surgissem e facilitar as coisas para Eva. Ela merece.

Eva cutucou meu ombro. "Não foi melhor, nem um pouquinho, ter falado comigo sobre o sonho ontem à noite?"

"Não sei." Soltei o ar com força. "Mas sei que você ficou contente. Se é isso que eu preciso fazer... então é assim que vai ser."

Ela se recostou no sofá, com os lábios tremendo, e olhou para o dr. Petersen. "Agora estou me sentindo culpada."

Silêncio. Eu não sabia o que dizer. O terapeuta ficou aguardando, com uma paciência enlouquecedora.

Eva soltou um suspiro profundo e trêmulo. "Pensei que, se ele tentasse, ia ver como as coisas eram melhores do meu jeito. Mas se isso for visto só como uma forma de pressão... de chantagem emocional..." Uma lágrima escorreu pelo seu rosto, cortando meu coração como uma lâmina. "Acho que nossas ideias sobre como deve ser um casamento são diferentes. E se isso não mudar nunca?"

"Eva." Eu a abracei e a puxei para mais perto, aliviado por ela aceitar o gesto e apoiar a cabeça no meu ombro. Não era uma rendição. Era uma trégua momentânea. Mas bastava.

"É uma questão importante", disse o dr. Petersen. "Vamos conversar a respeito. E se o nível de cumplicidade que você espera de Gideon não for confortável para ele?"

"Não sei." Ela limpou as lágrimas. "Não sei como seria nesse caso."

Toda a esperança que ela demonstrara ao entrar no consultório tinha se perdido. Acariciando seus cabelos, tentei encontrar algo para dizer que pudesse restabelecer o clima com que começamos a conversa.

Desorientado, falei: "Você pediu demissão por mim, mesmo não sendo essa sua vontade. Contei sobre o meu sonho, mesmo não sendo essa minha vontade. Não é assim que funcionam as coisas? Os dois não precisam ceder?".

"Você pediu demissão, Eva?", perguntou o dr. Petersen. "Por quê?"

Ela se aninhou junto a mim. "Estava começando a ter mais dor de cabeça do que recompensa. Além disso, Gideon tem razão... ele cedeu um pouco, então parecia justo que eu cedesse também."

"Eu não diria que nenhum de vocês cedeu 'um pouco'. E mesmo assim preferiram começar a sessão falando de outras coisas, o que sugere que não estão completamente à vontade com o sacrifício feito." Ele se recostou e pôs o tablet no colo. "Já pararam para se perguntar por que estão com tanta pressa?"

Nós o encaramos.

Ele sorriu. "Os dois estão franzindo a testa, então vou encarar isso como um não. Como casal, vocês têm vários pontos fortes. Podem não compartilhar tudo, mas se comunicam, e de forma produtiva. Existem motivos para raiva e frustração, e vocês estão expressando isso e reforçando os sentimentos um do outro."

Eva endireitou a postura. "Mas...?"

"Cada um de vocês também está impondo sua vontade pessoal e manipulando o outro para isso. Existem problemas e mudanças que acontecem com todo mundo e se resolvem com o tempo, mas nenhum de vocês dois está disposto a esperar, e é isso que me preocupa. Vocês estão acelerando demais. Faz só três meses que se conhecem. A essa altura, a maioria dos casais está começando a assumir um namoro, mas vocês já estão casados há quase um mês."

Joguei os ombros para trás. "De que adianta adiar o inevitável?"

"Se é inevitável", ele rebateu, com a gentileza estampada nos olhos, "por que apressar as coisas? Mas não é disso que estou falando. Vocês estão arriscando seu casamento quando forçam um ao outro a tomar atitudes para as quais ainda não estão prontos. Gideon, você se fecha, como fez com sua família. Eva, você põe a culpa em si mesma se o relacionamento não está funcionando e começa a agir contra suas próprias necessidades, como já demonstrou em seus relacionamentos destrutivos anteriores. Se continuarem colocando um ao outro em situações ameaçadoras, vão acabar acionando seus mecanismos de defesa."

Minha pulsação acelerou, e senti que Eva ficou tensa. Ela disse a mesma coisa para mim antes, e eu sabia que ouvir aquilo do analista só consolidaria sua preocupação. Eu a puxei mais para perto, para tentar acalmá-la. O ódio que senti de Hugh e Nathan naquele momento foi feroz. Estavam ambos mortos, mas mesmo assim continuavam a foder nossa vida.

"Não vamos deixar que eles levem a melhor", Eva sussurrou.

Dei um beijo em sua cabeça, imensamente grato a ela. Ela pensava como eu, o que me deixava maravilhado.

Eva jogou a cabeça para trás, passando os dedos pelo meu queixo, com os olhos acinzentados cheios de ternura. "Não consigo ficar longe de você, sabia? Dói demais. Só porque você cede primeiro, não significa que eu estou menos envolvida. Só sou mais teimosa."

"Não quero brigar com você."

"Então não vamos brigar", ela disse simplesmente. "Começamos uma nova etapa hoje — você me contando as coisas, eu pedindo demissão. Vamos manter tudo assim por uns tempos e ver como ficamos."

"Eu topo."

*

Originalmente, minha ideia era jantar com Eva em um lugar tranquilo e reservado, mas mudei de ideia e fomos ao restaurante do Crosby Street Hotel. Era um lugar movimentado, e todos sabiam que os paparazzi o rondavam. Ainda não estava preparado para levar a coisa ao extremo, mas, conforme discutido com o dr. Petersen, estava disposto a tentar encontrar um meio-termo.

"Que lindo", ela falou enquanto seguíamos a hostess até nossa mesa, observando as paredes azuis de tom claro e a iluminação discreta que vinha dos lustres.

Quando chegamos à mesa, olhei ao redor e puxei a cadeira para Eva. Ela estava atraindo atenção, como sempre. Era uma mulher belíssima em todos os sentidos, mas seu sex appeal era algo que só vendo para crer. Estava na maneira como se movia, em sua postura, em seu sorriso.

E ela era minha. Os olhares que dirigi aos demais clientes do local deixaram isso bem claro.

Eu me sentei diante dela, admirando a maneira como a vela acesa na mesa fazia sua pele e seus cabelos reluzirem. O brilho em seus lábios era um convite a beijos profundos e demorados, assim como o olhar em seu rosto. Ninguém nunca tinha me olhado dessa maneira, com aceitação total e entendimento pleno misturados a amor e desejo.

Eu poderia contar qualquer coisa e ela acreditaria. Era uma coisa muito simples, mas importante demais para mim. Só meu silêncio era capaz de afastá-la, não a verdade.

"Meu anjo." Segurei sua mão. "Vou perguntar mais uma vez antes de deixar o assunto para lá. Tem certeza de que você quer se demitir? Não vai jogar isso na minha cara daqui a vinte anos? Ainda é tempo de voltar atrás, se você quiser."

"Daqui a vinte anos você pode estar trabalhando para mim, garotão." Sua risada rouca flutuou pelo ar e atiçou ainda mais meu desejo. "Não se preocupa. Na verdade, foi até um alívio. Tenho muito com que me preocupar: encaixotar minhas coisas, fazer a mudança, organizar o casamento. Quando essa fase passar, vejo o que vou fazer."

Eu a conhecia muito bem. Se estivesse insegura, teria notado. O que percebi foi algo diferente. Algo novo.

Havia um fogo dentro dela.

Não consegui tirar os olhos de Eva, nem mesmo na hora de pedir o vinho.

Quando o garçom se afastou, eu me recostei na cadeira, desfrutando do simples prazer de admirar minha linda esposa.

Eva molhou os lábios com um gesto provocante com a língua e se inclinou para a frente. "Você é incrivelmente gostoso."

Abri um sorrisinho. "Ah, é?"

Ela esfregou a perna na minha. "Você é, de longe, o homem mais gostoso daqui, o que torna tudo ainda mais divertido. Adoro exibir você."

Soltei um suspiro exagerado. "Você está interessada só no meu corpo."

"Claro. Quem se importa com seus bilhões de dólares? Você tem coisas muito melhores que isso."

Prendi sua perna entre os tornozelos. "Como minha esposa. Ela é a coisa mais valiosa na minha vida."

Eva ergueu as sobrancelhas em uma expressão de divertimento. "*Coisa?*"

Ela sorriu quando o garçom voltou com o vinho. Enquanto ele servia a bebida, seu pé subiu para me provocar, e seus olhos assumiram uma expressão de desejo. Empurrei a taça para ela e observei enquanto girava a bebida, levava até o nariz e então dava um gole. O gemido de aprovação que soltou fez uma onda de calor percorrer meu corpo, o que certamente era seu objetivo. A carícia lenta na minha perna era enlouquecedora. Meu pau ficava mais duro a cada minuto, mais do que estimulado pelos dias de privação.

Antes de Eva, eu não sabia que o sexo podia despertar uma sede tão intensa.

Dei um gole no vinho e esperei que o garçom se afastasse. "Já mudou de ideia sobre a espera?"

"Não. Só estou tentando deixar as coisas mais interessantes."

"Eu também sei provocar, viu?", avisei.

Ela sorriu. "Estou contando com isso."

3

"Aonde você vai?", perguntei a Gideon quando entrou comigo no saguão do prédio. O Upper West Side era meu lar — por ora. A cobertura de Gideon era no Upper East Side. A imensa área verde do Central Park nos separava, uma das poucas distâncias entre nós que podia ser percorrida facilmente.

Acenei para Chad, um dos seguranças da noite. Ele sorriu para mim e fez um aceno educado para Gideon.

"Vou subir com você", respondeu Gideon, pondo a mão na parte inferior das minhas costas.

Era impossível ignorar seu toque. Ele exercia sua possessividade e seu controle sem esforço, o que me deixava louca de desejo. Foi ainda mais difícil dizer não a ele quando chegamos ao elevador. "A gente precisa se despedir aqui, garotão."

"Eva..."

"Não tenho tanto autocontrole assim", confessei, sentindo toda a força do desejo dele. Gideon sempre conseguia me fazer ceder. Era uma das coisas que eu adorava nele, uma das provas de que éramos feitos um para o outro. "Você e eu com uma cama por perto não é uma boa ideia."

Ele me olhou com um sorriso na boca infernalmente sexy. "Estou contando com isso."

"Começa a contar o tempo que falta até o casamento em vez disso. É o que estou fazendo. Minuto por minuto." E era uma tortura. Minha relação física com Gideon era tão importante quanto a emocional. Eu era apaixonada por ele. Adorava tocá-lo, acariciá-lo, fazer tudo o que ele quisesse... Esse direito era importante demais para mim.

Segurei seu braço, apertando os músculos rígidos por baixo da roupa. "Também estou sentindo sua falta."

"Você não precisa sentir minha falta."

Puxando-o para o lado, baixei o tom de voz. "É sempre você que determina quando e como", murmurei, repetindo a premissa básica da nossa vida sexual. "E uma parte de mim realmente quer que seja agora. Mas tem uma coisa que eu quero mais que isso. Ligo para você mais tarde, depois de conversar com Cary, e conto o que é."

O sorriso desapareceu do rosto dele. Seu olhar pareceu ávido. "Você pode ir para o apartamento ao lado e me contar agora mesmo."

Fiz que não com a cabeça. Quando a ameaça de Nathan estava à espreita, Gideon se instalou no apartamento vizinho para garantir minha segurança, apesar de eu não saber na época. Ele podia fazer aquilo porque o prédio era uma de suas muitas propriedades na cidade.

"Você precisa ir para casa, Gideon, relaxar e aproveitar a linda cobertura em que vamos morar em breve."

"Não é a mesma coisa sem você lá. Parece vazia."

Isso me atingiu com força. Antes de me conhecer, Gideon tinha estruturado sua vida para que pudesse ficar sozinho em todos os sentidos — mergulhando no trabalho para evitar a família e relacionamentos sérios. Eu havia mudado aquilo, e não queria que ele se arrependesse.

"Agora é sua chance de se livrar de todas as coisas que não quer que eu descubra quando me mudar para lá", provoquei, tentando manter o clima leve.

"Você conhece todos os meus segredos."

"Amanhã vamos estar juntos em Westport."

"Amanhã ainda está longe demais."

Fiquei na ponta dos pés e beijei seu queixo. "Você pode dormir uma parte do tempo e trabalhar o resto." Em seguida, murmurei: "Podemos trocar mensagens picantes. Você sabe como sou criativa".

"Prefiro o real ao virtual."

Baixei o tom de voz para um sussurro sensual. "Um vídeo, então. Com som."

Ele virou a cabeça e me deu um beijo longo e profundo. "É uma prova de amor", sussurrou. "Concordar com isso."

"Eu sei." Abri um sorriso e dei um passo atrás para apertar o botão do elevador. "Você também pode me mandar nudes, sabia?"

Ele ergueu uma sobrancelha. "Se quiser fotos minhas, meu anjo, vai ter que tirar pessoalmente."

Entrei de costas no elevador e mostrei o dedo do meio para ele. "Estraga-prazeres."

As portas começaram a se fechar. Tive que me segurar na barra de apoio para não sair correndo atrás dele. A felicidade tinha muitas formas. A minha era Gideon.

"É para sentir minha falta", ordenou.

Mandei um beijo para ele. "Sempre."

Quando abri a porta do apartamento, fui recebida por duas coisas: o cheiro de comida e a música de Sam Smith.

Eu me senti imediatamente em casa, mas fui acometida por uma tristeza ao pensar que aquele não seria meu lar por muito mais tempo. Não que eu tivesse alguma dúvida em relação ao futuro que abracei quando me casei com Gideon. A ideia de morar com ele também era animadora, ser sua esposa em público e no privado, compartilhando os dias — e as noites — com ele. Mas mudar ainda é mais difícil quando você gosta da versão anterior da sua vida.

"Querido, cheguei!", gritei, pondo a bolsa sobre um dos banquinhos de madeira do balcão da cozinha. Minha mãe tinha decorado o apartamento inteiro em um estilo ao mesmo tempo tradicional e moderno. Eu não faria algumas de suas escolhas, mas tinha gostado do resultado final.

"Estou aqui", Cary respondeu, atraindo minha atenção para o outro lado do apartamento. Estava deitado no sofá da sala de estar de bermuda e sem camisa. Seu corpo era magro e bronzeado, com o abdome tão lindamente definido quanto o de Gideon. Mesmo quando não estava trabalhando, ele continuava parecendo um modelo gatíssimo, o que de fato era. "Como foi o jantar?"

"Foi bom." Fui andando até ele, tirando os sapatos no caminho. Era preciso desfrutar enquanto podia. Eu nem imaginava poder largar meus sapatos no meio da cobertura de Gideon. Aquilo provavelmente ia deixá-lo maluco. E como com certeza haveria outras coisas que o deixariam maluco era melhor escolher meus vícios com cuidado. "E o seu? Parece que você fez comida."

"Pizza. Semicaseira. Tat estava com desejos."

"E quem não tem desejo de pizza?", respondi, esparramando-me no sofá. "Ela ainda está aqui?"

"Não." Ele desviou a atenção da tv e me encarou com a seriedade estampada nos olhos verdes. "Ela foi embora toda nervosinha quando falei que não vamos morar juntos."

"Ah." Para ser sincera, eu não gostava de Tatiana Cherlin. Como Cary, ela era uma modelo bem-sucedida, mas não tão conhecida quanto ele.

Ele a conheceu em um de seus trabalhos. Era uma relação puramente sexual que teve uma guinada violenta quando ela descobriu que estava grávida. Infelizmente, a descoberta aconteceu na mesma época em que Cary encontrou um cara com quem queria ter um relacionamento sério.

"É uma decisão importante", comentei.

"E não sei se é a decisão correta." Ele passou uma das mãos pelo lindo rosto. "Se Trey não estivesse na jogada, eu faria a coisa certa."

"E quem disse que não está fazendo? Vocês não precisam morar juntos para ser bons pais. Veja só os meus."

"Porra." Ele grunhiu. "Parece que estou fazendo uma escolha entre a minha vida e a da criança, Eva. Como isso não faz de mim um imbecil egoísta?"

"Você não está se afastando dela para sempre. Sei que vai estar sempre à disposição dela e do bebê, só que de outra maneira." Estendi a mão e passei os dedos em seus cabelos castanho-escuros. Meu melhor amigo tinha sofrido muito na vida. A maneira distorcida como foi apresentado ao sexo e ao amor lhe deixou muita bagagem e maus hábitos. "Então Trey vai continuar com você."

"Ele não decidiu."

"Ele ligou?"

Cary sacudiu a cabeça. "Não. Eu liguei, antes que ele me esquecesse."

Dei um empurrãozinho de leve nele. "Como se isso fosse possível, Cary Taylor. Você é inesquecível."

"Rá." Ele se espreguiçou com um suspiro. "Ele não pareceu muito contente quando falou comigo. Disse que ainda precisava resolver algumas coisas."

"Isso significa que está pensando em você."

"Pois é, pensando que escapou de uma boa", murmurou Cary. "Trey falou que as coisas entre nós nunca iam dar certo se eu morasse com Tat, mas, quando contei que não ia rolar, disse que estava se sentindo um babaca por ter interferido. É uma situação sem saída, mas joguei limpo com Tat. Preciso tentar."

"É bem difícil." Eu não conseguia nem me imaginar no lugar dele. "Mas tente tomar as melhores decisões possíveis. Você tem o direito de ser feliz. Isso é melhor para todo mundo, inclusive para o bebê."

"Se o bebê nascer mesmo." Ele fechou os olhos. "Tat disse que não vai fazer isso sozinha. Se eu não estiver ao lado dela, não vai seguir em frente."

"Não é um pouco tarde para ela dizer isso?" Não consegui esconder a raiva no meu tom de voz. Tatiana era manipuladora. Era impossível não pensar no futuro e concluir que ela seria uma fonte de grande sofrimento para uma criança inocente.

"Não consigo nem pensar nisso, Eva. Perco a cabeça. Que situação de merda." Ele soltou uma risada nervosa. "E pensar que eu achei que ela fosse uma pessoa fácil de lidar. Não ligava para o fato de eu ser bissexual, não estava nem aí se dormia com outros... Por um lado, acho bom que ela queira ficar só comigo, mas não consigo deixar de lado meus sentimentos por Trey."

Cary virou seu olhar perturbado para o outro lado. Vê-lo tão magoado era de cortar o coração.

"Talvez eu possa falar com ela", ofereci.

Ele se virou de novo para mim. "E como isso vai ajudar? Vocês duas não se bicam."

"Não sou muito fã dela", admiti. "Mas posso deixar isso de lado. Uma conversa de mulher para mulher pode ajudar, se for conduzida do jeito certo. E as coisas não podem ficar piores, certo?" Não quis dizer mais nada. Minhas intenções eram boas, mas eu parecia mesmo um tanto ingênua.

Ele soltou um risinho de deboche. "As coisas sempre podem ficar piores."

"Isso é o que eu chamo de ver o lado bom das coisas", provoquei. "Trey já sabe que você contou para Tatiana que ela não vai morar aqui?"

"Mandei uma mensagem. Não tive resposta. Nem acho que vou ter."

"Dá mais um tempinho para ele."

"Eva, no fundo o que ele mais queria era que eu fosse totalmente gay. Na cabeça dele, como sou bissexual, a traição é uma coisa inevitável. Trey não entende que posso sentir atração por homens e mulheres e ser fiel a uma só pessoa. Ou talvez não queira entender."

Bufei. "Acho que não ajudei muito também. Ele tocou nesse assunto comigo, e eu não soube explicar direito."

Aquilo estava me corroendo por dentro fazia um tempo. Eu precisava procurar Trey e esclarecer as coisas. Cary tinha sido violentamente agredido e estava no hospital quando Trey me abordou. Eu não estava raciocinando direito.

"Você não tem como resolver tudo por mim, gata." Ele se virou de bruços e olhou para mim. "Mas adoro o fato de tentar."

"Você é parte de mim." Era difícil encontrar as palavras certas. "Preciso que esteja bem, Cary."

"Estou tentando." Ele afastou os cabelos do rosto. "Vou aproveitar esse fim de semana em Westport para pensar na possibilidade de Trey não querer mais ficar comigo. Preciso ser realista."

"E, enquanto isso, posso ser otimista."

"Boa sorte com isso." Ele se sentou e apoiou os cotovelos nos joelhos, de cabeça baixa. "Enfim, voltando a Tatiana. Acho que deixei as coisas bem claras. Não vamos ficar juntos. Com bebê ou sem bebê, não seria bom nem para mim nem para ela."

"Eu entendo e respeito isso."

Não havia como dizer mais nada. Sempre dava ao meu melhor amigo o apoio e a confiança de que precisava, mas havia lições duras e importantes a aprender com a situação. Trey, Tatiana e Cary estavam sofrendo — e um bebê estava a caminho — por causa das escolhas de Cary. Ele afastava as pessoas que o amavam com suas atitudes, testando a determinação delas. Era um teste fadado ao fracasso. Encarar as consequências daquilo poderia provocar uma mudança para melhor.

Ele abriu um sorriso tristonho, com um dos lindos olhos verdes escondidos pela franja comprida. "Não posso esperar para ver o que vai acontecer para tomar minha decisão. É uma merda, mas... preciso amadurecer alguma hora."

"Isso vale para todo mundo." Abri um sorriso de incentivo. "Pedi demissão hoje."

Era mais fácil aceitar o que eu tinha feito dizendo em voz alta.

"Sério mesmo?"

Olhando para o teto, respondi: "Sério mesmo".

Ele assobiou. "Quer que eu abra um uísque e pegue os copos?"

Estremeci. "Argh. Você sabe que eu odeio uísque. E, na verdade, champanhe e duas taças seriam mais apropriados."

"É mesmo? Você quer comemorar?"

"Não tenho nenhuma mágoa para afogar, isso é certeza." Estendi os braços para me livrar dos últimos resquícios de tensão. "Mas fiquei pensando nisso o dia todo."

"E?"

"Estou tranquila. Se Mark tivesse recebido mal a notícia, talvez eu pensasse duas vezes, mas ele vai sair também e trabalha lá há muito mais que meus três meses. Não faz sentido eu ficar mais chateada que ele por sair."

"Gata, as coisas não precisam fazer sentido." Ele usou o controle remoto para abaixar o volume da TV.

"Você tem razão, mas conheci Gideon assim que comecei a trabalhar na Waters Field & Leaman. Na prática, não existe comparação entre um emprego de três meses e um marido para a vida toda."

Ele me encarou. "Primeiro você fala em fazer sentido, depois em praticidade. Está cada vez pior."

"Ah, cala a boca." Cary nunca me deixava optar pela explicação mais fácil. Como eu tinha muita facilidade para me iludir, aquela política dele era necessária.

O sorriso desapareceu do meu rosto. "Eu quero mais."

"Mais o quê?"

"Mais tudo." Olhei para ele de novo. "Gideon tem uma presença forte, sabe? Quando ele chega, todo mundo repara e fica olhando. É isso que eu quero."

"Você se casou com isso. Já tem todos esses benefícios no nome e na conta bancária."

"Quero isso por merecimento, Cary. Geoffrey Cross deixou muita gente querendo se vingar de seu filho. E Gideon fez seus próprios inimigos, como os Lucas."

"Quem?"

Franzi o nariz. "Aquela louca da Anne Lucas e seu marido igualmente insano." Foi quando me dei conta. "Meu Deus, Cary! Não contei para você! Aquela ruiva com quem você se envolveu depois de uns drinques umas semanas atrás. *Aquela* era Anne Lucas."

"Do que você está falando?"

"Lembra quando pedi para você fazer uma pesquisa sobre o dr. Terrence Lucas? Anne é a mulher dele."

A confusão de Cary era visível.

Eu não sabia como contar que Terry Lucas tinha examinado Gideon quando criança e mentido quando encontrou indícios de abuso sexual para proteger Hugh, seu cunhado, de um inquérito policial. Nunca entendi por que alguém faria aquilo, por mais que amasse a esposa. Quanto a Anne, Gideon tinha dormido com ela para se vingar do marido, mas a semelhança com o irmão dela provocou um senso de depravação sexual que o atormentou terrivelmente. Gideon puniu Anne pelos erros de Hugh, provocando perturbações mentais nos dois nesse meio-tempo.

Aquilo acabou rendendo a Gideon e a mim dois inimigos ferozes.

Expliquei o máximo possível. "Os Lucas têm uma história péssima com Gideon que eu não posso explicar, mas não foi por coincidência que vocês ficaram juntos naquela noite. Era o que ela estava planejando."

"Por quê?"

"Porque ela é louca e sabia que aquilo ia me abalar."

"Por que você se preocuparia com quem eu fico ou deixo de ficar?"

"Cary... eu sempre me preocupo." Meu celular começou a tocar. Pela música, "Hanging by a Moment", soube que era Gideon, e fiquei em pé. "Mas o problema nesse caso é a intenção por trás de tudo. Você não foi escolhido por ser uma gracinha. Virou alvo dela porque é meu melhor amigo."

"Não entendi o que isso significa."

"É uma forma de incomodar Gideon. O que ela mais quer é chamar a atenção dele."

Cary ergueu uma sobrancelha. "É uma história bem esquisita, mas enfim... Encontrei com ela pouco tempo atrás."

"Quê? Quando?"

"Semana passada, acho." Ele deu de ombros. "Eu tinha acabado uma sessão de fotos e o carro do Uber estava esperando em frente ao estúdio. Ela estava saindo de um café com uma amiga bem nessa hora. Foi totalmente do nada."

Sacudi a cabeça. "Mentira. Ela falou alguma coisa?"

"Claro. Meio que deu em cima de mim, o que não foi surpresa depois do que rolou. Não entrei na dela, disse que estava começando um relacionamento. Ela nem ligou. Desejou boa sorte e me agradeceu pela diversão que tivemos, então seguiu seu caminho. E ponto final."

Meu celular começou a tocar de novo. "Se você encontrar com ela mais uma vez, se manda e depois me avisa. Tudo bem?"

"Tudo bem, mas não estou entendendo nada pelo pouco que você me contou."

"Me deixa só falar com Gideon." Corri até o celular para atender. "Oi."

"Você estava no chuveiro?" Gideon sussurrou. "Está pelada e molhadinha?"

"Ai, meu Deus. Espera um pouco." Apoiei o telefone no ombro e voltei para perto de Cary. "Ela estava de peruca quando vocês se encontraram?"

Meu melhor amigo ergueu as sobrancelhas. "Como é que eu vou saber?"

"Os cabelos dela estavam compridos como da outra vez?"

"Sim. A mesma coisa."

Balancei a cabeça, bem séria. Anne usava os cabelos bem curtinhos, nunca vi uma foto dela de outro jeito. Estava de peruca quando deu em cima de Cary no jantar, o que a fez passar despercebida por mim e por Gideon.

Talvez fosse um novo estilo que ela tinha adotado.

Talvez fosse uma indicação de suas intenções quanto a Cary.

Levei o celular de novo à orelha. "Preciso que você volte aqui, Gideon. E que traga Angus também."

Algo no meu tom de voz deve ter denunciado minha preocupação, porque, quando apareceu, Gideon estava com Angus e Raúl. Abri a porta e dei de cara com os três no corredor, meu marido mais à frente, no meio dos dois guarda-costas. Chamar a visão dos três de intensa seria pouco.

Gideon estava sem gravata e com o colarinho e o colete desabotoados, mas ainda vestido com a mesma roupa de quando nos despedimos. Aquela leve desarrumação era absurdamente sexy, e provocou uma onda de excitação pelo meu corpo. Era uma tentação, um convite a terminar de arrancar aquelas roupas caras e elegantes e revelar o macho poderoso que havia por baixo. Por mais que Gideon fosse gostoso vestido, não havia nada como a visão de seu corpo totalmente nu.

Meus olhos acabaram me entregando. Gideon ergueu uma sobrancelha e curvou os cantos da boca em um sorriso brincalhão.

"Olá para você também", ele provocou, em resposta ao meu olhar excitado.

Os dois homens atrás eram um contraste absoluto com ele, com terno preto básico, camisa branca e gravata escura perfeitamente alinhada.

Nunca tinha me dado conta de que Angus e Raúl eram uma presença supérflua ao lado de Gideon, um homem claramente mais do que capaz de lidar com conflitos sem ajuda.

Raúl permaneceu impassível, como sempre. Angus também mantinha uma atitude estoica, mas o olhar malicioso que me lançou era um indício de que havia percebido a maneira como eu encarava Gideon.

Senti meu rosto ficar vermelho.

Saí do caminho para que eles entrassem. Angus e Raúl foram para a sala, onde Cary estava à espera. Gideon ficou para trás para falar comigo enquanto eu fechava a porta.

"Você está me olhando desse jeito, meu anjo, mas queria que Angus viesse também. Me explica isso."

Dei risada, e era exatamente daquilo que precisava para aliviar a tensão. "O que você quer que eu faça? Pelo jeito você estava tirando a roupa quando me ligou."

"Posso terminar de tirar aqui mesmo."

"Você sabe que talvez eu queime todas as suas roupas depois do casamento, né? Vou querer você pelado o tempo todo."

"Isso tornaria as reuniões de trabalho bem interessantes."

"Hum... então é melhor não." Encostei na porta e respirei fundo. "Anne foi atrás de Cary depois daquele jantar."

O afeto e a leveza desapareceram do olhar de Gideon, substituídos por uma frieza que era um prenúncio de problemas.

Ele tomou o caminho da sala de estar. Tive que me apressar para alcançá-lo e segurar sua mão para lembrá-lo de que estávamos juntos naquilo. Eu sabia que ele ia demorar um pouco para se acostumar à ideia. Gideon passou tempo demais enfrentando sozinho suas batalhas e as das pessoas que amava.

Sentando-se na mesinha de centro, ele encarou Cary e falou: "Me diga o que você contou para Eva".

Gideon parecia preparado para dominar Wall Street, enquanto Cary parecia mais disposto a tirar uma soneca, mas aquilo não parecia fazer nenhuma diferença para meu marido.

Cary contou outra vez a história, dando uma olhada para Angus e Raúl, que continuavam em pé. "É isso", ele concluiu. "Agora, sem querer ofender, mas parece que tem força bruta demais aqui para lidar com uma mulher que mesmo vestida mal passa dos cinquenta quilos."

Eu diria que Anne beirava os sessenta, mas não era aquela a questão. "É melhor prevenir que remediar", falei.

Ele me encarou. "O que ela pode fazer? Sério mesmo. Por que está todo mundo tão preocupado?"

Gideon se remexeu, inquieto. "Nós tivemos um... um caso. Essa não é a palavra certa. Mas não foi nada bonito."

"Você fodeu com ela", Cary disse simplesmente. "Isso eu entendi."

"Fodeu com a vida dela", corrigi, chegando mais perto para apoiar a mão no ombro de Gideon. Eu estava do lado dele, mas condenava o que tinha feito. E, para ser sincera, até a parte de mim que era obcecada pelo passado de Gideon tinha pena de Anne. Houve momentos em que imaginei tê-lo perdido para sempre, e aquilo também me deixou meio maluca.

Por outro lado, ela era perigosa de um jeito que eu jamais seria, e aquele perigo se estendia a pessoas importantes demais para mim. "Anne não aceita que ele está comigo."

"Como assim? Tipo *Atração fatal*?"

"Bom, ela é psicóloga, então seria algo entre *Atração fatal* e *Instinto selvagem*. É uma maratona de Michael Douglas em forma de mulher."

"Não brinca com isso, Eva", disse Gideon, tenso.

"Não estou brincando", rebati. "Cary disse que ela estava com aquela peruca longa do jantar. Acho que queria ser reconhecida para poder falar com ele."

Cary soltou uma risadinha de deboche. "Então ela é doida. O que vocês querem que eu faça? Avise se encontrar com ela de novo?"

"Quero que você ande com um guarda-costas."

Gideon balançou a cabeça. "Concordo."

"Uau." Cary esfregou a barba por fazer. "Vocês levam isso bem a sério mesmo."

"Já tem coisa demais acontecendo na sua vida", lembrei. "Se ela está tramando alguma, você não precisa lidar com isso."

Ele abriu um sorriso malicioso. "Isso é verdade."

"Cuidamos de tudo", disse Angus. Raúl balançou a cabeça, e os dois desceram.

Gideon ficou.

Cary olhou para nós dois e levantou. "Acho que vocês não precisam mais de mim, então vou dormir. A gente se fala de manhã", ele me disse antes de ir para o quarto.

"Está preocupado?", perguntei para Gideon quando ficamos a sós.

"Você está. Isso já basta."

Eu me sentei à frente dele no sofá. "Não é tanto preocupação. É mais curiosidade. O que será que ela pensa que vai conseguir indo atrás de Cary?"

Gideon bufou. "Ela quer mexer com nossa cabeça, Eva. Só isso."

"Acho que não. Foi bem específica quando falou comigo no jantar, avisando para ficar longe de você. Como se eu não te conhecesse tão bem quanto ela."

Gideon cerrou os dentes, e percebi que estava abalado. Ele nunca me contou o que os dois tinham conversado no consultório dela. Anne talvez tivesse dito algo parecido para ele.

"Vou conversar com ela", anunciei.

Gideon me lançou um olhar gelado. "Nem pensar."

Ri baixinho. Meu pobre marido. Tão acostumado a mandar e decidiu se casar com uma mulher como eu. "Já evoluímos muito no nosso relacionamento e em algum momento concordamos em fazer as coisas juntos."

"E estou disposto a isso", ele disse sem se alterar, "mas começar por Anne não é uma boa ideia. Não dá para conversar racionalmente com alguém irracional."

"Não quero conversar racionalmente com ela, garotão. Essa mulher está rondando meus amigos e pensa que sou seu ponto fraco. Ela precisa saber que não sou uma mocinha indefesa e que vai ter que enfrentar nós dois."

"Ela é problema meu. Eu lido com isso."

"Se é um problema para você, Gideon, também é para mim. Escuta só. Se eu não fizer nada, a situação com Anne só vai piorar." Eu me inclinei para a frente. "Na cabeça dela, ou eu sei o que está acontecendo e sou fraca demais para reagir ou você está escondendo tudo de mim, o que também dá a impressão de que sou fraca demais. Dos dois jeitos, isso me torna um alvo, e sei que não é o que você quer."

"Você não sabe o que ela está tramando", Gideon disse, tenso.

"É uma coisa meio maluca, eu sei. Mas ela é mulher. Acredita em mim, ela precisa saber que tenho minhas armas e que estou disposta a usá-las."

Ele coçou o queixo. "O que você quer dizer?"

Tive que conter meu sorriso de triunfo. "Sinceramente, acho que bastaria aparecer de surpresa em um lugar inesperado. Uma emboscada, por assim dizer. Vai ser um susto me encontrar à sua espera. Será que ela vai ficar na defensiva ou partir para o ataque? Precisamos saber que tipo de reação Anne vai ter."

Gideon sacudiu a cabeça. "Não estou gostando nada disso."

"Eu sabia que você não ia gostar." Estendi minhas pernas sobre as dele. "Mas sabe que estou certa. Não é minha estratégia que incomoda você, Gideon. É o fato de seu passado não ter ido embora, e de eu querer lidar com isso."

"Mas meu passado *vai* embora, Eva. Eu resolvo isso."

"Você precisa analisar melhor a situação. Sou um membro da equipe, como Angus ou Raúl, mas obviamente não sou sua funcionária e não dependo de você — sou sua cara-metade. A questão aqui não é mais só Gideon Cross. Nem Gideon Cross e sua esposa. Somos Gideon e Eva Cross, e você precisa me deixar mostrar isso para o mundo."

Ele se inclinou para a frente, com o olhar aceso e intenso. "Você não precisa provar nada para ninguém."

"Sério? Porque sinto que preciso me provar para você. Se não acredita que eu sou forte o suficiente..."

"Eva." Gideon me segurou por trás dos joelhos e me puxou para a frente. "Você é a mulher mais forte que conheço."

Não consegui acreditar naquelas palavras. Não da maneira como eu precisava. Ele me via como uma sobrevivente, não uma guerreira.

"Então para de se preocupar", rebati, "e me deixa fazer o que é preciso."

"Não acho que você precise fazer nada."

"Podemos discordar, mas você vai me deixar agir mesmo assim." Eu me inclinei na direção dele, passando os braços sobre seus ombros largos e pressionando os lábios contra sua boca tensa.

"Meu anjo..."

"Só para deixar claro, não estou pedindo permissão, Gideon. Estou contando o que vou fazer. Você pode me ajudar ou manter distância, a escolha é sua."

Ele soltou um ruído de frustração. "Onde está o meio-termo que você tanto me cobra?"

Eu me afastei para encará-lo. "O meio-termo é você me deixar fazer as coisas do meu jeito desta vez. Se não der certo, fazemos do seu jeito na próxima."

"Que honra."

"Para com isso. Vamos sentar juntos para discutir a logística da coisa. Precisamos de Raúl para mapear a rotina dela. A emboscada tem que acontecer em um lugar em que ela se sinta segura e à vontade. Para o susto ser maior." Encolhi os ombros. "Foi ela quem ditou o tom. A gente só está dando o passo seguinte."

Gideon respirou fundo. Dava quase para *ver* sua mente ágil em ação, tentando arrumar uma forma de conseguir o que queria.

Resolvi distraí-lo de seus pensamentos. "Lembra hoje de manhã, quando expliquei por que decidi contar para meus pais sobre o casamento?"

O foco dele mudou, e seu olhar se tornou mais atento e alerta. "Claro."

"Sei que falar com o dr. Petersen sobre Hugh exigiu muita coragem. Principalmente considerando a opinião que você tem sobre psicólogos." E quem não seria capaz de entender aquela desconfiança? Hugh era o terapeuta de Gideon, e abusara dele. "Você me inspirou a ser corajosa também."

Seu lindo rosto se amenizou em uma expressão de ternura. "Ouvi aquela música hoje", ele murmurou, lembrando-me da vez que me ouviu cantando Sara Bareilles.

Sorri.

"Você precisava que eu contasse", ele disse baixinho. Suas palavras saíram como uma afirmação, mas na verdade era uma pergunta.

"Precisava mesmo." Mais que isso, *Gideon* precisava. O abuso sexual era um assunto íntimo e pessoal, mas que de alguma forma tinha que ser exposto. Não era um segredo sujo e vergonhoso a ser escondido dentro de uma caixa. Era uma verdade horrenda, e as verdades — por natureza — precisam ser expostas à luz do sol.

"E você precisa confrontar Anne."

Levantei as sobrancelhas. "Na verdade eu não ia voltar a esse assunto, mas sim... É verdade."

Dessa vez, Gideon balançou a cabeça. "Tudo bem. Vai dar tudo certo."

Comemorei mentalmente.

"Você também disse que tinha uma coisa que queria mais que fazer sexo comigo", ele me lembrou em tom sarcástico, desmascarando meu blefe com o olhar.

"Bom, eu não colocaria dessa maneira." Passei os dedos por seus cabelos. "Transar com você é minha atividade favorita. Na vida."

Ele deu uma risadinha. "Mas?"

"Você vai me achar muito tonta."

"Ainda vou achar você uma gostosa."

Dei um beijo nele. "Na escola, a maioria das meninas tinha namorado. Você sabe como é, hormônios em fúria e histórias de amor épicas."

"Já ouvi dizer", ele disse com ironia.

Minhas palavras ficaram presas na garganta. Foi muita tolice minha esquecer como tinha sido a vida de Gideon. Ele não tivera ninguém até conhecer Corinne na faculdade, traumatizado demais por Hugh para se preocupar com namoros adolescentes.

"Meu anjo?"

Soltei um palavrão mentalmente. "Esquece. É bobagem."

"Você sabe que não vou esquecer."

"Só dessa vez?"

"Não."

"Por favor?"

Ele sacudiu a cabeça. "Vai falando."

Franzi o nariz. "Tudo bem. Adolescentes precisam passar horas ao telefone, porque têm aula no dia seguinte, e os pais não as deixam namorar. Elas passam a noite toda com os namorados falando sobre... enfim. Eu nunca tive isso. Eu nunca..." Mordi a boca de vergonha. "Nunca tive um cara assim."

Não precisei explicar mais nada. Gideon sabia como era. Sabia que o sexo tinha sido uma maneira distorcida de me sentir amada. Os caras com quem eu transava não me ligavam. Nem antes nem depois.

"Enfim", concluí, com a voz rouca. "Pensei que a gente podia ter um pouco disso agora... enquanto espera. Conversas ao telefone de madrugada só para ouvir a voz um do outro."

Ele me encarou.

"Soou melhor na minha cabeça", murmurei.

Gideon ficou em silêncio por um longo minuto. Em seguida me beijou. Com força.

Eu ainda estava zonza quando ele se afastou e falou com a voz embargada:

"Eu sou esse cara para você, Eva."

Minha garganta se fechou.

"O roteiro completo, meu anjo. Todos os ritos de passagem... *Tudo*." Ele limpou a lágrima que escorreu do canto do olho. "E você é essa garota para mim."

"Nossa." Soltei uma risada entre as lágrimas. "Te amo muito."

Gideon sorriu. "Estou indo para casa agora, porque é isso que você quer. E você vai me ligar e dizer isso de novo, porque é o que eu quero."

"Combinado."

Acordei antes de o despertador tocar no dia seguinte. Fiquei deitada na cama por alguns minutos, deixando meu cérebro despertar o máximo possível sem café. Concentrei-me no fato de que era meu último dia de trabalho.

Para minha surpresa, estava me sentindo bem com aquilo. Estava até... impaciente. Era mesmo a hora de dar uma sacudida nas coisas.

E era preciso encarar a grande questão: o que vestir?

Saí da cama e fui até o closet. Depois de revirar praticamente tudo, escolhi um vestido esmeralda com decote e saia assimétricos. Mostrava um pouco mais das minhas pernas do que eu consideraria aconselhável para o trabalho, mas por que ser a mesma de sempre? Por que não aproveitar a oportunidade para marcar uma transição?

Aquele seria o último dia de Eva Tramell. Na segunda-feira, Eva Cross faria sua grande estreia. Eu já conseguia visualizá-la. Baixinha e loira ao lado do marido moreno e alto, mas tão perigosa quanto ele.

Ou talvez não. Talvez eles fossem diferentes. Dois lados opostos da mesma lâmina afiada...

Depois de uma última olhada no espelho, fui para o banheiro passar maquiagem.

Logo a cabeça de Cary apareceu na porta. Ele assobiou. "Arrasou, gata."

"Obrigada." Pus o batom de volta na bancada. "Você pode me ajudar a colocar esses grampos no cabelo?"

Ele estava usando apenas uma samba-canção da Grey Isles, não parecendo muito diferente dos anúncios com sua foto que adornavam as cabines de telefone e os ônibus pela cidade. "Tradução: fazer um coque em você, né? Claro!"

Meu melhor amigo pôs a mão na massa, penteando e prendendo meus cabelos em um belo coque.

"Ontem à noite foi bem intenso", comentou, depois de tirar o último grampo da boca. "A sala cheia de caras de terno."

Nossos olhares se encontraram no espelho. "Três caras de terno."

"Dois caras de terno e Gideon", ele rebateu, "que é suficiente para encher uma sala sozinho."

Isso eu não tinha como negar.

Ele abriu seu sorriso iluminado. "Se alguém descobrir que ando com guarda-costas, vai achar que sou mais importante do que pensava, ou então que sou muito convencido. E as duas coisas são verdade."

Eu me levantei e fiquei na ponta dos pés para beijá-lo no rosto. "Nem *você* vai perceber que eles estão por perto. São bem discretos."

"Aposto que vou perceber, sim."

"Cinco pratas", falei, passando por ele para pegar um par de sapatos de salto no quarto.

"Quê? Que tal quinhentas, sra. Cross?"

"Haha!" Peguei meu celular na cama quando vi que uma nova mensagem tinha chegado. "Gideon está vindo para cá."

"Por que ele não dormiu aqui?"

Respondi por cima do ombro, a caminho do corredor: "Não vamos dormir juntos até o casamento".

"Porra, está falando sério?" Os passos largos de Cary me alcançaram facilmente, mesmo com ele andando e eu quase correndo. Ele arrancou os sapatos da minha mão, permitindo que eu pegasse um copo de café para viagem no balcão. "Pensei que a fase de lua de mel da relação fosse durar mais que isso. O marido não costuma comparecer pelo menos por alguns anos antes de se afastar?"

"Para com isso, Cary!" Peguei minha bolsa e abri a porta.

Gideon estava do outro lado, com a chave na mão. "Meu anjo."

Cary apareceu atrás de mim e escancarou a porta. "Lamento por você, cara. Foi só pôr a aliança e pronto, ela fechou as pernas."

"Cary!" Olhei feio para ele. "Vou te socar."

"Quem vai arrumar sua mala para a viagem se você fizer isso?"

Ele me conhecia bem demais.

"Não se preocupa, gata. Vou estar pronto com a minha mala e a sua." Ele olhou para Gideon. "Mas não tenho como ajudar você. Espera só até ver o biquíni La Perla que vou colocar nas coisas dela. Você vai ficar louco."

"Também posso dar um soco em você", grunhiu Gideon.

Cary me empurrou de leve e bateu a porta atrás de mim.

Era quase hora do almoço quando Mark pôs a cabeça por cima da divisória do meu cubículo e me presenteou com seu sorriso torto. "Está pronta para o último almoço como funcionária daqui?"

Levei a mão ao coração. "Você está acabando comigo."

"Posso fingir que não vi sua carta de demissão."

Sacudi a cabeça, me levantei e saí da minha bancada de trabalho. Ainda não tinha recolhido minhas coisas. Às cinco, daria tudo por encerrado. Por ora, aquela mesa — e o sonho que ela um dia representou — ainda era minha.

"Vamos ter outros almoços." Peguei minha bolsa da gaveta e tomei o caminho dos elevadores. "Você não vai se livrar de mim assim tão fácil."

Estava preparada para acenar para Megumi quando chegamos à recepção, mas ela já tinha saído para almoçar, e sua substituta estava ocupada com os telefonemas.

Eu sentiria falta de ver Megumi, Will e Mark todos os dias. Eles eram meu pequeno círculo de amigos em Nova York, uma parte da minha vida que era só minha. Esse foi outro medo que me acometeu ao largar o emprego: abrir mão do contato social.

Não que não fosse me esforçar para manter aquelas amizades, claro. Eu ia arrumar tempo para ligar e inventar programas, mas não era tão simples assim — fazia meses que não falava com minha turma em San Diego. E minha vida não seria mais como a dos meus amigos. Nossos objetivos, sonhos e desafios seriam muito diferentes.

Havia pouca gente no elevador que chegou, mas ele foi ficando mais cheio a cada parada. Lembrei-me de pedir a Gideon uma cópia da chave mágica que permitia a ele subir até o último andar sem nenhuma interrupção. Afinal, eu continuaria frequentando o Crossfire, mas iria a um escritório diferente.

"E você?", perguntei enquanto nos encolhíamos para abrir espaço para mais gente. "Já decidiu se vai ficar ou sair?"

Mark balançou a cabeça e enfiou as mãos nos bolsos. "Vou aproveitar sua deixa para sair também."

Pela maneira como cerrou os dentes, dava para ver que era uma decisão definitiva. "Que ótimo, Mark. Parabéns."

"Obrigado."

Chegamos ao térreo e tomamos o caminho das catracas.

"Steven e eu conversamos bastante", ele continuou enquanto atravessávamos o saguão de piso de mármore. "Contratar você foi um grande passo para mim. Um sinal de que minha carreira estava no rumo certo."

"Com certeza."

Ele sorriu. "Perder você é mais um sinal... está na hora de seguir em frente."

Mark estendeu o braço para que eu saísse primeiro pela porta giratória. Senti o calor do sol antes mesmo de sair por completo. Eu estava ansiosa pela chegada do outono. A nova estação era bem-vinda. Seria interessante sentir uma mudança no clima enquanto o mesmo acontecia dentro de mim.

Meu olhar se dirigiu ao carro preto de Gideon estacionado, e então para meu chefe ao meu lado na calçada. "Onde vamos comer?"

Mark abriu um sorriso de divertimento antes de começar a procurar um táxi em meio ao mar de carros. "É surpresa."

Esfreguei as mãos. "Oba."

"Srta. Tramell."

Eu me virei ao ouvir meu nome e vi Angus parado ao lado da limusine. Com seu terno preto e seu quepe de chofer, parecia elegante e imponente como sempre, mas sua postura era tão natural que só alguém com o olho muito afiado suspeitaria que era um ex-integrante do MI6.

Eu sempre me surpreendia ao pensar no histórico dele. Era uma coisa tão James Bond. Tudo bem, talvez eu estivesse romanceando demais a coisa, mas era tranquilizador. Gideon estava em boas mãos.

"Oi", cumprimentei Angus, com um toque de afeição na voz.

Era impossível não ser invadida por um sentimento de gratidão. Gideon e ele tinham um passado, e, embora eu jamais soubesse de tudo, tinha certeza de que Angus fora um porto seguro na vida de meu marido depois de Hugh. E fora também a única pessoa mais próxima a testemunhar nosso casamento secreto. O olhar em seu rosto quando conversou com Gideon mais tarde... as lágrimas que faziam seus olhos brilhar... O vínculo entre os dois era inegável.

Seus olhos azuis reluziram para mim ao abrir a porta da limusine. "Aonde querem ir?"

Mark ergueu as sobrancelhas. "Foi por isso que você me abandonou? Puxa. Não dava para competir mesmo."

"Você nunca precisou competir por mim." Fiz uma pausa antes de me acomodar no banco de trás e olhei para Angus. "Mark não quer que eu saiba, então vou entrar primeiro e tentar não escutar."

Angus deu um toque na aba do quepe para expressar sua concordância.

Pouco tempo depois, estávamos a caminho.

Mark se sentou no banco da frente, virado para mim, observando o interior do carro. "Uau. Já aluguei limusines, mas nada desse tipo."

"Gideon tem um ótimo gosto." Não importava qual fosse o estilo — moderno como seu escritório ou europeu e clássico como sua cobertura —, meu marido sabia exibir sua riqueza com classe.

Olhando para mim, Mark abriu um sorriso. "Você é uma mulher de sorte."

"Sou mesmo", concordei. "Tudo isso", falei, mostrando com a mão, "é incrível, claro. Mas ele seria um partidão de qualquer maneira. É um ótimo sujeito."

"Sei como é encontrar um cara assim."

"Com certeza. E os planos para o casamento, como estão?"

Mark grunhiu. "Steven está me matando. Azul ou lavanda? Rosas ou lírios? Cetim ou seda? Manhã ou tarde? Tentei dizer para ele fazer como quiser, que o que importa é casar, mas não teve jeito. Ele insiste que preciso participar, porque só vou casar uma vez na vida. Ainda bem."

Dei risada.

"E você?", ele perguntou.

"Estou começando a pensar nisso. É uma loucura que, em meio a bilhões de pessoas, a gente tenha se encontrado. Como Cary diria, é uma coisa para se comemorar."

Conversamos sobre a valsa dos noivos e sobre o arranjo das mesas enquanto Angus nos transportava pelas ruas sempre congestionadas do centro de Manhattan. Olhando pela janela, vi um táxi parado no semáforo ao nosso lado. A passageira no banco de trás segurava o celular entre o ombro e a orelha, movendo os lábios sem parar enquanto folheava um caderno. Atrás dela, na esquina, cinco pessoas esperavam em fila por seu cachorro-quente.

Quando enfim chegamos e eu desci do carro, percebi imediatamente onde estávamos. "Ei!"

Um pouco abaixo do nível da rua ficava um restaurante mexicano a que já tínhamos ido antes. E onde por acaso trabalhava uma garçonete que eu adorava.

Mark deu risada. "Sua demissão foi tão repentina que Shawna não teve nem tempo de pedir um dia de folga."

"Nossa." Senti um aperto no peito. Estava começando a parecer uma despedida, e eu não estava pronta para aquilo.

"Vamos." Ele me pegou pelo braço e me puxou lá para dentro, e rapidamente vi uma mesa com rostos conhecidos e balões com as palavras: BOM TRABALHO, TUDO DE BOM e PARABÉNS.

"Uau." Meus olhos se encheram de lágrimas.

Megumi e Will estavam sentados com Steven em uma mesa para seis. Shawna estava em pé atrás do irmão, com seus cabelos ruivos inconfundíveis.

"Eva!", eles gritaram em coro, chamando a atenção de todos os presentes.

"Ai, meu Deus", murmurei, sentindo o coração ainda mais apertado. De um momento para o outro, eu me vi cheia de tristeza e dúvida ao ver do que estava abrindo mão, em certo sentido. "Vocês *não vão* se livrar de mim!"

"Claro que não." Shawna se aproximou para me abraçar com seus braços finos, mas fortes e determinados. "A gente tem uma despedida de solteira para organizar!"

"Eba!" Megumi me abraçou também. Shawna deu um passo para trás.

"Talvez seja melhor deixar essa tradição de lado", falou uma voz grossa e afetuosa atrás de mim.

Surpresa, virei-me e dei de cara com Gideon, em pé ao lado de Mark com uma rosa vermelha na mão.

Mark abriu um sorriso. "Ele me ligou para perguntar se a gente ia fazer alguma coisa e pediu para vir também."

Sorri, com os olhos cheios de lágrimas. Não perderia meus amigos, e ainda havia tanto a ganhar. Gideon estava sempre por perto quando eu precisava, mesmo antes de eu me dar conta de que ele era a peça que faltava ali.

"Quero ver você experimentar o molho *diablo* daqui", desafiei, estendendo a mão para pegar a rosa.

Ele abriu um sorriso sutil, aquele que sempre me deixava louca — eu e todas as mulheres do recinto, era impossível não notar. Mas o olhar em seu rosto, o apoio que oferecia... aquilo era só meu.

"Hoje é você quem manda, meu anjo."

4

A luz dourada entrava por todas as janelas da casa de dois andares na beira da praia. A iluminação na entrada da garagem fazia o caminho reluzir como um chão de estrelas, com arbustos de flores do tamanho de um carro compacto à beira do gramado espaçoso.

"Não é bonita?", perguntou Eva, dando as costas para mim para se ajoelhar no assento de couro e olhar pela janela.

"Linda", respondi, mas estava me referindo a ela. Eva vibrava de alegria como uma menina. Eu a observava, tentando entender o motivo. Sua felicidade era fundamental para mim. Era a fonte do meu contentamento, o contrapeso que determinava meu equilíbrio e me mantinha firme.

Ela me olhou por cima do ombro quando Angus parou a limusine diante dos degraus da porta da frente. "Está olhando para a minha bunda?"

Meus olhos baixaram para a bunda dela, perfeita no short que Eva tinha vestido depois do trabalho. "Agora que você tocou no assunto..."

Ela sentou no banco aos risos. "Você é incorrigível, sabia?"

"Sim. Depois que você me beijou, eu sabia que não tinha mais volta."

"Na verdade foi *você* que me beijou."

Tive que conter meu sorriso. "Ah, é?"

Ela estreitou os olhos. "Espero que você esteja brincando. Aquele momento deveria estar tatuado no seu cérebro."

Estendi a mão e acariciei sua coxa. "E está no seu?", murmurei, adorando saber.

"Ei, vocês dois", interrompeu Cary, tirando os fones de ouvido. "Não esqueçam que estou bem aqui."

Cary tinha ficado na dele, vendo um filme no tablet durante a viagem de duas horas em meio ao trânsito do fim da tarde, mas eu jamais me esqueceria dele. Cary Taylor era uma presença importante na vida da minha esposa, e eu aceitava isso, apesar de não gostar. Sabia que ele adorava Eva, mas também sabia que suas escolhas podiam colocá-la em situações difíceis e arriscadas.

Angus abriu a porta. Eva saiu correndo antes mesmo de eu ter tempo de guardar meu tablet. Monica apareceu assim que a filha pôs os pés no último degrau.

Surpreso com o entusiasmo de Eva, considerando que vivia brigando com a mãe na maior parte do tempo, observei a cena com curiosidade.

Cary deu risada enquanto pegava suas coisas e as guardava em uma bolsa transversal. "Uma cheiradinha. É o que basta."

"Como é?"

"Monica faz uns biscoitos com pasta de amendoim que são uma loucura. Eva sabe que precisa correr se quiser garantir alguns antes que eu entre e coma tudo."

Fazendo uma anotação mental para me lembrar de pedir a receita, olhei para as duas mulheres na frente da casa, que se cumprimentavam com beijinhos no ar, antes de desviar os olhos. Monica estava de calça capri e camiseta, e a semelhança entre as duas era impressionante.

Cary desceu do carro e subiu os degraus de dois em dois, diretamente para os braços abertos de Monica. Ele a abraçou, levantando os pés dela do chão. As risadas dos três ecoaram em meio ao anoitecer.

Ouvi Angus falar comigo, em pé diante da porta da limusine. "Você não pode passar o fim de semana todo na limusine."

Achando graça, deixei o tablet em cima do banco e desci.

Ele sorriu. "É bom para você ter uma família."

Levei a mão ao ombro dele e apertei de leve. "Isso eu já tenho."

Durante anos, Angus foi a única pessoa com quem pude contar. E ele bastava.

"Vamos lá, atrasadinho!" Eva voltou até mim, pegou-me pela mão e me puxou escada acima.

"Gideon." O sorriso de Monica era largo e afetuoso.

"Monica." Estendi a mão e fiquei surpreso ao receber um abraço como cumprimento.

"Eu até deixaria você me chamar de sogrinha", ela falou, afastando-se. "Mas eu ia me sentir muito velha."

A estranheza se misturou a um calafrio de gelar a espinha. Foi quando percebi o que aquilo tudo realmente significava.

Quando me casei com Eva, ela se tornou minha, mas eu me tornei seu também. Isso nos ligava à família um do outro de uma forma íntima e pessoal.

Monica e eu nos conhecíamos fazia algum tempo, e nos víamos de tempos em tempos em eventos beneficentes. Havia um parâmetro estabelecido para nossas interações, que não extrapolavam os protocolos sociais elementares.

De repente, tudo aquilo tinha ido para o espaço.

Eu me vi olhando para Angus, perdido. Pelo jeito, minha situação o divertia, porque ele deu uma piscadinha e me deixou na mão, contornando o carro para ir cumprimentar Benjamin Clancy, que o esperava ao lado da porta do motorista da limusine.

"A garagem fica ali", disse Monica, apontando para a construção de dois andares do outro lado, que era uma réplica reduzida da casa. "Clancy vai cuidar do seu motorista e mandar trazer as malas de vocês."

Eva me puxou pela mão para dentro. Cary tinha razão. Meus sentidos foram dominados pela baunilha. E não eram velas. Eram biscoitos. O cheiro familiar e reconfortante me fez sentir vontade de dar meia-volta e correr lá para fora.

Eu não estava pronto. Tinha ido até lá como convidado de Eva. Não imaginava que seria recebido como um genro, alguém da família.

"Adoro esta casa", disse Eva, conduzindo-me sob as arcadas curvadas até a sala de estar.

Era bem o que eu esperava. Uma casa de praia de luxo com mobília branca e decoração de tema náutico.

"Você não acha lindo esse piso de madeira cor de café?", ela perguntou. "Eu teria escolhido carvalho, mas é tão comum... E os toques de verde, laranja e amarelo em vez de azul? Acho que vou querer mudar algumas coisas quando voltarmos à Carolina do Norte."

Ela não fazia ideia do quanto eu gostaria de estar lá. Pelo menos teria alguns momentos a sós antes de precisar encarar uma casa cheia de novos parentes.

A sala luxuosa dava para a cozinha, onde Stanton, Marty, Lacey e Cary estavam reunidos ao redor de uma ilha com seis bancos. O espaço inteiro tinha vista para o mar, pelas portas de vidro que davam para a varanda.

"Ei!", protestou Eva. "É melhor vocês deixarem alguns para mim!"

Stanton sorriu e foi até nós. De calça jeans e camisa polo, parecia uma versão mais jovem do homem que eu conhecia do mundo dos negócios em Nova York. Sem o terno, ele perdia a aura corporativa, e eu me senti diante de um desconhecido.

"Eva." Stanton a beijou no rosto e se virou para mim. "Gideon."

Acostumado a ser tratado por ele pelo sobrenome, não estava preparado para o abraço que veio a seguir.

"Meus parabéns", ele falou, dando um tapinha nas minhas costas antes de me soltar.

Minha irritação cresceu. Era assim que as coisas funcionavam? De homens de negócios tínhamos passado a conhecidos? E depois a amigos, e então a parentes?

De repente pensei em Victor. Ele entendera melhor que eu o que significava meu casamento.

Eu me mantive imóvel, e Stanton sorriu para Eva. "Acho que sua mãe escondeu uns biscoitos para você."

"Eba!" Ela correu para o outro lado da cozinha, deixando-me sozinha com ele.

Meu sogro.

Acompanhei Eva com os olhos. Ao fazer isso, vi que Martin Stanton acenou para mim, e retribuí o cumprimento balançando a cabeça. Se ele tentasse me abraçar, ia levar um soco na cara.

Eu dissera a ele antes que me veria mais vezes nos encontros de família. Mas, agora que estava acontecendo, parecia surreal. Uma pegadinha.

A risada de Eva atravessou o recinto e chamou minha atenção. Ela ergueu a mão esquerda para mostrá-la à loira ao lado de Martin, exibindo a aliança.

Monica se aproximou de mim e de Stanton, colocando-se ao lado do marido. A beleza jovial dela o fez parecer mais velho, chamando a atenção para os cabelos grisalhos e as rugas no rosto. Mas estava na cara que Stanton não estava preocupado com as décadas de diferença entre ele e a esposa. Sua expressão se iluminava quando a via e seus olhos azuis se atenuavam em uma demonstração de afeto.

Fiquei pensando em algo apropriado para dizer. No fim, só o que saiu foi: "Vocês têm uma bela casa".

"Não era tão bonita antes de Monica dar seu toque pessoal." Stanton passou um dos braços pela cintura fina da mulher. "O mesmo pode ser dito sobre mim."

"Richard." Monica sacudiu a cabeça. "Quer que eu mostre a casa para você, Gideon?"

"Vamos deixar o homem beber alguma coisa primeiro", sugeriu Stanton, olhando para mim. "Ele acabou de chegar."

"Vinho?", ela ofereceu.

"Um uísque, talvez?", disse Stanton.

"Um uísque seria bom", respondi, constrangido com o fato de meu incômodo parecer tão evidente.

Eu estava fora da minha zona de conforto, algo que vinha acontecendo com frequência desde que conhecera Eva, mas sempre podia me apoiar nela, mesmo quando me deixava maluco. Se estivéssemos juntos, seria capaz de encarar qualquer coisa. Ou pelo menos era o que pensava.

Eu me virei à procura dela e senti uma onda de alívio ao vê-la vindo na minha direção com passos acelerados, balançando o rabo de cavalo na cabeça.

"Experimenta isso", Eva ordenou, levando um biscoito aos meus lábios.

Abri a boca, mas fechei logo em seguida, mordendo os dedos dela.

"Ai." Ela franziu a testa, mas a pontada de dor teve o efeito desejado: queria que prestasse atenção em mim. Quando notou o que estava acontecendo, o brilho em seus olhos se perdeu. Ela entendeu o que se passava na minha cabeça.

"Quer ir lá para fora?", ela murmurou.

"Só um minuto." Apontei o queixo para o bar da sala de estar, onde Stanton servia minha bebida. Eu a segurei pelo pulso, para mantê-la por perto.

Não era nada bonito querer afastá-la dos demais. Eu não queria ser um daqueles caras que sufocam a mulher que amam. Mas precisava de um tempo para me adaptar à situação. O distanciamento que costumava manter dos outros, inclusive Cary, não seria aceitável com Monica ou Stanton. Não depois de ver o quanto Eva ficava contente com eles por perto.

A família era seu porto seguro. Ela ficava tranquila e relaxada como nunca. Para mim, aquele tipo de encontro só provocava tensão.

Tentei me acalmar quando Stanton voltou com as bebidas, mas não baixei a guarda totalmente.

Martin se aproximou e apresentou sua namorada, e ambos me deram os parabéns. Esses cumprimentos já eram esperados, o que me acalmou um pouco, junto com a dose dupla de uísque que virei em um gole.

"Vou mostrar a praia para ele", Eva falou, pegando o copo vazio da minha mão e deixando sobre uma mesinha a caminho das portas de vidro.

Estava mais quente do lado de fora do que na casa. O verão daquele ano se estendia mais que o normal. Uma brisa salgada nos atingiu, jogando meus cabelos sobre o rosto.

Fomos até a beira d'água de mãos dadas.

"O que está acontecendo?", ela perguntou, olhando para mim.

A preocupação em sua voz era perceptível. "Você sabia que isso era uma espécie de celebração em família do nosso casamento?"

Ela fez uma careta ao ouvir meu tom de voz irritado. "Não encarei a coisa dessa maneira, e minha mãe não falou nada nesses termos, mas acho que faz sentido."

"Não para mim." Virei as costas para ela e comecei a caminhar contra o vento, que jogou meus cabelos para longe do meu rosto vermelho de raiva.

"Gideon!" Eva veio correndo atrás de mim. "Por que está bravo?"

Eu me virei para ela. "Não estava esperando isso!"

"O quê?"

"Essa merda toda de boas-vindas à família."

Ela franziu a testa. "Bom, eu avisei que tinha contado para eles."

"Isso não deveria mudar nada."

"Hã... Então por que contar? Você queria que eles soubessem, Gideon." Ela me encarou, e eu fiquei em silêncio. "O que esperava que fosse acontecer?"

"Nunca imaginei que fosse me casar, Eva, então me desculpe por não ter pensado a respeito."

"Certo." Ela ergueu as mãos em sinal de rendição. "Estou confusa."

Eu não sabia como esclarecer as coisas. "Não consigo... não estou pronto para isso."

"Pronto para quê?"

Fiz um gesto impaciente na direção da casa. "Para aquilo."

"Dá para ser mais específico?", ela pediu, cautelosa.

"Não..."

"Aconteceu alguma coisa que eu não tenha visto?" A voz dela assumiu um tom agudo de raiva. "O que eles disseram, Gideon?"

Demorei alguns momentos para perceber que ela estava me defendendo. Isso me estimulou a falar mais. "Vim aqui para ficar com *você*. E pelo que parece está mais interessada em ficar com sua família..."

"É sua família também."

"Não pedi nada disso."

Vi nos olhos dela que me entendeu. Ao notar seu olhar de pena, cerrei os punhos na lateral do corpo. "Não me olha assim, Eva."

"Não sei o que dizer. Do que você precisa?"

Soltei o ar com força. "Mais bebida."

Ela abriu um sorriso. "Com certeza você não vai ser o primeiro noivo que precisa de algumas bebidas para encarar a família."

"Podemos parar de chamar seus pais assim, por favor?"

O sorriso desapareceu do rosto dela. "E o que isso mudaria? Você pode chamar os dois de sr. e sra. Stanton, mas..."

"Não sou só eu que estou confuso com meu papel aqui."

Ela contraiu os lábios. "Não sei se concordo com isso."

"Dois dias atrás, eles teriam apertado minha mão e me chamado de Cross. Agora vieram com abraços, essa coisa de chamar de 'sogrinha' e sorrisos de quem espera alguma retribuição!"

"Na verdade, ela pediu para você *não* a chamar de sogrinha, mas eu entendo. Você agora é parte da família e está assustado com isso. Mesmo assim, não é bom que estejam felizes? Ia preferir que reagissem como meu pai?"

"Sim." Com a raiva e a decepção eu sabia lidar.

Eva deu um passo para trás, arregalando os olhos sob a luz da lua em ascensão.

"Não." Eu me retraí, passando a mão pelos cabelos. Não sabia como lidar com a decepção *dela*. "Droga. Sei lá."

Ela me encarou por um minuto inteiro. Desviei o olhar, virando para a água.

"Gideon..." Ela se aproximou outra vez. "Sinceramente, eu entendo. Minha mãe se casou três vezes. Toda vez que aparecia um novo padrasto..."

"Eu já tenho um padrasto", interrompi, tenso. "Não é a mesma coisa. Ninguém precisa se preocupar em agradar um padrasto ou uma madrasta."

"É esse o problema então?" Ela veio até mim e me abraçou com força. "Eles já gostam de você."

Eu a apertei forte. "Eles nem me conhecem, porra."

"Mas vão conhecer. E vão adorar. Você é o genro dos sonhos."

"Para com isso, Eva."

Ela se afastou, claramente irritada. "Quer saber? Se não queria ter sogros, então deveria ter se casado com uma órfã."

Eva tomou o caminho da casa, pisando duro.

"Volta já aqui", esbravejei.

Ela mostrou o dedo do meio por cima do ombro.

Eu a alcancei em três passos, segurando-a pelo braço e virando-a para mim. "Ainda não terminamos."

"Eu já." Eva ficou na ponta dos pés e levantou a cabeça para me encarar. "Foi você quem quis casar. Se está arrependido, não é problema meu."

"Não vem me dizer que o problema é meu!" A fúria tomou conta do meu sangue, juntando-se à frustração.

"Lamento se você não percebeu que esse compromisso envolvia mais que sexo garantido!"

"Nem isso eu tenho mais", rebati, sentindo um músculo pulsar na mandíbula.

"Vai se foder."

"Ótima ideia."

Antes de perceber o que estava acontecendo, ela estava na areia. Eu a imobilizei e beijei sua boca para fazê-la se calar. Eva arqueou as costas, resistindo, e eu segurei seu rabo de cavalo para mantê-la no lugar.

Seus dentes se cravaram no meu lábio inferior, e recuei soltando um palavrão.

"Você só pode estar de brincadeira." Ela me envolveu com as pernas e quando vi estava debaixo de seu corpo, olhando para seu rosto lindo e furioso. "É exatamente por isso que você não vai ter nada de mim, garotão. O sexo é sua solução para tudo."

"Você precisa fazer essa viagem valer a pena", provoquei, disposto a brigar.

"Minha *companhia* deveria fazer a viagem valer a pena, idiota. Não sexo."

Ela empurrou meus ombros. "Desculpa se você se sentiu em uma emboscada. E lamento *muito* que ser recebido de braços abertos tenha feito você perder a cabeça. Mas vai ter que se acostumar, porque isso faz parte do pacote que adquiriu ao casar comigo."

Eu sabia daquilo. E sabia que precisava encarar, porque tinha que ficar com ela. Era um prisioneiro do amor que sentia por Eva. Mesmo incomodado, não podia recuar. Mesmo tendo que engolir à força a existência de uma família quando estava muito bem sem aquilo.

"Não quero fazer isso", falei, tenso.

Eva estreitou os olhos e ficou de joelhos, prendendo meus quadris entre as coxas. "Pensa bem no que está dizendo", ela avisou.

"Não sei como fazer esse papel, Eva."

"Minha nossa." Sua irritação se desfez em um suspiro. "É só ser você mesmo."

"Não sou o que eles iam querer para a filha deles."

"Você acha isso mesmo?" Ela me observou. "Acha. Meu Deus, Gideon..."

Segurei suas coxas, mantendo-a no lugar. Ela não podia me deixar naquele momento. Eu não ia permitir aquilo, independentemente de qualquer coisa.

"Certo." Seus olhos assumiram uma expressão calculista e preocupante. "Bom, é só ser você mesmo. Se eles acharem você uma pessoa horrorosa, melhor ainda, certo?"

"Vamos deixar esse tipo de joguinho para a terapia, Eva."

"Só estou tentando entender o que você quer, garotão."

Um assobio atraiu nosso olhar. Martin, Lacey e Cary estavam saindo do pátio de cascalho para a areia da praia.

"Vocês são o retrato dos recém-casados", Lacey gritou, ainda distante demais para ouvir o que estávamos falando. Ela deu risada ao tentar se equilibrar na areia, derramando metade da taça de vinho no processo.

Eva voltou a olhar para mim. "Quer mesmo brigar na frente deles?"

Respirei fundo e soltei o ar com força. "Não."

"Te amo."

"Meu Deus." Fechei os olhos.

Era só um fim de semana. Dois dias. Poderíamos ir embora bem cedo no domingo...

Ela encostou os lábios nos meus. "A gente consegue. É só tentar."

Que escolha eu tinha?

"Se a coisa ficar enlouquecedora demais", ela continuou, "é só imaginar alguma coisa pervertida para fazer comigo na noite de núpcias para compensar."

Meus dedos se cravaram na sua pele. Eu não tinha vergonha de admitir que o sexo com ela — só a *ideia* de fazer sexo com ela — era capaz de afastar minha mente de qualquer outra coisa.

"Você pode até mandar uma mensagem para mim com seus planos tarados", ela sugeriu. "Pode me fazer sofrer também."

"Deixa o celular sempre por perto."

"Você é cruel." Eva se abaixou e me deu um beijo rápido e carinhoso. "É muito fácil amar você, Gideon. Mesmo quando dificulta as coisas assim. Um dia você vai ver isso."

Ignorei o comentário. O que importava era que ela visse aquilo, que ficasse ao meu lado mesmo depois de eu fazer tanta merda.

O jantar foi bem simples — salada e spaghetti. Monica cozinhou e serviu tudo, e Eva estava exultante. O vinho rolava à vontade, garrafa após garrafa. Todo mundo relaxou. Deu risada. Inclusive eu.

Lacey era um para-raios bem-vindo. Era desconhecida do grupo, e as atenções se voltaram quase inteiramente para ela. Isso me deu espaço para respirar. Conforme o tempo foi passando, Eva foi ficando vermelha, com os olhos brilhantes e inebriados. Ela aproximou sua cadeira da minha, até nossos corpos se encostarem e eu sentir a maciez e o calor de sua pele.

Sob a mesa, suas mãos e seus pés se moviam sem parar, encostando em mim a todo momento. Sua voz ficou rouca e sua risada, mais luxuriosa. Ela uma vez confessou que ficava com tesão quando bebia, mas eu teria percebido de qualquer jeito.

Eram quase duas da manhã quando o bocejo de Lacey lembrou a todos que estava na hora de encerrar a noite. Monica nos conduziu até a escada.

"As coisas de vocês já estão no quarto", ela falou para mim e para Eva. "Estamos planejando acordar mais tarde e tomar um café da manhã reforçado em vez de almoçar."

"Hum..." Eva franziu a testa.

Eu a segurei pelo cotovelo. Claramente ela não esperava ter que dividir a cama comigo, mas eu sabia que aquilo ia acontecer. "Obrigado, Monica. Até mais tarde."

Ela deu risada e segurou meu rosto, beijando-me a face. "Estou muito feliz, Gideon. É de alguém como você que Eva precisa."

Consegui abrir um sorriso, ciente de que esse sentimento mudaria se ela soubesse o perigo físico que sua filha corria ao dormir com um homem com pesadelos violentos.

Eva e eu começamos a subir.

"Gideon..."

Eu a interrompi. "Onde fica o quarto?"

Ela me olhou de canto de olho. "Lá em cima."

O quarto de Eva era o último da casa, ocupando inteiramente um espaço que algum dia devia ter sido um sótão espaçoso. O telhado inclinado proporcionava uma boa altura para o teto e uma bela vista do estuário de Long Island durante o dia.

A cama king-size ficava no meio do quarto, diante das janelas. A cabeceira de metal funcionava como uma espécie de divisória, de costas para o sofá e as poltronas. O banheiro ocupava a outra parte da suíte.

Eva me encarou. "Como a gente vai fazer?"

"Relaxa." A preocupação de compartilhar a cama com a minha esposa era onipresente na minha vida. Entre todas as coisas que ameaçavam meu relacionamento, minha parassonia sexual atípica — de acordo com a definição do dr. Petersen — estava no topo da lista. Não havia como me defender da minha mente perturbada enquanto dormia. Nas noites mais complicadas, eu era um perigo para a pessoa que mais amava.

Eva cruzou os braços. "Por algum motivo, acho que você não está tão determinado quanto eu a esperar até o casamento."

Eu a encarei quando me dei conta de que estávamos pensando em coisas totalmente diferentes. "Eu fico no sofá."

"Fica *comigo* no sofá, é o que você quis dizer. Você..."

"Posso comer você lá, se me der a chance", eu disse com a voz carregada de tensão, "mas não vamos dormir juntos."

Ela abriu a boca para responder, mas a fechou logo em seguida quando compreendeu a situação. "Ah."

O clima mudou. Tinha uma expressão de desafio nos olhos, e sua voz se transformou em cautela. Era terrível saber que era uma fonte de infelicidade na vida dela.

Mas eu era egoísta demais para me afastar. Algum dia a família de Eva ia descobrir aquilo, e todos iam me odiar.

Irritado, procurei o edredom e o encontrei na prateleira perto do banheiro onde estavam as malas. Fui até lá para ver alguma coisa que não fosse a desilusão de Eva.

"Não quero que você durma no sofá", ela disse atrás de mim.

"Eu não pretendia mesmo dormir."

Peguei meu nécessaire e fui para o banheiro. As luzes se acenderam assim que entrei, revelando uma pia de pedestal e uma banheira. Abri a torneira do chuveiro e tirei a camisa.

A porta se abriu e Eva entrou. Eu a encarei, fazendo uma pausa antes de abrir a calça.

Seus olhos acesos percorreram meu corpo inteiro, sem deixar passar nada. Ela respirou fundo. "A gente precisa conversar."

Eu estava excitado com seu olhar contemplativo e furioso com minhas próprias limitações. Conversar era a última coisa que eu queria. "Vai para a cama, Eva."

"Não até falar o que eu preciso falar."

"Vou tomar um banho."

"Tudo bem." Ela tirou a blusinha por cima da cabeça. Tudo o que havia dentro de mim se transformou em desejo.

Eu me endireitei, sentindo a tensão se espalhar por todos os músculos. Ela levou as mãos às costas para abrir o sutiã.

Meu pau endureceu dolorosamente quando vi seus seios grandes e firmes. Nunca fui obcecado por seios antes de Eva. Agora...

Minha nossa. Eles me deixavam louco.

"A gente não vai conseguir conversar se você tirar a roupa", avisei, sentindo o pau latejar.

"Você vai me ouvir, garotão, no chuveiro ou fora dele. Você é que sabe."

"Hoje não é um bom dia para me provocar."

Ela abaixou o short.

Abri a calça e joguei no chão antes que ela terminasse de tirar o pequeno triângulo de seda que usava como calcinha.

Apesar da nuvem de umidade que embaçava o cômodo, os mamilos dela estavam duros. Seu olhar baixou para o meu pau. Como se estivesse imaginando meu gosto, ela passou a língua pelo lábio inferior.

Meu desejo escapou do peito em uma espécie de grunhido. Eva estremeceu ao ouvir. Eu queria tocá-la... passar as mãos e a boca pelo seu corpo todo...

Mas fiquei só olhando.

A respiração dela acelerou. Notei que o efeito que eu provocava sobre ela era inegavelmente erótico. O que eu sentia quando ela me olhava... aquilo me comovia.

Eva permaneceu ao lado da porta. O vapor se espalhava a partir do chuveiro, embaçando as bordas do espelho e se instalando na minha pele. Os olhos dela subiram para meu pescoço. "Não fui inteiramente sincera com você, Gideon."

Minhas mãos se fecharam instintivamente. Era impossível não mudar o foco da minha atenção. "Do que você está falando?"

"Agora há pouco, no quarto. Senti que estava se afastando e entrei em pânico..."

Eva ficou em silêncio por um longo momento. Esperei, mantendo o desejo sob controle com um suspiro profundo.

"A ideia de esperar até o casamento... não foi só por causa do conselho do dr. Petersen sobre como você lida com os desentendimentos." Ela engoliu em seco. "Tem a ver comigo também. Você sabe como eu era... contei tudo. O sexo foi uma coisa distorcida para mim durante muito tempo."

Ela remexeu os pés, baixando a cabeça de vergonha. Senti um nó no estômago. Percebi que estava preocupado demais com minhas próprias reações para pensar no que minha esposa estava passando.

"Para mim também", lembrei, com a voz rouca. "Mas entre nós nunca foi assim."

Ela me olhou nos olhos. "Não. Nunca."

Minhas mãos relaxaram um pouco.

"Isso não significa que minha cabeça não possa distorcer as coisas", ela continuou. "Quando você entrou no banheiro, a primeira coisa em que pensei foi em vir aqui trepar. Como se o sexo fosse resolver tudo. Você não ia mais ficar bravo, e eu ia ter seu amor de volta."

"Isso você nunca deixou de ter. E nunca vai deixar."

"Eu sei." A maneira como ela levantou o queixo me confirmou que sabia mesmo. "Mas isso não impede que uma vozinha dentro da minha cabeça me diga que estou me arriscando demais. Que vou perder você se a gente não transar. Que você é uma pessoa sexual demais para ficar tanto tempo sem fazer nada."

"Minha nossa." De quantas formas eu podia estragar tudo? "O jeito como falei com você na praia... Sou um babaca, Eva."

"Às vezes." Ela sorriu. "E também é a melhor coisa que já me aconteceu. Essa vozinha bagunçou minha cabeça durante anos, mas não tem mais esse poder sobre mim. Por sua causa. Você me deixou mais forte."

"Eva." Eu não sabia o que dizer.

"Queria que você pensasse sobre isso. Não sobre seus pesadelos, nem sobre meus pais, nem sobre nada mais. Você é exatamente do que preciso, do jeito que é. Te amo demais."

Caminhei na direção dela.

"Ainda quero esperar", ela disse baixinho, apesar de seus olhos denunciarem a maneira como era afetada por mim.

Ela me segurou pelo pulso quando estendi o braço, encarando-me. "Só eu posso tocar em você."

Respirei fundo. "Não posso concordar com isso."

Ela abriu um sorriso. "Pode, sim. Você é mais forte do que eu, Gideon. Tem mais controle. Mais força de vontade."

Sua outra mão começou a acariciar meu peito. Eu a segurei e a esfreguei com mais força na minha pele. "É isso que você está querendo que eu prove? Meu controle?"

"Você está se saindo bem." Ela deu um beijo no lugar onde ficava meu coração disparado. "Sou eu quem precisa rever alguns conceitos."

Seu tom de voz era suave, quase sussurrado. Eu estava um caos por dentro, queimando de desejo e amor, e ela tentava me acalmar. Quase dei risada da impossibilidade da situação.

Em seguida, Eva se aproximou, pressionando seu corpo macio contra o meu, abraçando-me com tanta força que não restou mais nenhum espaço entre nós.

Baixei a cabeça sobre a dela. Não sabia até aquele momento o quanto precisava senti-la daquela maneira. Carinhosa e receptiva, sem nenhuma barreira.

Ela apoiou o rosto contra meu peito, sussurrando: "Te amo demais. Dá para sentir?".

Era impressionante. Meu amor por ela, o amor dela por mim. Toda vez que Eva dizia aquelas palavras, o impacto era o mesmo.

"Você disse uma vez que quando estamos fazendo amor eu me abro, você se abre e nós ficamos juntos", ela falou. "Quero ter isso com você o tempo todo."

A insinuação de que algo faltava na nossa relação fez minha espinha gelar. "Faz diferença quando e como sentimos isso?"

"É um bom argumento." Ela ergueu a cabeça. "E não vou negar. Mas, se você estiver do outro lado do mundo quando precisar se sentir assim, quero ter certeza de que sou capaz de proporcionar isso."

"Você vai estar comigo", murmurei, frustrado.

"Nem sempre." Ela levou a mão ao meu rosto. "Você pode ser requisitado em dois lugares ao mesmo tempo. No fim, vai aprender a confiar em mim como sua representante."

Eu a observei, em busca de sinais de hesitação. O que encontrei foi determinação pura. Não entendia completamente seu objetivo, mas não ia atrapalhar. Se Eva estava disposta a mudar, eu precisava ser parte do processo se quisesse continuar ao seu lado.

"Me beija." As palavras saíram da minha garganta bem baixinho, mas Eva deve ter sentido todo o desejo por trás delas.

Ela ofereceu seus lábios, e eu os tomei com força até demais, sedento e cobiçoso. Arranquei seus pés do chão, querendo que ela me envolvesse com as pernas e se abrisse para mim.

Aquilo não aconteceu. Ela ficou paradinha, acariciando meus cabelos, com o corpo estremecendo com um desejo da mesma intensidade do meu. O toque da sua língua contra a minha era enlouquecedor e me fazia lembrar da sua boca passando por outras partes do meu corpo.

Fiz um esforço para me afastar quando tudo dentro de mim queria ainda mais proximidade. "Preciso estar dentro de você", disse com a voz rouca, detestando ter que falar uma coisa tão óbvia. Por que me fazer implorar?

"Você já está dentro de mim." Ela esfregou o rosto contra o meu. "Também quero você. Estou molhadinha. Sinto um vazio tão grande dentro de mim que até dói."

"Eva... Minha nossa." O suor escorria pelas minhas costas. "Me deixa ter você."

Os lábios dela tocaram os meus. Seus dedos passaram pelos meus cabelos. "Me deixa amar você de outro jeito."

Eu seria capaz de suportar aquilo? Não tinha outro jeito. Jurei fazer o que ela quisesse, ser o começo e o fim de tudo para Eva.

Eu a coloquei no chão para tomarmos banho. Entrei primeiro para fechar o ralo e começar a encher a banheira.

"Você está bravo?", ela perguntou baixinho, e quase não ouvi por causa do barulho da água.

Olhei para ela, vendo seus braços cruzados sobre o peito e notando sua vulnerabilidade. Respondi dizendo apenas a verdade: "Te amo".

Os lábios de Eva tremeram antes de se curvar em um lindo sorriso, que me deixou sem fôlego.

Eu já tinha dito que a aceitaria de qualquer forma que pudesse tê-la. Aquilo era mais verdade do que nunca naquele momento. "Vem cá, meu anjo."

Ela abriu os braços e foi.

A movimentação na cama me acordou. Pisquei algumas vezes e vi a luz do dia preencher o quarto. O rosto de Eva entrou no meu campo de visão, com um sorriso aberto e os raios do sol formando um halo em torno de sua cabeça.

"Bom dia, dorminhoco", ela falou.

As lembranças da noite anterior me invadiram. O longo banho com as mãos ensaboadas da minha esposa percorrendo meus cabelos e minha pele. Sua voz enquanto falava do casamento. Sua risada sensual quando fiz cócegas nela na cama. Seus suspiros e gemidos quando nos beijamos até que nossos lábios ficassem inchados, como dois adolescentes que ainda não estavam prontos para ir até o fim.

Não vou mentir — o sexo teria elevado a coisa a outro nível. Mas foi uma noite memorável mesmo assim. Como todas as que passamos juntos.

Então me lembrei de onde estava, e do que aquilo significava.

"Dormi na cama." Foi como se alguém tivesse despejado sobre mim um balde de água fria.

"Pois é." Eva se ajeitou, toda feliz. "Dormiu."

E da forma mais irresponsável possível. Sem tomar o remédio prescrito para minimizar os riscos.

"Não fecha a cara assim", ela reclamou, beijando-me entre as sobrancelhas. "Você dormiu *profundamente*. Quando foi a última vez que teve uma boa noite de sono?"

Eu me sentei. "Não é essa a questão, e você sabe disso."

"Escuta só, garotão. A gente já tem motivos de sobra para se estressar. Não precisa ficar se preocupando se não aconteceu nada de mais." Ela ficou em pé. "Se você quer se irritar com alguma coisa, que seja com Cary, que foi quem fez minha mala."

Ela tirou o robe curto que vestia e revelou um biquíni azul minúsculo, agarradíssimo ao pouco que cobria.

"Nossa." Todo o sangue do meu corpo desceu para o pau. O lençol até se mexeu.

Eva deu risada, olhando para o local onde minha ereção erguia luxuriosamente o tecido de algodão. "Você gostou."

Ela abriu os braços e deu uma viradinha, mostrando a parte de trás do fio dental. A bunda da minha mulher era tão gostosa quanto seus seios. Ela achava que tinha curvas demais, e nesse ponto discordávamos. Eu nunca soubera apreciar uma mulher voluptuosa, mas Eva mudou aquilo para mim, assim como várias outras coisas.

Não fazia ideia de que tecido era aquele, mas parecia não ter costuras, e se agarrava tanto à pele dela que parecia uma pintura corporal. As tiras finas no pescoço, nos quadris e nas costas me fizeram pensar em amarrá-la para fazer com ela o que quisesses.

"Vem cá", falei, estendendo os braços.

Ela se esquivou. Joguei o lençol de lado e me levantei.

"Pode parar", ela provocou, correndo ao redor do sofá.

Fui andando atrás dela, segurando meu pau e o acariciando de uma ponta a outra. "Isso não vai dar certo."

Os olhos dela brilhavam de alegria.

"Eva..."

Ela pegou alguma coisa da poltrona e correu para a porta. "A gente se vê lá embaixo!"

Eu a desejei e senti sua falta quando me vi de frente para a porta fechada. "Droga."

Escovei os dentes, pus meu calção de banho, uma camiseta e desci. Fui o último a aparecer e encontrei o grupo todo sentado ao redor da ilha da cozinha, comendo. Com uma rápida olhada no relógio, constatei que era quase meio-dia.

Procurei por Eva e a vi sentada no pátio com o celular na orelha. Ela estava coberta com uma saída de banho branca. Notei que Monica e Lacy estavam vestidas da mesma forma, de biquíni e com aqueles panos que não cobriam quase nada. Como eu, Cary, Stanton e Martin estavam de calção de banho e camiseta.

"Ela sempre liga para o pai aos sábados", comentou Cary ao ver para onde eu estava olhando.

Observei Eva por mais um minuto, procurando por um sinal de descontentamento. Ela não estava sorrindo, mas não parecia chateada.

"Aqui está, Gideon." Monica pôs um prato com waffles e bacon na minha frente. "Quer café? Ou talvez uma tangerina?"

Olhei para Eva antes de responder. "Café preto seria ótimo, obrigado."

Monica foi até a cafeteira no balcão, e eu a segui.

Ela sorriu para mim, com um batom rosa da mesma cor do biquíni. "Dormiu bem?"

"Como uma pedra." Era verdade, mas tinha sido sorte. A casa inteira teria sido acordada se eu atacasse Eva imaginando se tratar de alguém dos meus sonhos.

Olhei por cima do ombro e vi Cary com uma expressão bem séria. Ele sabia o que podia ter acontecido. E, como eu, não confiava em mim dormindo com Eva.

Peguei uma caneca no armário. "Eu me sirvo", disse a ela.

"Claro que não."

Resolvi não insistir. Deixei que servisse meu café e o de Eva. Depois de adicionar a quantidade de leite de que ela gostava, segurei as duas canecas em uma das mãos. Em seguida, peguei o prato que Monica me deu e saí para o pátio.

Eva me olhou enquanto eu punha tudo na mesa ao lado dela e me sentava do outro lado. Seus cabelos estavam soltos. As mechas loiras flutuavam ao redor de seu rosto, agitadas pela brisa. Eu a adorava assim, ao natural. Naquele momento, ela era meu paraíso na terra.

Obrigada, Eva fez com a boca antes de morder uma fatia de bacon. Ela mastigou rapidamente enquanto Victor dizia algo que não consegui ouvir.

"Mais para a frente, vou me concentrar na Crossroads", ela contou, "que é a fundação de Gideon. Espero ter muito com que me ocupar por lá. E estava pensando também em voltar a estudar."

Ergui as sobrancelhas.

"Quero ser uma espécie de conselheira para Gideon", ela continuou, olhando diretamente para mim. "Claro que ele se saiu muito bem até aqui sem mim e está cercado de gente muito competente, mas queria poder conversar sobre trabalho e conseguir entender o que ele diz."

Dei um tapinha no peito, querendo dizer "Eu ensino você".

Ela me mandou um beijo. "Enquanto isso, vou estar mergulhada na loucura que é organizar um casamento em menos de três semanas. Ainda não escolhi nem os convites! Sei que vai ser difícil para uma parte da família conseguir uns dias de folga. Você pode ir mandando um e-mail para o pessoal? Só para irem se preparando."

Eva deu outra mordida no bacon enquanto seu pai falava.

"Não falamos sobre isso", ela respondeu, engolindo às pressas, "mas não pretendo convidar os dois. Eles perderam o direito de fazer parte da minha vida quando deserdaram minha mãe. E nunca me procuraram depois disso, então acho que não estão nem aí para mim."

Olhei para a areia e para o mar mais adiante. Não estava interessado em conhecer os avós maternos de Eva. Eles rejeitaram Monica por ter engravidado sem estar casada. Se alguém considerava a existência da minha mulher um equívoco, era melhor nem aparecer na minha frente.

Escutei a conversa de Eva por mais alguns minutos, então ela se despediu. Quando pôs o celular sobre a mesa, soltou um suspiro que parecia de alívio.

"Está tudo bem?", perguntei, olhando para ela.

"Sim, ele está melhor hoje." Ela se virou para dentro da casa. "Não quis comer com o resto da família?"

"Estou sendo antissocial?"

Ela abriu um sorrisinho. "Totalmente, mas não posso fazer nada."

Eu a encarei com um olhar curioso.

"Percebi que não incluí sua mãe no planejamento do casamento", ela explicou.

Eu me remexi na cadeira para disfarçar a tensão. "Não precisa."

Ela contorceu os lábios, pegou uma fatia de bacon e ofereceu para mim. Amor verdadeiro.

"Eva." Esperei que ela me olhasse. "É o seu dia. Não precisa se sentir obrigada a fazer nada que você não queira. A não ser transar comigo, mas isso você vai querer."

Ela voltou a sorrir. "Vai ser maravilhoso, claro."

Percebi que ainda havia algo a dizer. "Mas?"

"Sei lá." Ela colocou os cabelos atrás da orelha e encolheu os ombros. "Fiquei pensando nos pais da minha mãe e sobre ter avós, e sua mãe vai ser a avó dos nossos filhos. Não quero ter uma relação estranha com ela."

Fiquei tenso. A ideia da minha mãe com uma criança que fiz com Eva provocava um turbilhão de sentimentos que era melhor nem trazer à tona naquele momento. "Vamos pensar nisso quando chegar a hora."

"Nosso casamento não é uma boa hora para começar?"

"Você não gosta da minha mãe", esbravejei. "Não precisa fingir que gosta por causa de uma criança que ainda nem existe."

Eva se inclinou levemente para trás, piscou algumas vezes e pegou o café. "Já experimentou os waffles?"

Apesar de saber que não era do feitio da minha mulher se esquivar de conversas delicadas, deixei que fizesse aquilo. Se precisávamos falar sobre minha mãe, podia pelo menos ser outra hora.

Eva colocou a caneca na mesa e cortou um pedaço de waffle com os dedos. Eu estava ciente do que ela estava fazendo: era um pedido de trégua.

Fiquei de pé, segurei sua mão e a conduzi até a praia para um passeio, a fim de clarear as ideias.

"De nada."

Virei a cabeça e vi Cary sorrindo para mim na areia a alguns passos de distância.

"Sei que você gostou do biquíni que coloquei na mala dela", ele explicou, apontando com o queixo para Eva, que estava no mar, com água até as coxas.

Os cabelos dela estavam molhados e puxados para trás. Óculos de sol estilo aviador protegiam seus olhos enquanto jogava frisbee com Martin e Lacey.

"Foi você que escolheu?", perguntou Monica, sorrindo sob o chapéu elegante de aba larga.

Eu tinha ficado só olhando enquanto ela passava filtro solar em Eva, uma coisa que eu queria fazer pessoalmente, mas não interferi. Às vezes Monica tratava a filha como se ainda fosse criança. Apesar de Eva ter revirado os olhos para mim, percebi que gostava daquele tipo de atenção. Era um relacionamento bem diferente do que eu tinha com minha mãe.

Não dava para dizer que minha mãe não me amava. Mas ela o fazia à sua maneira — dentro de certos limites. O amor de Monica, por sua vez, não tinha barreiras, e Eva considerava aquilo um pouco irritante às vezes.

Quem poderia dizer o que era pior? Ser amado demais ou de menos?

Eu amava Eva mais do que tudo.

Uma rajada de vento súbita interrompeu meus pensamentos. Monica segurou o chapéu, e Cary se virou para ela.

"Fui eu", ele disse, ficando de bruços. "Ela estava querendo comprar um maiô, e fui obrigado a interferir. Esse biquíni foi feito para ela."

Pois é. Cruzei os braços sobre os joelhos para olhá-la melhor. Estava molhada e quase nua, o que me deixou cheio de tesão.

Como se tivesse sentido que estávamos falando dela, Eva me chamou fazendo um gesto com o dedo. Fiz que sim com a cabeça, mas esperei um tempinho para levantar da areia.

A água fria me fez respirar fundo, mas agradeci por aquilo quando Eva veio até mim e me abraçou. Suas pernas envolveram minha cintura e sua boca sorridente me deu um beijo caloroso nos lábios.

"Você não está entediado, está?", ela perguntou.

Em seguida Eva se balançou para derrubar nós dois na água. Senti sua mão segurando e apertando de leve meu pau. Ela se afastou quando levantei para respirar, dando risada enquanto tirava os óculos e corria para a praia.

Eu a abracei pela cintura e me joguei no chão com ela, absorvendo o impacto com minhas costas. Seu gritinho de surpresa foi minha recompensa, além da sensação de seu corpo frio e macio contra o meu.

Eu a coloquei debaixo de mim, invertendo nossa posição. Meus cabelos pendiam por cima do seu rosto, derramando água sobre ela. Eva mostrou a língua para mim.

"Ah, as coisas que eu faria com você se não tivesse ninguém olhando", comentei.

"Somos recém-casados. Pode me beijar."

Erguendo a cabeça, vi todos os olhares voltados para nós.

Também vi Ben Clancy e Angus se aproximando, a alguns metros de distância. Mesmo à distância, o brilho da lente no pátio denunciava a presença de uma câmera.

Comecei a me levantar, mas Eva me envolveu com as pernas e não deixou.

"Me beija para mostrar que me ama, garotão", ela me desafiou. "Quero ver."

Eu me lembro de ter falado algo parecido para ela, e de ter ganhado em troca um beijo de tirar o fôlego.

Baixando a cabeça, colei minha boca à dela.

5

Eu estava mais cochilando que dormindo quando ouvi a porta do quarto se abrir. Depois de passar o fim de semana na praia, os sons de Manhattan que entravam no apartamento tinham o poder de me acalmar e me empolgar ao mesmo tempo. Ainda faltava muito para eu me considerar uma nova-iorquina, mas já conseguia me sentir em casa na cidade.

"Hora de acordar, gata!", gritou Cary. Um instante depois, ele pulou na minha cama, quase me derrubando.

Eu me sentei e afastei os cabelos do rosto antes de empurrá-lo. "Resolvi dormir até mais tarde, caso você não tenha percebido."

"Já são mais de nove horas, preguiçosa", ele rebateu, deitando-se de bruços e erguendo os pés. "Sei que está desempregada, mas você não tem um monte de coisas para fazer?"

Entre um cochilo e outro naquela manhã, fiquei pensando na minha lista de tarefas para o dia. "Pois é."

"Quanto entusiasmo."

"Vou precisar de um café. E você?" Olhei para ele, notando que estava vestido com uma calça cargo verde-oliva e uma camiseta preta de gola V. "Como está sua agenda hoje?"

"Preciso pegar leve, para estar pronto para a passarela amanhã. Hoje, sou só seu."

Ajeitei os travesseiros e me recostei neles. "Preciso ligar para a cerimonialista e para o decorador e escolher os convites."

"Você precisa de um vestido também."

"Eu sei." Franzi o nariz. "Mas isso não está na lista de hoje."

"Sério? Mesmo se você comprar um vestido pronto, o que nós dois sabemos que não vai rolar, ia precisar de uns ajustes, já que você é peituda e bunduda, e isso leva tempo."

Cary tinha razão. Eu ia precisar de algo feito sob medida depois que as fotos de Gideon e eu nos beijando na praia se espalharam pela internet no domingo. O número de blogs de moda que comentaram meu biquíni foi assustador. Como o modelo estava fora de catálogo, o preço das peças usadas tinha disparado.

"Não sei o que fazer, Cary", admiti. "Não conheço nenhum estilista a quem possa recorrer de uma hora para outra."

"Para sua sorte, estamos na Fashion Week."

Isso me despertou e deixou meus pensamentos a mil. "Sério mesmo? Como eu não sabia disso?"

"Você estava chafurdando no sofrimento", ele lembrou, sarcástico. "Sua mãe vai ver alguns desfiles, fazer alguns contatos e gastar uma boa grana. Aproveita e vai com ela."

Esfreguei meus olhos sonolentos. "Não sei se posso falar com ela depois do surto de ontem."

Ele fez uma careta. "Pois é, foi um autêntico Chilique da Monica."

"Só avisei que ia aproveitar o casamento para tornar público meu relacionamento, e agora ela está agindo como se qualquer aparição na imprensa fosse um pesadelo."

"Bom, para ser justo, ela estava falando especificamente dos tabloides."

"E isso ainda existe hoje em dia?" Suspirei, ciente de que precisava ter mais uma conversa com minha mãe e que não seria nada divertido. "Não sei por que ela está tão chateada. Nem se eu quisesse conseguiria uma foto melhor com Gideon. É perfeita para fazer Corinne Giroux parecer uma ressentida."

"Verdade." O sorriso desapareceu do rosto dele. "E, sinceramente, é legal ver Gideon assim tão ligado em você. Ele ficou de cara fechada a maior parte do tempo. Cheguei a pensar que a paixão dele estivesse esfriando."

"Agora é tarde demais para isso." Mantive o tom leve da conversa, mas era de cortar o coração ver como Gideon se retraía ao sentir algum sinal de afeto. A amizade era a única relação que ele conseguia tolerar além do nosso casamento. "Não é nada pessoal, Cary. Lembra como ele se comportou na festa da Vidal Records na casa dos pais dele?"

"Vagamente." Ele deu de ombros. "Enfim, não é problema meu. Quer que eu faça uns contatos para espalhar a notícia de que você está à procura de algo enquanto fazemos as outras coisas? Seu biquíni bombou na internet. Duvido que algum estilista recuse a chance de fazer seu vestido de noiva."

Soltei um grunhido. Não seria o máximo deixar Gideon boquiaberto com um vestido exclusivo? "Não sei, não. Seria uma merda se todo mundo ficasse sabendo que falta tão pouco tempo. Não quero um circo midiático. Já não basta não poder nem passar um fim de semana fora da cidade sem ter um fotógrafo no nosso pé."

"Eva. Você precisa fazer alguma coisa."

"Não contei para a minha mãe que já escolhi a data: 22 de setembro", confessei, fazendo uma careta.

"Então conta. Agora."

"Pois é."

"Gata", ele soprou a franja do rosto, "você pode contratar a pessoa mais competente do mundo para organizar o casamento, mas sua mãe é a única pessoa capaz de planejar um evento épico — um casamento digno de Eva — em questão de poucos dias."

"Nosso estilo não bate!"

Cary levantou da cama. "Detesto ter que dizer isso, mas sua mãe sabe das coisas. Ela decorou o apartamento e compra suas roupas. Seu estilo *é* o estilo *dela*."

Olhei feio para ele. "Ela só gosta mais de fazer compras do que eu."

"Claro, gracinha." Ele me mandou um beijo. "Vou fazer um café para você."

Eu me livrei das cobertas e me levantei da cama. Cary estava certo. Mais ou menos. Eu combinava as roupas à minha maneira.

Peguei o celular no criado-mudo para ligar para minha mãe, mas logo vi o rosto de Gideon iluminando a tela. "Oi", atendi.

"Como está sendo sua manhã?"

Fiquei arrepiada ao ouvir seu tom sério e formal. A cabeça do meu marido estava voltada para o trabalho, mas ele ainda pensava em mim.

"Acabei de sair da cama, então não tenho nada para contar. E a sua? Comprou o resto de Manhattan?"

"Não exatamente. Preciso deixar um pouco para a concorrência. Ou qual seria a graça?"

"Você gosta mesmo de desafios." Entrei no banheiro e olhei para a banheira antes de abrir o chuveiro. Só de pensar no meu marido molhado e sem roupa eu já ficava com tesão. "O que você acha que teria acontecido se eu não tivesse resistido às suas investidas no começo? Se tivesse ido para a cama com você na primeira oportunidade?"

"Você teria virado a minha cabeça do mesmo jeito. Era inevitável. Vem almoçar comigo."

Sorri. "Tenho um casamento para organizar."

"Vou encarar isso como um sim. É um almoço de negócios, mas você vai gostar."

Olhando no espelho, vi meus cabelos despenteados e as marcas de travesseiro no rosto. "A que horas?"

"Meio-dia. Raúl vai passar aí um pouco antes."

"Preciso ser responsável e dizer não."

"Mas não vai dizer. Estou com saudades."

Fiquei sem fôlego. Ele falou aquilo com a maior facilidade, como a maior parte dos homens faz quando diz que vai ligar no dia seguinte a um encontro. Mas Gideon não era do tipo que fazia promessas que não pretendia cumprir.

Mesmo assim, eu queria sentir as emoções por trás daquelas palavras. "Você é ocupado demais para sentir saudade de mim."

"Não é a mesma coisa", ele falou, e fez uma pausa. "Não é a mesma coisa sem você aqui no Crossfire."

Fiquei contente porque ele não podia ver meu sorriso. Havia um traço inegável de perplexidade em sua voz. Não deveria fazer diferença para ele se eu não estava trabalhando alguns andares abaixo, onde nem podia me ver. Mas fazia.

"O que está vestindo?", perguntei.

"Roupas."

"Dã. Um terno de três peças?"

"E existe outro tipo?"

Para ele não existia mesmo. "Que cor?"

"Preto. Por quê?"

"Fico com tesão só de imaginar." Era verdade, mas não era por isso que eu estava perguntando. "E a gravata?"

"Branca."

"A camisa?"

"Branca também."

Fechando os olhos, eu o visualizei em minha mente. Eu me lembrava daquela combinação. "Risca de giz."

Ele usava um terno de risca de giz para manter o aspecto de profissionalismo com a combinação mais ousada de camisa e gravata.

"Pois é. Eva..." Ele baixou o tom de voz. "Não sei por quê, mas essa conversa está me deixando de pau duro."

"É porque você sabe que estou imaginando você. Moreno, perigoso e gostoso. Fico com tesão só de olhar para você, mesmo que em pensamento."

"Vem me encontrar aqui mais cedo. Agora."

Dei risada. "Quem espera sempre alcança, sr. Cross. Melhor parar por aqui."

"Eva..."

"Te amo." Desliguei o celular e me olhei no espelho. Com a imagem de Gideon ainda fresca na mente, minha cara de sono parecia ainda pior. Mudei de visual quando pensei que Gideon tivesse me trocado por Corinne. Apelidei o look de "Nova Eva". Desde então, deixei o cabelo crescer de novo, e as luzes não saíam mais das raízes.

"Está vestida?", Cary perguntou do quarto.

"Sim." Eu me virei quando ele entrou no banheiro com meu café. "Mudança de planos."

"Ah, é?" Ele se apoiou na pia e cruzou os braços.

"Vou tomar um banho rápido, e você vai arrumar para mim um salão de beleza maravilhoso que possa me atender daqui a meia hora."

"Certo."

"Depois vou almoçar, e você vai fazer uns telefonemas para mim. Em troca, vamos jantar fora juntos à noite. Você escolhe o lugar."

"Conheço bem esse olhar no seu rosto", ele falou. "Você quer provar alguma coisa."

"Pode acreditar."

Tomei um banho rápido, já que não precisava lavar os cabelos. Em seguida corri para o closet, e já tinha pensado no que vestir antes mesmo de sair do banheiro. Demorei alguns minutos para localizar o vestido. Era branquíssimo, com um sutiã acoplado e uma saia justa, dando destaque ao busto e às coxas. A cor e o tecido de algodão davam um toque de casualidade, mas o caimento era elegante e sensual.

Demorei um pouco mais para achar os sapatos ideais. Considerei um bege, mas acabei decidindo por uma sandália com tiras azuis que combinavam com os olhos de Gideon. Escolhi uma bolsa de mão de uma cor parecida e brincos de opalina com o mesmo azul vivo.

Pus tudo em cima da cama para ver se era mesmo uma boa combinação, dando um passo para trás, ainda de robe, para examinar o conjunto.

"Bacana", comentou Cary, aparecendo atrás de mim.

"Fui eu que comprei esses sapatos", lembrei. "E a bolsa, e as joias."

Ele deu risada e passou o braço por cima dos meus ombros. "Pois é. Seu cabeleireiro está aqui. Mandei deixar subir."

"Sério?"

"Não dá mais para você ir a um salão sem provocar um frisson. Você vai ter que arrumar alguém para fazer isso em casa. Enquanto isso, Mario dá conta do recado, e corta muito bem."

"E quanto à tintura?"

"Tintura?" Ele tirou o braço de cima de mim e me encarou. "No que você está pensando?"

Eu o peguei pela mão e saí do quarto. "Vem comigo."

Mario tinha as pontas do cabelo tingidas de roxo e era cheio de energia. Era mais baixo que eu, mas bem musculoso. Espalhou seus equipamentos pelo banheiro enquanto fofocava com Cary sobre conhecidos em comum, citando alguns nomes que eu reconhecia.

"Loira natural", ele comentou quando pôs as mãos nos meus cabelos. "Você é uma espécie rara, minha cara."

"Me deixa mais loira", pedi.

Dando um passo para trás, ele coçou o cavanhaque, pensativo. "Muito mais?"

"O oposto de morena."

Cary assobiou.

Mario remexeu nos meus cabelos com os dedos. "Você já tem luzes platinadas."

"Vamos dar uma apimentadinha. Quero manter o comprimento, mas vamos fazer uma coisa mais ousada. Com mais camadas. As pontas um pouco assimétricas. Talvez uma franja para emoldurar os olhos." Eu me sentei direito. "Sou ousada, sexy e inteligente o suficiente para isso."

Ele olhou para mim. "Gosto dela."

Cary cruzou os braços e balançou a cabeça. "Eu também."

Dei um passo para trás e me afastei um pouco do espelho para observar o serviço completo. Adorei o que Mario fez nos meus cabelos, que caíam em camadas bem distintas sobre meu rosto. Ele tirou bastante na parte de cima e em torno do rosto, criando a impressão de um corte mais leve, sem alterar as mechas douradas que caíam sobre os ombros. Em seguida mexeu um pouco nas raízes só para dar mais volume.

Meu bronzeado do fim de semana fazia meus cabelos parecerem ainda mais claros. Resolvi arriscar uma sombra esfumaçada, com tons de cinza e preto para realçar o acinzentado dos meus olhos. Para equilibrar, mantive o restante da maquiagem bem natural, inclusive os lábios, pintados com um batom nude. Quando imaginei meu reflexo ao lado de Gideon, vi exatamente o que queria.

Meu marido era a definição de um moreno alto e perigoso. Seu cabelo era pretíssimo e brilhante. Ele costumava usar cores escuras na maior parte do tempo, o que realçava suas feições perfeitas e a cor impactante de seus olhos. Consegui me transformar em um oposto perfeito. O yang de seu yin.

Eu estava *linda*.

"Uau. Que gata." Cary me olhou de cima a baixo quando passei pela sala. "Que tipo de almoço é esse?"

Olhei para a tela do meu celular e xinguei baixinho ao ver que já fazia dez minutos que Raúl tinha mandado uma mensagem avisando que tinha chegado. "Não sei. Alguma coisa relacionada a negócios, Gideon não me falou."

"Bom, você é a companhia perfeita."

"Obrigada." Eu queria ser bem mais. Queria ser uma das armas no arsenal de Gideon. Mas teria que conquistar aquilo, e estava disposta a encarar o desafio. Se conseguisse contribuir com alguma coisa — *qualquer coisa* — para a conversa no almoço, ficaria feliz. Mas aquela não era minha especialidade, então o mínimo que podia fazer era deixá-lo orgulhoso de ser visto ao meu lado.

"Ele vai acabar tendo um treco antes do casamento", disse Cary atrás de mim. "Se você não ordenhar o touro, ele vai ficar doente."

"Credo, Cary." Abri a porta do apartamento. "Vou mandar para você uma mensagem com o telefone do decorador e da cerimonialista. Volto daqui a umas duas horas."

Tive sorte de conseguir pegar o elevador sem ter que esperar muito. Cheguei à calçada e soube que havia acertado no visual ao notar a olhada que Raúl me deu ao sair da Mercedes. Apesar de manter a postura profissional, percebi que tinha gostado do que vira.

"Desculpa o atraso", falei quando ele abriu a porta traseira. "Ainda não estava pronta quando você chegou."

Detectei um leve sorriso em seu rosto sério. "Acho que ele não vai se importar."

Durante o trajeto, mandei uma mensagem para Cary com os números de Blaire Ash, o decorador que estava cuidando das mudanças na cobertura, e Kristin Washington, que organizaria a festa de casamento, e pedi que marcasse horário com os dois. Então olhei pela janela e percebi que não estávamos indo ao Crossfire.

Quando chegamos ao Tableau One, não fiquei exatamente surpresa. O movimentado restaurante tinha como sócios Gideon e seu amigo Arnoldo Ricci. Arnoldo era um desconhecido quando Gideon o descobriu na Itália. Agora era um chef famoso.

Raúl encostou na frente do restaurante, e eu me inclinei em sua direção no assento. "Você poderia me fazer um favor enquanto a gente almoça?"

Ele se virou para me olhar.

"Consegue descobrir onde Anne Lucas está agora? Hoje seria um bom dia para dar um susto nela." Eu estava vestida para causar fortes impressões. Era melhor aproveitar a ocasião.

"É possível", ele disse, cauteloso. "Eu teria que conversar com o sr. Cross."

Quase desisti. Mas então lembrei que, tecnicamente, Raúl também trabalhava para mim. Se eu queria assumir as rédeas da situação, por que não começar dentro de casa? "Pode deixar isso *comigo*. Só descubra onde ela está. Do resto eu me encarrego."

"Certo." Ele parecia hesitante. "Está pronta? Vão começar a tirar fotos de você assim que descer do carro." Raúl apontou com o queixo para meia dúzia de paparazzi reunidos na entrada.

"Nossa." Respirei fundo. "Vamos lá."

Raúl desceu e contornou o carro para abrir a porta para mim. Assim que me endireitei, os flashes começaram a brilhar em plena luz do dia. Mantive uma expressão impassível e entrei com passos rápidos no restaurante.

O lugar estava lotado e barulhento, com diversas conversas acontecendo ao mesmo tempo. Localizei Gideon imediatamente. Ele também me viu. O que quer que estivesse dizendo quando cheguei, interrompeu a frase no meio.

A recepcionista me disse algo que não ouvi. Estava concentrada demais em Gideon, em seu rosto que me tirava o fôlego — como sempre —, mas não me revelava nada do que estava pensando.

Ele afastou a cadeira e se levantou com elegância. Os quatro homens que o acompanhavam desviaram o olhar para mim e ficaram em pé também. Havia duas mulheres à mesa, que também se viraram para mim.

Eu me lembrei de sorrir e me dirigi diretamente à mesa redonda localizada quase no meio do salão, abrindo caminho com cautela pelo recinto com piso de madeira, tentando ignorar os olhares e me concentrando em Gideon.

Minha mão tremia um pouco quando a levantei até seu braço. "Peço desculpas pelo atraso."

Ele me envolveu com um dos braços e me beijou na testa. Seus dedos se cravaram na minha cintura de uma forma quase dolorosa quando me afastei.

Gideon me olhou com tanta intensidade e com um amor tão feroz que meu coração disparou. O prazer tomou conta do meu corpo. Eu conhecia aquele olhar, sabia que tinha provocado um impacto que ele ainda estava tentando processar. Era bom saber que eu era capaz de fazer aquilo. Era mais um motivo para tentar encontrar o vestido perfeito para subir no altar com ele.

Olhei para as pessoas à mesa. "Olá."

Gideon desviou o olhar de mim. "É um prazer apresentar a vocês Eva, minha esposa."

Alarmada, arregalei os olhos para ele. Todos pensavam que ainda éramos noivos. Não sabia que ele já estava contando que tínhamos nos casado.

O olhar de Gideon se atenuou, assumindo uma expressão de divertimento. "Estes são os membros da diretoria da Fundação Crossroads."

O susto se transformou em gratidão tão depressa que minhas pernas fraquejaram. Ele me amparou, como sempre fazia, em todos os sentidos. Assim que eu começava a me sentir um tanto sem rumo, Gideon me oferecia algo a que me apegar.

Ele me apresentou a todos e puxou uma cadeira para mim. O almoço foi marcado pela ótima comida e pela conversa animada. Fiquei contente em saber que minha ideia de acrescentar a Crossroads à biografia no site dele aumentou o tráfego no site da fundação e que minhas sugestões para aprimorar a página da Crossroads — já implementadas — fizeram aumentar os contatos.

E adorei ter Gideon sentado ao meu lado, segurando minha mão sob a mesa.

Quando perguntaram se eu tinha mais sugestões, fiz que não com a cabeça. "Não estou em condições de oferecer mais nada de útil no momento. Vocês estão fazendo um ótimo trabalho."

Cindy Bello, a CEO, abriu um sorriso largo. "Obrigada, Eva."

"Eu gostaria de comparecer às reuniões da diretoria como ouvinte para tomar pé da situação mais depressa. Se não conseguir contribuir com ideias, posso tentar arrumar outra forma de ajudar."

"Já que você tocou no assunto", disse Lynn Feng, vice-presidente de operações, "muitas das instituições que ajudamos querem expressar seu agradecimento à Crossroads pelo apoio. Elas organizam almoços e jantares que também servem como eventos para angariar fundos. Gideon sempre é convidado, mas na maior parte das vezes sua agenda não permite que compareça."

Eu me apoiei brevemente no ombro dele. "Posso deixar sua agenda mais disponível."

Ela sorriu. "Na verdade, Gideon sugeriu que cuidasse disso. Estamos falando em tornar você a representante oficial da fundação."

Pisquei algumas vezes. "Está brincando."

"De jeito nenhum."

Voltei meu olhar para Gideon. Ele balançou a cabeça em confirmação.

Tentei absorver melhor a ideia. "Não sou um prêmio de consolação muito bom."

"Eva." Gideon expressou toda a sua desaprovação com uma única palavra.

"Não é falsa modéstia", argumentei. "Por que alguém ia querer me ouvir falar? Você é bem-sucedido, inteligente, um ótimo orador. Eu ouviria seus discursos o dia todo se pudesse. Seu nome vende convites. Oferecer a mim no lugar só criaria... uma obrigação. Isso não ajuda em nada."

"Terminou?", ele perguntou sem se alterar.

Estreitei os olhos para ele.

"Veja só como você ajudou as pessoas que fazem parte da sua vida." Ele não chegou a completar a frase como gostaria, incluindo-se entre as pessoas que eu ajudara, mas não foi preciso. "Se você se esforçar, é capaz de passar uma mensagem poderosa."

"Se me permite acrescentar", interferiu Lynn, "quando Gideon não pode comparecer, um de nós vai no lugar dele." Ela fez um gesto apontando para os outros membros da diretoria. "Ter alguém da família Cross presente seria maravilhoso. Ninguém iria se decepcionar."

Alguém da família Cross. Aquilo me fez respirar fundo. Não sabia se Geoffrey Cross tinha outros parentes vivos. Gideon era sem dúvida nenhuma o vínculo mais notório das pessoas com seu infame pai.

Ele não se lembrava daquele homem como um golpista e um covarde. Lembrava-se de um pai que o amava e apoiava. Gideon trabalhou muito e conquistou muitas coisas motivado pela necessidade de mudar o conceito associado ao seu sobrenome.

Agora aquele era meu sobrenome também. Um dia, no futuro, seria o dos nossos filhos. A responsabilidade de torná-lo motivo de orgulho era tão minha quanto dele.

Olhei para Gideon.

Ele me encarou, impassível. "Não posso estar em dois lugares ao mesmo tempo", ele murmurou.

Senti um aperto no coração. Era mais do que eu poderia esperar, e mais cedo também. Gideon pensou de imediato em algo pessoal, íntimo e fundamental para ele. Algo que importava muito para mim também, e em que eu poderia imprimir meu estilo.

Ele vinha travando aquela guerra para limpar seu nome sozinho, lutando todas as batalhas. Ter sua confiança para fazer aquilo, entre tantas outras possibilidades, era uma declaração de amor tão linda quanto a aliança em meu dedo.

Apertei sua mão. Tentei demonstrar com um olhar o quanto estava emocionada. Ele levou nossas mãos à boca e me disse o mesmo com seu olhar. *Te amo.*

O garçom apareceu para retirar os pratos.

"Podemos retomar esse assunto outra hora", ele disse em voz alta, olhando para os outros. "Lamento interromper a conversa, mas tenho uma reunião agora à tarde. Eu poderia ser generoso e deixar Eva aqui com vocês, mas não vou fazer isso."

Risos e sorrisos se espalharam pela mesa.

Gideon me olhou. "Vamos?"

"Só um minuto", murmurei, ansiosa por uma oportunidade de beijá-lo como ele merecia.

Pelo brilho em seus olhos, desconfiei que sabia exatamente no que eu estava pensando.

Lynn e Cindy se levantaram e me acompanharam até o banheiro feminino.

Enquanto atravessávamos o restaurante, procurei por Arnoldo, mas não o vi. Aquilo não me surpreendeu, dados seus compromissos com a Food Network e outras aparições públicas necessárias. Por mais que eu quisesse me entender melhor com ele, só o tempo ajudaria. No fim, Arnoldo veria o quanto eu amava meu marido, e que o principal objetivo da minha vida era protegê-lo e ser tudo para ele.

Gideon e eu nos desafiávamos. Nós nos obrigávamos a mudar e amadurecer. Às vezes, magoávamos um ao outro para provar o que queríamos, o que era motivo de preocupação para o dr. Petersen, mas de alguma forma parecia funcionar para nós. Éramos capazes de perdoar qualquer coisa, menos a traição.

Era inevitável que os outros, principalmente as pessoas mais próximas a um de nós, não entendessem como e por que as coisas funcionavam daquele jeito conosco e se questionassem a respeito da nossa relação. Era impossível entender — e eu não podia pensar mal de ninguém por isso, já que estava só começando a compreender a situação — que na verdade exigíamos ainda mais de nós mesmos do que um do outro. Queríamos ser a melhor versão possível de cada um de nós, fortes o bastante para ser exatamente aquilo de que ambos precisávamos.

Usei o banheiro, lavei as mãos e me olhei no espelho para ajeitar os cabelos. Não sabia exatamente o que Mario tinha feito, mas, quanto mais mexia neles, mais volume ganhavam.

Notei o sorriso de Cindy pelo espelho e fiquei um pouco envergonhada. Quando ela sacou um batom vermelho e começou a passar, eu me tranquilizei.

"Eva. Quase não reconheci você. Adorei seu cabelo."

Pelo espelho, procurei a pessoa que estava falando comigo. Por uma fração de segundo, pensei que fosse Corinne, e meu coração disparou. Foi quando vi um rosto conhecido.

"Olá." Eu me virei para a esposa de Ryan Landon. Quando conheci Angela, ela estava de coque, o que escondia o comprimento de seus cabelos. Agora que estavam soltos, longas mechas morenas chegavam até a metade de suas costas. Ela era alta e magra, com olhos azuis-acinzentados. Seu rosto era mais comprido que o de Corinne, com feições menos perfeitas, mas ainda assim era linda.

Seu olhar me percorreu dos pés à cabeça de forma tão casual que não tive certeza de que havia mesmo feito aquilo. Era um truque que eu ainda não dominava, e fez com que me desse conta de que seria escrutinada não só pela imprensa quando assumisse meu lugar na nova elite nova-iorquina. Eu não estava pronta para aquilo. E o treinamento de debutante da minha mãe com certeza não ia me ajudar.

Angela sorriu e se posicionou na pia ao lado. "Que bom ver você."

"Digo o mesmo." Ciente do plano de Landon contra Gideon, fiquei alerta. No entanto, eu não ia mais trabalhar na conta de seu marido. Agora éramos iguais. Ou melhor, quase. Meu marido era mais jovem, mais rico e mais bonito. E ela sabia muito bem disso.

Cindy e Lynn terminaram de retocar a maquiagem e tomaram o caminho da saída. Fui com elas.

"Eu queria saber...", começou Angela, e detive o passo para encará-la, deixando que as duas saíssem, "... se você vai ao desfile da Grey Isles esta semana. Seu amigo, aquele que mora com você... Ele é o modelo da última campanha publicitária deles, não?"

Não foi fácil, mas me mantive impassível. Por que a pergunta? O que ela estava querendo? Por sua expressão, sem nenhum sinal de malícia, era impossível saber. Talvez eu estivesse procurando um motivo que não existia. Ou talvez não tivesse capacidade de fazer aquele jogo tão bem quanto ela.

Angela obviamente vinha prestando atenção em mim. Não só em meu relacionamento com Gideon, mas em todas as minhas relações. Estava acompanhando as fofocas. Por quê?

"Não pretendo comparecer a nenhum desfile da Fashion Week", respondi, cautelosa.

O sorriso desapareceu de seu rosto, mas seus olhos se iluminaram, o que me deixou ainda mais intrigada. "Que pena. Pensei que pudéssemos ir juntas."

Ainda não conseguia entendê-la, e isso me deixava maluca. Ela parecera ser uma pessoa legal quando nos conhecemos, mas tinha ficado o tempo todo em silêncio, retraída, deixando que seu marido e a equipe da LanCorp conduzissem as conversas. Será que diria com todas as letras que seu marido odiava o meu? Nem ela nem Landon tinham dado nenhuma pista de animosidade em relação a Gideon. Por outro lado, não era algo que pudesse ser mencionado em uma reunião de solicitação de proposta em uma agência de publicidade.

Seria possível que ela não soubesse? Talvez o desejo de vingança fosse algo que Landon guardasse só para si.

"Dessa vez não vai dar", respondi. Deliberadamente, mantive a porta aberta, porque poderia precisar sair de repente. Ela podia ser tão inofensiva quanto parecia, ou então ardilosa. Fosse como fosse, eu não estava interessada em fazer amizade com alguém casada com um homem que queria prejudicar Gideon, mas a máxima de manter os amigos por perto e os inimigos mais ainda não tinha se popularizado à toa.

Ela secou as mãos rapidamente e me acompanhou até a saída. "Talvez na próxima, então."

Em comparação com a tranquilidade do banheiro, o salão era caótico e ruidoso, com os sons das conversas, dos talheres e da música de fundo.

Tínhamos acabado de sair do banheiro quando Ryan Landon se levantou de sua mesa e se postou diante de nós. Não havia lugares ruins naquele restaurante, mas o de Landon não estava entre os melhores. Gideon sabia que ele estava no Tableau One? Eu não ficaria surpresa. Afinal de contas, meu marido uma vez conseguiu me rastrear através do cartão de crédito que usei em um de seus clubes noturnos.

Landon era alto, mas não tanto quanto Gideon. Um e oitenta, talvez, com cabelos castanhos ondulados e olhos cor de âmbar. Era atraente e tinha presença marcante, com seu sorriso e sua risada fácil. Eu o considerei charmoso quando o conheci, e parecia atencioso com a esposa.

"Eva", ele me cumprimentou, olhando para a esposa às minhas costas. "Que surpresa agradável."

"Olá, Ryan." Queria ter visto os olhares que trocaram. Se estivessem tramando contra mim, precisava muito saber.

"Eu estava falando sobre você agora há pouco. Ouvi dizer que saiu da Waters Field & Leaman."

A desconfiança que sentira no banheiro se intensificou. Eu não estava preparada para aquele jogo perigoso. Gideon era capaz de derrotar qualquer um — ele era um mestre naquilo —, mas eu não. Precisei fazer muito esforço para não olhar para ele a fim de ver se estava me olhando.

Pisando em ovos, resolvi ir em frente. "Já estou com saudade, mas Gideon e eu ainda temos relações com Mark."

"Pois é, ouvi falar muito bem dele."

"Ele sabe das coisas. Foi enquanto trabalhava com Mark na campanha da vodca Kingsman que conheci Gideon."

Landon ergueu as sobrancelhas. "Eu não sabia disso."

Abri um sorriso. "Você está em boas mãos. Mark é o melhor. Eu ficaria ainda mais triste com minha saída se não soubesse que íamos trabalhar com ele de novo."

Ele se recompôs visivelmente. "Bom... Decidimos deixar a equipe interna da LanCorp tocar o negócio. Eles acham que dão conta do recado e, como foram contratados para isso, decidi que tentassem."

"Ah. Vou querer ver como eles vão se sair." Dei um passo para trás. "Foi bom ver vocês. Aproveitem o almoço."

Eles se despediram e eu voltei para minha mesa, onde encontrei Gideon distraído em uma conversa com os membros da diretoria. Pensei que não tinha notado minha aproximação, mas ele ficou em pé pouco antes de eu chegar sem precisar nem olhar para mim.

Nós nos despedimos e saímos do restaurante, com Gideon apoiando a mão na parte inferior das minhas costas. Eu adorava sentir a pressão firme e constante de sua mão ali. Sua possessividade.

Angus nos aguardava no Bentley. Os paparazzi também, e aproveitaram a chance para tirar várias fotos de nós. Foi um alívio quando nos acomodamos no carro e nos misturamos ao tráfego da rua.

"Eva."

O timbre áspero da voz de Gideon provocou arrepios na minha pele. Olhei para ele e vi o fogo aceso em seus olhos. Suas mãos seguraram meu rosto e seus lábios se juntaram aos meus. Soltei um suspiro de susto, com seu desejo repentino. Sua língua entrou fundo na minha boca, fazendo meu sangue ferver.

"Você está linda", ele falou, passando as mãos nos meus cabelos. "Está sempre mudando. Nunca sei quem vou encontrar no dia seguinte."

Dei risada, inclinando-me sobre ele e beijando-o com todas as minhas forças. Adorava sentir sua boca, suas linhas sensuais se desfazendo da seriedade habitual quando se entregava a mim, ficando ainda mais maravilhoso. "Preciso estar à sua altura, garotão."

Gideon me puxou para o colo, passando a mão pelo meu corpo inteiro. "Quero você."

"Espero que sim", sussurrei, passando a língua em seu lábio inferior. "Vai ter que ficar comigo a vida toda."

"A vida toda não é suficiente." Inclinando a cabeça, ele beijou minha boca de novo, segurando minha nuca enquanto me lambia com força e rapidez. Como se estivesse me comendo. Senti o toque de sua língua por toda parte.

Eu me contorci toda, com vergonha de Angus. "Gideon."

"Vamos lá para a cobertura", ele sussurrou, tentador como o diabo. Seu pau estava duro contra minha bunda, provocando-me com a promessa de sexo, pecado e um prazer enlouquecedor.

"Você tem uma reunião", cochichei.

"Foda-se a reunião."

Segurei o riso e o abracei, pressionando o rosto contra seu pescoço e respirando fundo. Seu cheiro estava uma delícia, como sempre. Gideon não usava perfume. Aquele era o cheiro da sua pele, com leves traços do sabonete que usava.

"Adoro seu cheiro", eu disse baixinho, roçando o nariz em sua pele. Seu corpo era rígido e quente, pulsando de vitalidade, energia e força. "Tem alguma coisa nele que mexe comigo. É uma das coisas que me diz que você é meu."

Ele grunhiu. "Meu pau está duro", ele falou, com os lábios colados à minha orelha, mordiscando o lóbulo, punindo-me pelo tesão que sentia.

"Estou toda molhada", murmurei de volta. "Você me deixou muito feliz hoje."

Ele respirou fundo, passando as mãos pelas minhas costas. "Ótimo."

Eu me afastei e vi quando ele começou a se recompor. Gideon quase nunca perdia o controle. Era excitante poder fazer aquilo com ele. Ainda mais depois de saber como ficou quando me viu, sem poder demonstrar para os outros. Seu autocontrole me atraía demais.

Meus dedos roçaram seu rosto deslumbrante. "Obrigada. Isso não é suficiente para agradecer pelo que você fez por mim hoje, mas obrigada."

Ele fechou os olhos e encostou a testa na minha. "De nada."

"Que bom que você gostou do meu cabelo."

"Gosto quando você se sente confiante e sexy."

Esfreguei meu nariz no dele, sentindo-me tão preenchida por seu amor que não parecia haver lugar para mais nada dentro de mim. "E se eu precisasse tingir o cabelo de roxo para me sentir assim?"

Ele sorriu. "Então eu teria uma esposa de cabelo roxo." Ele pôs a mão no meu coração, aproveitando a oportunidade para apertar meu seio. "Desde que por dentro continue a mesma, por fora é só aparência."

Pensei em avisá-lo de que estava perigosamente perto de ser romântico, mas decidi manter a constatação só para mim.

"Você viu os Landon?", perguntei em vez disso.

Gideon se recostou no assento. "Eles falaram com você."

Estreitei os olhos. "Você sabia que eles iam estar lá, né?"

"Não me surpreendeu."

"Você é muito bom nisso de sacar os outros", reclamei. "Já eu não consigo descobrir nem se Angela Landon estava tramando alguma quando me convidou para ir com ela ao desfile da Grey Isles na Fashion Week ou se estava falando sério."

"Talvez um pouco de cada. O que você falou?"

"Que não vou." Eu o beijei e me recostei no assento. Ele resistiu, mas me soltou. "Corinne saberia o que fazer com ela." Suspirei. "Magdalene também, provavelmente. E minha mãe com certeza."

"Você se saiu bem. E quanto a Landon?"

Contorci os lábios. "Seu contrato com Mark já está fechado?"

Ele me encarou com uma expressão confusa. "O que você fez?"

"Mencionei que temos uma relação próxima com ele, já que nos conhecemos por seu intermédio. Disse que vamos voltar a trabalhar com Mark no futuro."

"Você quer ver se Landon oferece um emprego a Mark."

"Sim, fiquei curiosa para ver até onde Landon é capaz de chegar. Não estou preocupada com Mark. Ele é um colaborador leal e, apesar de não saber nenhum detalhe, tem noção de que a LanCorp foi um dos motivos da minha demissão. Além disso, pode assumir uma posição importante nas Indústrias Cross. Na LanCorp, seria só mais um. Ele não é burro."

Gideon se remexeu no assento. Se eu não o conhecesse tão bem, poderia pensar que estava só se ajeitando. "E você quer saber se eu falei a verdade sobre as motivações de Landon."

"Não." Pus a mão em sua coxa e senti toda a sua tensão. Gideon havia sido deixado na mão pelos pais. Eu sabia que algo dentro dele esperava que todos os demais fizessem o mesmo. "Acredito em você. Acreditei quando me contou. Sua palavra é a única prova de que preciso."

Ele ficou me olhando por um longo instante, e então apertou minha mão. Com força. "Obrigado."

"Mas você não sentiu que precisava provar isso para mim?", perguntei com jeitinho. "Você sabia que Landon tinha feito uma reserva. E queria me apresentar à diretoria da Crossroads. Uma reunião no Tableau One mataria dois coelhos com uma cajadada se eu cruzasse com Landon por lá. Apesar de boa parte disso depender do acaso."

"Não se ele estivesse sentado perto dos banheiros."

"E se eu não fosse ao banheiro?"

Gideon me encarou.

"Era uma possibilidade", argumentei.

"Você é mulher", ele rebateu, como se isso explicasse tudo.

Franzi a testa. "Às vezes me dá vontade de bater em você."

"Não tenho culpa se estou certo."

"Você está mudando de assunto."

Ele contorceu os lábios por um instante. "Você me abandonou por causa dele. Precisava fazer com que o visse de novo depois daquilo."

"Não é exatamente verdade, mas tudo bem. Entendo o que você quis fazer." Um tanto frustrada, afastei a franja do rosto. "Mas ainda não entendi qual é a deles. Ele é um pouco mais fácil de sacar, mas os dois sabem bem como parecer sinceros. E trabalham em equipe."

"Eu e você também."

"Estamos chegando lá. Preciso me aprimorar no meu papel."

"Não tenho do que reclamar."

Abri um sorriso. "Não estraguei tudo, mas isso não quer dizer que tenha feito um bom trabalho."

Ele passou os dedos pelo meu rosto. "Eu não estaria nem aí se você tivesse estragado tudo, mas com certeza sua definição disso seria bem diferente da minha. Não ligaria se você tivesse o cabelo roxo ou de qualquer outra cor, mas gosto de você loira. No fim, o que eu quero é *você*."

Virei a cabeça e dei um beijo em sua mão. "Angela parece com Corinne."

Ele soltou uma risadinha surpresa. "Parece nada."

"Parece muito! Não tipo gêmeas ou coisa assim. Mas o cabelo e o tipo físico são os mesmos."

Gideon sacudiu a cabeça. "Não são."

"Você acha que Landon foi atrás de alguém que você ia considerar seu tipo ideal?"

"Acho que sua imaginação está saindo do controle." Ele pôs o dedo nos meus lábios quando abri a boca para retrucar. "E, se não estiver, ele entendeu tudo errado, então o argumento não tem validade."

Franzi o nariz para ele. Minha bolsa vibrou perto da minha coxa, e eu a peguei para apanhar o celular.

Era uma mensagem de Raúl. **Ela está no trabalho.**

Olhei para Gideon e reparei que estava me encarando.

"Pedi para Raúl ir atrás de Anne hoje", contei.

Gideon murmurou alguma coisa para si mesmo. "Você é teimosa demais", ele disse em seguida.

"Como você falou, estou me sentindo confiante e sexy." Mandei um beijo para ele. "É um bom dia para aparecer e dar um oi."

Os olhos de Gideon se dirigiram para o retrovisor. Angus fez o mesmo, e os dois trocaram olhares. Em seguida meu marido virou seus olhos azuis e reluzentes para mim. "Você vai fazer o que Angus mandar. Se ele achar que não é uma boa ideia, vai ter que acatar. Entendido?"

Demorei um pouco para responder, porque esperava mais resistência. "Certo."

"E você vai jantar na cobertura comigo hoje."

"Quando foi que isso virou uma negociação?"

Ele me encarou, implacável e impassível.

"Prometi a Cary que jantaria com ele, garotão. Ele está marcando compromissos para mim enquanto estou aqui com você. Mas pode ir com a gente."

"Não, obrigado. Você pode passar lá mais tarde."

"Vai se comportar?"

Os olhos dele brilharam de malícia. "Só se você se comportar também."

Percebi que a abordagem bem-humorada dele era um progresso. "Combinado."

Paramos na frente do Crossfire, e Gideon se preparou para descer. Enquanto Angus contornava o carro para abrir a porta, eu me inclinei para a frente e ofereci minha boca. Segurando meu rosto com as duas mãos, Gideon me beijou com lábios firmes e possessivos. Aquele beijo foi mais carinhoso que o beijo sensual de quando saímos do Tableau One. E mais longo.

Quando ele se afastou, eu estava sem fôlego.

Gideon me observou por um momento e balançou a cabeça, satisfeito. "Me liga assim que terminar."

"E se você estiver..."

"Me liga."

"Certo."

Gideon desceu do Bentley e entrou no Crossfire.

Eu o observei até desaparecer de vista, lembrando o dia em que nos vimos pela primeira vez. Ele já havia entrado naquele prédio antes, e sempre voltava para mim. Com aquilo em mente, sabia que não fazia sentido me sentir abandonada, mas nunca era fácil vê-lo se afastar. Era um dos meus maiores defeitos, e algo que eu precisava superar.

Já estou com saudade, escrevi em uma mensagem de texto.

A resposta não demorou. **Fico contente, meu anjo.**

Eu ainda estava rindo quando Angus voltou ao volante. Ele me olhou pelo retrovisor. "Para onde vamos?"

"Para o lugar onde Anne Lucas trabalha."

"Ela ainda vai trabalhar por mais algumas horas."

"Eu sei. Tenho algumas coisas para fazer enquanto espero. Se eu ficar entediada, tentamos outra hora."

"Certo." Ele ligou o Bentley e arrancou com o carro.

Liguei para Cary.

"Oi", ele atendeu. "Como foi o almoço?"

"Foi bom." Contei tudo para ele.

"Quanta coisa", Cary comentou quando terminei. "Não sei se entendi essa história do Landon, mas geralmente é assim com as coisas que envolvem seu marido. Existe alguém que não esteja puto com ele?"

"Eu."

"Sim, mas não está rolando nada entre vocês no momento também."

"Cary, juro que vou matar você."

Ele deu uma risadinha. "Falei com Blaire. Ele pode encontrar você na cobertura amanhã. É só mandar uma mensagem com o horário."

"Beleza. E Kristin?"

"Calma, gata. Ela vai passar o dia no escritório, então você pode ligar a qualquer hora. Ou mandar um e-mail, se for mais fácil. Ela está louca para falar com você."

"Vou ligar. Já decidiu onde quer jantar?"

"Alguma coisa asiática. Chinês, japonês, tailandês... algo assim."

"Certo, tudo bem. Cozinha asiática." Apoiei a cabeça no encosto do assento. "Obrigada, Cary."

"Fico feliz em ajudar. Quando você vem para casa?"

"Ainda não sei. Tem mais uma coisa que quero fazer antes de voltar."

"A gente se vê mais tarde, então."

Desliguei o telefone quando Angus estacionou o carro.

"O consultório dela é do outro lado da rua", ele explicou, chamando minha atenção para a construção com fachada de tijolos aparentes ao meu lado. Tinha vários andares e um pequeno saguão visível pelas portas de vidro.

Dei uma olhada rápida, imaginando-a lá dentro com um paciente, alguém que expunha seus segredos mais íntimos sem saber com quem estava falando. Era assim que funcionava. Os profissionais de saúde mental sabiam tudo sobre as pessoas, que por sua vez só tinham de informação as fotos de família sobre a mesa e os diplomas pendurados na parede.

Vasculhando os contatos do meu celular, encontrei o número de Kristin e liguei para seu escritório. A assistente transferiu a ligação imediatamente.

"Oi, Eva. Eu ia ligar para você, mas seu amigo entrou em contato antes. Estou tentando ligar há alguns dias, na verdade."

"Eu sei. Desculpa."

"Sem problemas. Vi as fotos de você e Cross na praia. Entendo que não tenha ligado. Mas precisamos conversar e esclarecer algumas coisas."

"A data vai ser 22 de setembro."

Houve uma pausa. "Certo. Uau."

Fiz uma careta, ciente de que era um prazo bem curto e que custaria uma boa grana para pôr tudo em prática em tão pouco tempo. "Decidi que minha mãe está certa sobre a paleta em tons de branco, creme e dourado, então vamos nessa. Mas quero alguns toques de vermelho. Por exemplo, o buquê vai ser neutro, mas vou usar joias de rubi."

"Ah. Me deixa pensar um pouco. Talvez umas saias vermelhas por baixo das toalhas de mesa brancas... Ou pratos vermelhos de murano por baixo de outros de cristal... Vou pensar em algumas opções." Ela soltou o ar com força. "Gostaria muito de ver o local."

"Posso providenciar um voo até lá. Quando você quer ir?"

"Assim que possível", Kristin se apressou em responder. "Amanhã à tarde tenho compromisso, mas de manhã estou livre."

"Vou ver e aviso."

"Vou ficar aguardando. Eva... você já escolheu o vestido?"

"Hã... não."

Ela deu risada. Quando voltou a falar, a tensão em sua voz tinha desaparecido. "Entendo sua vontade de apressar as coisas com um homem como ele, mas um prazo maior me daria a certeza de que vai sair tudo bem e de que seu dia vai ser perfeito."

"Vai ser perfeito mesmo se algo der errado." Passei o polegar na aliança, consolando-me com sua presença no meu dedo. "É o aniversário de Gideon."

"Uau. Tudo bem, então. Vamos fazer acontecer."

Abri um sorriso. "Obrigada. A gente se fala."

Desliguei e dei uma olhada no prédio do outro lado da rua. Havia um café logo ao lado. Passaria lá para tomar um café com leite depois de conversar com o decorador.

Mandei uma mensagem para Gideon. **Com quem preciso falar para providenciar um voo amanhã de manhã para a Carolina do Norte com a cerimonialista?**

Era uma coisa estranha para pedir. Quem poderia imaginar que algum dia eu teria jatinhos particulares à minha disposição? Aquilo provavelmente nunca seria normal para mim.

Fiquei esperando a resposta por um minuto, então decidi ligar para Blaire Ash.

"Oi, Blaire", falei quando ele atendeu. "É Eva Tramell. A noiva de Gideon Cross."

"Eva. Claro que sei quem você é." Sua voz era amigável. "Que bom que ligou."

"Queria discutir algumas coisas sobre o projeto com você. Cary me falou que você está livre amanhã."

"Sim, claro. Que horas?"

Pensando na viagem com Kristin, respondi: "Que tal no fim da tarde? Lá pelas seis?".

Gideon estaria no consultório do dr. Petersen pelo menos até as sete. Depois ainda havia o trajeto para casa. Aquilo me daria tempo de discutir algumas coisas do novo projeto de decoração.

"Por mim tudo bem", concordou Blair. "Nos encontramos na cobertura?"

"Sim, nos vemos lá. Obrigada. Tchau."

Assim que encerrei a ligação, meu telefone vibrou. Olhei para a tela e vi a resposta de Gideon: **Scott já está providenciando.**

Mordi o lábio inferior, arrependida de não ter falado com Scott primeiro. **Vou confirmar com ele o horário. Obrigada!** ☺

Respirei fundo, ciente de que precisava falar com Elizabeth, mãe de Gideon.

No banco da frente, o celular de Angus fez um ruído. Ele o ergueu e olhou para mim. "Ela está no elevador, descendo."

"Ah!" Minha surpresa se transformou em perplexidade. Como ele sabia? Olhei de novo para o prédio. Seria de Gideon também? Assim como aquele em que o marido dela trabalhava?

"Aqui, garota." Angus estendeu a mão e me ofereceu um disquinho preto do tamanho de uma moeda, porém muito mais grosso. "Tem velcro de um dos lados. Grude no vestido."

Enfiei o celular na bolsa e peguei o objeto. "O que é isso? Um microfone?"

"Senão vou com você." Ele abriu um sorriso sem graça. "Você não precisa ficar preocupada, mas ela sim."

Como eu não tinha nada a esconder, enfiei o microfone no sutiã e desci do carro quando Angus abriu a porta. Ele me segurou pelo braço e me conduziu para o outro lado da rua.

Angus ainda me deu uma piscadinha antes de entrar no café.

De repente, eu me vi sozinha na calçada, acometida por um acesso de nervosismo, que passou logo em seguida, quando Anne saiu do saguão do prédio. Trajando um vestido com estampa de oncinha e um par de Louboutins pretos, parecia feroz e vivaz com seus cabelos ruivos.

Enfiei a bolsa debaixo do braço e andei em sua direção.

"Que coincidência!", exclamei quando me aproximei.

Ela me olhou enquanto acenava para um táxi. Por um instante, seu rosto de raposa ficou sem expressão, e então ela me reconheceu. O susto foi evidente. Ela baixou o braço.

Olhei para Anne dos pés à cabeça. "Você deveria abandonar a peruca quando vai ver Cary também. O cabelo curto combina mais com você."

Anne se recuperou depressa. "Eva. Como você está bonita. Gideon está cuidando bem de você."

"É, ele cuida de mim. O tempo todo." Isso chamou sua atenção. "E eu não me canso disso. Não vai sobrar nada para você, então é melhor ficar obcecada por outra pessoa."

A expressão dela endureceu. Eu me dei conta de que nunca havia testemunhado ódio verdadeiro antes. Mesmo no calor do verão de Nova York, senti um calafrio.

"Você é tão sem noção", ela rebateu, aproximando-se, "que ele deve estar trepando com outra agora mesmo. Ele é assim, é isso o que faz."

"Você não tem ideia de quem ele é." Detestei ter que levantar a cabeça para encará-la. "Não tenho com que me preocupar. Já você tem muito com que se preocupar, porque se chegar perto de Cary de novo vai se ver comigo. E não vai ser legal."

Dei as costas para ela. Já tinha cumprido meu objetivo.

"Ele é um monstro", ela gritou. "Não contou que faz terapia desde criança?"

Isso me fez deter o passo. Eu me virei outra vez.

Ela sorriu. "Já nasceu defeituoso. É doente e pervertido, só não mostrou isso para você ainda. Pensa que pode esconder isso de você, a menina bonita do conto de fadas. A bela e a fera. É um bom jogo de aparências, mas não vai durar muito. Ele não tem como esconder sua verdadeira natureza para sempre."

Meus Deus... Ela sabia sobre Hugh?

Como podia saber que Gideon era uma vítima das taras de seu irmão e mesmo assim fazer sexo com ele? Aquilo me deixou enojada só de pensar, e senti a bile subindo pela garganta.

A risada dela me penetrou como cacos de vidro afiados. "Gideon é violento e cruel. Vai acabar com a sua raça antes de descartar você. Isso se não te matar primeiro."

Endireitei as costas e cerrei os punhos. Estava tão nervosa que até tremia, segurando-me para não dar um soco naquela cara presunçosa.

"Com quem você acha que os monstros se casam, sua imbecil?" Dei alguns passos na direção dela. "Garotinhas frágeis e indefesas? Ou outros monstros?"

Eu a encarei bem de perto. "Você acertou sobre o conto de fadas. Mas a fera não é Gideon. Sou *eu*."

6

"Você acha que Gideon é perigoso? Espera só até me conhecer melhor."

Fiquei imóvel como uma estátua por um longo minuto, com a voz de Eva ecoando na minha cabeça quando a gravação terminou. Ergui os olhos para Angus. "Meu Deus."

Já tínhamos procurado pelos arquivos que Hugh pudesse ter guardado sobre meu caso. Nada foi encontrado, e chegamos à conclusão de que ele não tinha deixado rastro. Por que documentar os próprios crimes?

"Vou procurar de novo", Angus disse baixinho. "Na casa deles, no consultório. No consultório do marido dela. Em todo lugar. Vou encontrar."

Balancei a cabeça, afastando-me da mesa. Respirei fundo para conter a ânsia de vômito. Não havia nada a fazer a não ser esperar.

Fui até a janela mais próxima e olhei para o prédio que abrigava a sede da LanCorp.

"Eva lidou bem com a situação", Angus disse atrás de mim. "Ela deixou Anne apavorada. Pude até ver a cara dela."

Seria melhor ter visto o vídeo das câmeras de segurança em vez de ouvir o áudio da conversa, mas aquilo já bastava. Eu conhecia minha esposa, sua voz e seu jeito de falar. Seu temperamento. E sabia que nada despertava mais sua ferocidade do que a necessidade de me defender.

Durante o pouco tempo em que estávamos juntos, Eva teve enfrentamentos cara a cara com Corinne na casa dela, com minha mãe em várias ocasiões, com Terrence Lucas no consultório dele e agora com sua esposa no meio da rua. Eu sabia que ela se sentia na obrigação de fazer aquilo, por isso permiti que fosse em frente.

Eu não precisava de ninguém para me defender. Sabia me virar muito bem, foi o que sempre tive de fazer. Mas era bom sentir que não estava mais sozinho. E era melhor ainda saber que Eva era capaz de enfrentar a loucura de frente e ainda levar a melhor.

"Ela é uma leoa." Eu me virei para ele. "Eu mesmo tenho marcas de seus arranhões."

Os ombros carregados de tensão de Angus relaxaram um pouco. "Ela vai ficar do seu lado."

"Se meu passado vier a público? Eu sei."

Depois de dizer aquelas palavras, parei para pensar no quanto eram verdadeiras. Houve momentos em nosso relacionamento em que não tive certeza de que continuaria com Eva. Eu a amava e não duvidava de seu amor por mim. Porém, por mais que aos meus olhos ela fosse perfeita, Eva tinha seus defeitos. Duvidava de si mesma com frequência demais. Às vezes achava que não tinha forças para lidar com certas situações. Quando sentia que sua independência e o tratamento igualitário que exigia estavam sendo ameaçados, fugia para se proteger.

Meu olhar se voltou para a foto dela na minha mesa. As coisas tinham mudado, mas não fazia muito tempo. Ela me levara ao limite afastando-me da única coisa sem a qual não conseguia viver — sua companhia. Eu me debrucei sobre aquele abismo contra minha vontade para conseguir tê-la de volta. Como resultado, Eva não encarava mais nosso casamento como uma associação entre duas individualidades, e sim como uma *fusão*. Meu ressentimento inicial já não existia mais. Eu faria tudo de novo para mantê-la ao meu lado, sem precisar ser forçado a isso.

"Ela gosta do que tenho a oferecer, dessa estabilidade", falei, mais para mim mesmo que para Angus. "Mas, se eu perdesse tudo, ainda ficaria ao meu lado. Quer ficar *comigo*, por mais pirado que eu seja."

O dinheiro... a fama... não eram importantes para ela.

"Você não é pirado, rapaz. É um partidão, isso sim." Angus abriu um sorriso malicioso. "E fez besteiras com as garotas, mas quem não fez? É difícil dizer não quando se é bonitão e elas se jogam aos seus pés."

Seus comentários me divertiram, e afastei meus pensamentos de Anne Lucas. Tanta preocupação não levaria a nada. Angus era bom no que fazia. Eu ia me concentrar na minha esposa e na nossa vida naquele momento.

"Onde Eva está agora?", perguntei.

"Raúl está indo com ela à academia de Parker Smith no Brooklyn."

Balancei a cabeça, ciente de que Eva precisava aliviar o estresse. "Obrigado, Angus."

Meu celular vibrou sobre o vidro escuro da mesa. Olhei para o aparelho esperando ver o rosto de Eva, mas encontrei o de Ireland, minha irmã. Depois de uma pontada familiar de desconforto, algo levemente parecido com pânico, atendi.

Eu não via nenhum motivo para me envolver na vida da minha irmã adolescente, mas Eva achava aquilo importante por alguma razão, e eu o fazia por ela.

"Ireland. A que devo a honra?"

"Gideon." Ela soluçou violentamente, e sua voz saiu estrangulada pelas lágrimas.

Imediatamente fiquei tenso, sentindo uma fúria subir pela espinha. "O que foi?"

"Ch-cheguei da escola hoje e papai estava me esperando. Eles vão se separar."

Fui para trás da mesa e me joguei sobre a cadeira. A raiva logo passou. Ela continuou falando, sem me dar tempo para dizer algo.

"Não entendo!", ela disse, aos prantos. "Duas semanas atrás, estava tudo bem. Aí eles começaram a discutir o tempo todo, e papai foi para um hotel. Aconteceu alguma coisa, mas ninguém quer me contar o que foi! Mamãe não para de chorar. Papai não, mas os olhos dele estão sempre vermelhos."

Senti um nó no estômago outra vez. Minha respiração acelerou.

Chris sabia. Sobre mim e Hugh. Sobre as mentiras de Terrence Lucas, o acobertamento do crime de seu cunhado. Sobre minha mãe ter se recusado a acreditar em mim, a lutar por mim, a me salvar.

"Ireland…"

"Você acha que papai está tendo um caso? É tudo culpa dele. Mamãe diz que ele está confuso, que vai voltar ao normal, mas eu acho que não. Ele parece estar decidido. Você não pode falar com ele?"

Segurei o telefone com força. "E dizer o quê?"

Alô, Chris? Desculpa por ter sido estuprado e sua mulher não ter lidado bem com isso. Que chato o divórcio. E se você a perdoasse e os dois vivessem felizes para sempre?

Só de pensar em Chris seguindo normalmente com sua vida e seu casamento como se nada tivesse acontecido, fiquei possesso de raiva. Alguém sabia de tudo. E se importava. E não conseguia viver em paz com o acontecido, como eu. Nem se fosse capaz de mudar aquilo eu tentaria.

Uma parte pequena e fria de mim gostou de saber. Finalmente.

"Deve ter alguma coisa que você possa falar. Gideon! As pessoas não vão de apaixonadas a divorciadas em menos de um mês!"

Deus do céu. Esfreguei a nuca, sentindo uma dor fortíssima me atormentando. "Eles podem fazer terapia."

Tive que segurar uma risada ácida e cruel. Foi na terapia que tudo começou. Que ironia sugerir que eles buscassem justamente esse tipo de ajuda.

Ireland fungou. "Mamãe disse que papai sugeriu, mas ela não quer fazer."

Deixei uma risadinha escapar. O que o dr. Petersen diria se soubesse o que se passava na cabeça dela? Ficaria com pena? Enojado? Furioso? Talvez não sentisse nada. Eu não era diferente de nenhuma outra criança molestada, e ela não era diferente de nenhuma outra mãe fraca e egoísta.

"Lamento, Ireland." E lamentava mesmo, muito mais do que era capaz de expressar. Como ela se sentiria a meu respeito se soubesse que a culpa era minha? Talvez me odiasse também, como Christopher, nosso irmão.

Aquele pensamento me deixou com um aperto terrível no peito.

Christopher não me suportava, mas amava Ireland, e tinha interesse no bom relacionamento entre seus pais. Eu era um estranho no ninho. Sempre havia sido. "Você conversou com Christopher?"

"Ele está arrasado, assim como mamãe. Quer dizer, eu estou abalada, mas eles... Nunca vi os dois assim."

Eu me levantei de novo, inquieto demais para ficar sentado. *O que eu faço, Eva? O que posso dizer? Por que você não está aqui quando mais preciso?*

"Seu pai não está tendo um caso", falei, oferecendo o único consolo de que era capaz. "Não faz o tipo dele."

"Então por que pedir o divórcio?"

Soltei o ar com força. "Por que as pessoas se separam? O casamento não está mais dando certo."

"Depois de tantos anos, ele decide do nada que não está feliz? E se manda?"

"Ele sugeriu terapia, e ela não aceitou."

"Então é culpa dela que de repente ele resolva que não quer mais continuar casado?"

A voz era de Ireland, mas as palavras eram da minha mãe. "Se você está procurando alguém em quem pôr a culpa, não tenho como ajudar."

"Você não está nem aí para o casamento deles. Deve estar me achando uma idiota por ficar tão chateada com isso nesta idade."

"Não é verdade. Você tem todo o direito de estar chateada."

Olhei para a porta do escritório quando Scott apareceu, fazendo um gesto afirmativo quando ele bateu no relógio com o dedo. Em seguida voltou para sua mesa.

"Então ajuda a dar um jeito nisso, Gideon!"

"Minha nossa. Não sei por que você acha que posso fazer alguma coisa a respeito."

Ela começou a chorar de novo.

Soltei um palavrão mentalmente, detestando ouvi-la sofrer tanto e sabendo que o responsável era eu. "Querida..."

"Você não pode pelo menos tentar falar com eles?"

Fechei os olhos com força. O problema era eu, o que tornava impossível ser parte da solução. Mas aquilo eu não podia contar. "Vou ligar para eles."

"Obrigada." Ela fungou de novo. "Te amo."

Soltei um ruído baixinho, impactado por aquelas palavras. Ireland desligou antes que eu pudesse responder, deixando em mim uma sensação de oportunidade perdida.

Pus o celular sobre a mesa e me segurei para não jogá-lo longe.

Scott abriu a porta e enfiou a cabeça para dentro. "Está tudo pronto na sala de reuniões."

"Estou indo."

"E o sr. Vidal pediu para ligar quando puder."

Concordei com um gesto de cabeça, mas grunhindo por dentro ao ouvir o nome do meu padrasto. "Vou ligar."

Eram quase nove da noite quando Raúl mandou uma mensagem para avisar que Eva estava subindo para a cobertura. Saí do escritório e fui recebê-la no hall de entrada. Ergui as sobrancelhas de surpresa quando ela entrou com uma caixa nas mãos. Raúl vinha logo atrás com uma bolsa de lona.

Eva sorriu quando peguei a caixa de suas mãos. "Trouxe algumas coisinhas para invadir seu espaço."

"Pode invadir à vontade", respondi, cativado pelo brilho malicioso em seus olhos acinzentados.

Raúl pôs a bolsa no chão da sala e saiu em silêncio, deixando nós dois a sós. Segui Eva com o olhar, observando sua calça jeans preta agarrada com uma camisa de seda larga por dentro. Estava usando sapatos baixos, o que a deixava com quase trinta centímetros a menos que eu. Seus cabelos estavam caídos sobre os ombros, emoldurando o rosto, já sem maquiagem.

Ela jogou a bolsa na poltrona perto da porta. Quando tirou os sapatos perto da mesa de centro, virou-se para mim, olhando para meu peito descoberto e minha calça de pijama de seda. "Você disse que ia se comportar, garotão."

"Bom, considerando que ainda nem beijei você, acho que dá para dizer que estou me comportando muito bem." Fui até a mesa da sala de jantar e coloquei a caixa lá. Quando espiei dentro, vi algumas fotos emolduradas e embrulhadas em plástico bolha. "Como foi o jantar?"

"Estava gostoso. Seria melhor se Tatiana não estivesse grávida, mas acho que isso está fazendo Cary pensar na vida e amadurecer um pouco, o que é bom."

Eu sabia que era melhor não expressar minha opinião a respeito, então só balancei a cabeça. "Quer que eu abra um vinho?"

O sorriso dela iluminou o ambiente. "Seria ótimo."

Quando voltei para a sala, instantes depois, encontrei o aparador da lareira decorado com uma nova coleção de fotos. A montagem que dei para ela pôr na mesa do trabalho estava lá, com imagens nossas juntos. Havia também fotos de Cary, Monica, Stanton, Victor e Ireland.

Além de uma imagem emoldurada do meu pai e eu na praia muito tempo antes, que eu tinha mostrado a ela quando assinamos o contrato de compra da casa de praia na Carolina do Norte.

Dei um gole no vinho, absorvendo a mudança. Não havia objetos pessoais na minha sala de estar, então se tratava de uma alteração... profunda. Ela compôs um mosaico vivo e colorido de porta-retratos, que atraía a vista.

"Seus instintos de solteiro estão começando a agir?", provocou Eva, pegando a taça que ofereci.

Lancei para ela um olhar divertido. "É tarde demais para ficar com medo."

"Tem certeza? Estou só começando."

"Já era hora."

"Tudo bem, então." Ela deu de ombros e deu um gole no pinot noir que escolhi. "Eu ia acalmar você com uma chupada se começasse a surtar."

Meu pau endureceu imediatamente.

"Agora que você tocou no assunto... estou até suando frio..."

Uma bola de pelos saiu de debaixo da mesa, dando-me um susto tão grande que quase derrubei o vinho tinto no tapete Aubusson. "O que é isso?"

A bolinha se sacudiu e se revelou um cachorrinho pouco maior que meu sapato, cambaleando sobre as perninhas trêmulas. Era na maior parte preto e marrom, com uma barriga branca e orelhas enormes balançando ao lado de uma carinha toda acesa de alegria e empolgação.

"É seu", disse minha esposa com a voz risonha. "Não é uma graça?"

Sem saber o que falar, vi o cãozinho chegar até meus pés e começar a lamber meus dedos.

"Ah, ele gostou de você." Ela pôs a taça na mesa de centro e se ajoelhou, estendendo o braço para acariciar a cabecinha do filhote.

Confuso, olhei ao redor e me dei conta do que tinha deixado escapar. A bolsa de lona tinha buracos de ventilação cobertos com tela na parte superior e nas laterais.

"Você precisava ver a sua cara!" Eva deu risada e pegou o cachorro no colo antes de ficar de pé. Ela tirou a taça da minha mão e me entregou o filhote.

Sem escolha, peguei a bola de pelos inquieta, arqueando as costas para trás quando ele começou a lamber loucamente meu rosto. "Não posso ter um cachorro."

"Claro que pode."

"Não quero."

"Claro que quer."

"Eva... Não."

Ela levou meu vinho até o sofá e se sentou sobre as pernas dobradas. "Agora a cobertura não vai mais parecer tão vazia até eu me mudar para cá."

Eu a encarei. "Não preciso de um cachorro. Preciso de uma esposa."

"Agora você tem as duas coisas." Ela deu um gole na minha taça e lambeu os lábios. "Qual vai ser o nome dele?"

"Não posso ter um cachorro", repeti.

Eva me olhou com serenidade. "É um presente de aniversário de casamento, você não pode devolver."

"Aniversário de casamento?"

"Amanhã faz um mês que casamos." Ela se recostou no sofá e me olhou com cara de tesão. "Estava pensando em ir até a casa de praia comemorar."

Segurei melhor o cachorrinho inquieto. "Comemorar como?"

"Acesso total."

Fiquei de pau duro na hora, e ela percebeu.

Eva acariciou com os olhos a ereção que enchia minha calça. "Estou morrendo, Gideon", ela murmurou, com os lábios e o rosto vermelhos. "Queria esperar, mas não consigo. Preciso de você. E é nosso aniversário de casamento. Se nem nessa data a gente puder fazer amor e ficar sós, sem complicações, então isso nunca vai acontecer, e eu não acho que tem que ser assim."

Eu a encarei.

Ela abriu um sorrisinho. "Se é que isso faz algum sentido."

O cachorrinho lambia freneticamente meu rosto, mas eu mal notei, com toda a minha atenção voltada para Eva. Ela vivia me surpreendendo, e das melhores maneiras possíveis.

"Já decidi qual vai ser o nome dele."

"Qual?"

"Lucky. Ele me traz sorte."

Eva deu risada. "Você é mesmo um tarado, garotão."

Quando Eva foi para casa, havia gaiolas de cachorro novinhas no meu quarto e no meu escritório, e comedouros e bebedouros na cozinha. A ração para filhotes tinha ficado em um pote com tampa de fechamento hermético na despensa e havia caminhas espalhadas pela casa. Havia até um tapete de grama falsa, onde Lucky deveria urinar — isso quando não se aliviava nos meus tapetes de valor inestimável, como fizera pouco antes.

Outros itens, que incluíam biscoitos, brinquedos e sprays odoríferos, tinham sido deixados no hall de entrada, perto do elevador, o que indicava que Eva havia recrutado Raúl e Angus em seu plano de me arrumar um animal de estimação.

Olhei para o filhote sentado aos meus pés, encarando-me com olhinhos suaves e escuros, repletos de um sentimento que parecia ser de adoração. "O que vou fazer com um cachorro?"

O rabo de Lucky balançava com tanta força que seu traseiro inteiro tinha que se movimentar no mesmo ritmo.

Quando fiz a Eva essa mesma pergunta, ela me contou o que tinha planejado: Lucky iria comigo para o trabalho, então Angus o levaria para uma creche de animais — quem sabia que existia uma coisa dessas? — e o apanharia depois para ele voltar para casa comigo.

A verdadeira resposta estava no bilhete que ela deixou no meu travesseiro:

Meu querido Moreno Perigoso,
Os cachorros são ótimos entendedores da natureza das pessoas. Com certeza seu lindo beagle vai idolatrar você tanto quanto eu, porque vai conseguir enxergar o mesmo que vejo: seu caráter protetor, sua consideração e sua lealdade. Você é um macho alfa sem tirar nem pôr, então ele vai saber obedecer, ao contrário de mim. (Você vai gostar disso!) E você vai se acostumar com a ideia de ser amado incondicionalmente por ele, por mim e por todo mundo que faz parte de sua vida.
Para sempre sua,
Sra. Cross

Erguendo-se nas patas traseiras, Lucky pôs as dianteiras na minha canela e choramingou baixinho.

"Você é uma criaturinha bem carente, não?" Peguei-o no colo e resolvi tolerar as inevitáveis lambidas no rosto. Ele ainda estava com um pouco do perfume de Eva, então o aproximei do nariz para sentir seu cheiro.

Nunca senti vontade de ter um animal de estimação. Por outro lado, também nunca quisera ter uma esposa, o que tinha se revelado a melhor coisa que me acontecera na vida.

Afastei um pouco Lucky para observá-lo com mais atenção. Eva tinha colocado nele uma coleira de couro vermelho com uma placa de metal com as palavras FELIZ ANIVERSÁRIO, seguida da data em que nos casamos, então eu não tinha como me livrar dele.

"Estamos presos um ao outro", eu disse para o cachorro, o que o fez latir e abanar o rabo com ainda mais força. "Pode ser ainda pior para você do que para mim."

Sentado no meu quarto sozinho, ouço os gritos da minha mãe. Meu pai fala com ela e então começa a berrar também. Eles ligaram a televisão antes de bater a porta do quarto, mas não é suficiente para encobrir a briga.

Ultimamente, eles brigam o tempo todo.

Pego o controle do meu carrinho preferido e começo a batê-lo na parede sem parar. Não ajuda em nada.

Minha mãe e meu pai se amam. Ficam se olhando durante um tempão, sorrindo, como se não tivesse ninguém ao redor. Vivem se tocando. Dando as mãos. Se beijando. Eles se beijam muito. É nojento, mas é melhor que os gritos e choros das últimas semanas. Até meu pai, que está sempre rindo, anda triste. Seus olhos estão vermelhos o tempo todo, e ele não faz a barba há dias.

Estou com medo de que se separem, como os pais do meu amigo Kevin.

O sol se põe, mas a briga não acaba. A voz da minha mãe está rouca e áspera por causa do choro. Ouço o som de vidro se quebrando. Alguma coisa pesada se choca contra a parede e me assusta. Faz tempo que almocei, e meu estômago está roncando, mas não sinto fome. Sinto vontade de vomitar.

A única luz no meu quarto vem da televisão, mas está passando um filme chato. Ouço a porta do quarto dos meus pais abrir e fechar. Alguns minutos depois, a porta da frente abre e fecha também. O apartamento fica em silêncio de um jeito que me provoca ainda mais ânsia de vômito.

Quando a porta do meu quarto enfim se abre, minha mãe aparece como uma sombra contra a luz. Ela me pergunta por que estou no escuro, mas não respondo. Estou bravo com ela por tratar meu pai tão mal. Ele nunca começa as brigas, é sempre ela. Por causa de alguma coisa que viu na televisão, leu no jornal ou ouviu dizer. Estão falando mal dele, dizendo coisas que sei que são mentiras.

Meu pai não é mentiroso nem ladrão. Minha mãe deveria saber disso. Não deveria dar ouvidos a gente que não o conhece tão bem quanto nós.

"Gideon."

Minha mãe acende a luz, e eu levo um susto. Ela está mais velha. Cheira a leite azedo e talco.

Meu quarto está diferente. Meus brinquedos não estão mais lá. O carpete sob meus pés vira um tapete sobre um piso de pedra. Minhas mãos estão maiores.

Eu me levanto e estou do tamanho dela.

"Quê?", *esbravejo, cruzando os braços.*

"Você precisa parar com isso." *Ela limpa as lágrimas que escorrem dos olhos.* "Não pode continuar se comportando assim."

"Saia daqui." *O buraco no meu estômago se amplia, fazendo a palma das minhas mãos suar e me obrigando a cerrar os punhos.*

"Essas mentiras precisam acabar! Temos uma nova vida agora, uma vida boa. Chris é um cara legal."

"Isso não tem nada a ver com Chris", respondo, querendo bater em alguma coisa. Não deveria ter aberto a boca. Não sei por que pensei que alguém fosse acreditar em mim.

"Você não pode..."

Eu me sentei na cama, ofegante, rasgando violentamente o lençol que segurava entre as mãos. Demorou um tempinho para minha cabeça parar de latejar e eu enfim ouvir o latido incessante que me acordara.

Esfregando o rosto, soltei um palavrão e levei um susto quando vi Lucky escalando o edredom e subindo na cama. Ele pulou em cima de mim, batendo as patas no meu peito.

"Puta que pariu, calma!"

Ele choramingou e se aninhou no meu colo, fazendo com que eu me sentisse um babaca.

Eu o abracei contra meu peito suado. "Desculpa", murmurei, acariciando sua cabeça.

Fechando os olhos, recostei-me na cabeceira da cama, tentando acalmar meu coração. Levou alguns minutos, o mesmo tempo que demorei para perceber que acariciar Lucky me ajudava naquele processo.

Ri comigo mesmo, estendendo a mão para pegar meu telefone no criado-mudo. Eram mais de duas da manhã, o que me fez hesitar. E eu precisava ser forte, aguentar a bronca sozinho.

Mas muita coisa tinha mudado desde que ligara pela primeira vez para Eva para falar de um pesadelo. E para melhor.

"Oi", ela atendeu com uma voz grogue e sensual. "Está tudo bem?"

"Melhor agora que estou ouvindo sua voz."

"Problemas com o cachorro? Ou um pesadelo? Ou só está sendo safado?"

Uma sensação de calma tomou conta de mim. Eu tinha me preparado para uma reprimenda, mas ela ia pegar leve comigo. Mais uma razão para tentar proporcionar a ela o que queria, apesar de meu primeiro instinto não ser aquele. Quando Eva estava feliz, eu também estava. "Talvez as três coisas."

"Certo." Ouvi o farfalhar dos lençóis. "Vamos começar pela primeira coisa, garotão."

"Se eu tranco a gaiola, Lucky fica choramingando e não consigo dormir."

Ela deu risada. "Você é um molenga. Lucky é perfeito para você. Ele está no escritório?"

"Não. Ele fica latindo lá, e não consigo dormir. Acabei só fechando a porta da gaiola, sem trancar, e ele sossegou."

"Ele não vai aprender a controlar o xixi se não ficar preso na gaiola."

Olhei para o pequeno beagle que dormia no meu colo. "Ele me acordou no meio de um pesadelo. Acho que foi de propósito."

Eva ficou em silêncio por um instante. "Me conta mais."

Ela me escutou com atenção. "Ele já estava tentando subir na cama antes, mas não conseguia", eu disse, ao concluir. "Ainda é muito pequeno, e a cama é alta demais. Mas ele escalou as cobertas para me acordar."

Ouvi um suspiro do outro lado da linha. "Acho que ele também não consegue dormir com barulho."

Demorei um instante para entender, então dei risada. O estresse causado pelo sonho se dissipou como fumaça soprada pela brisa. "Me deu uma vontade terrível de pôr você no meu colo e bater na sua bunda agora, meu anjo."

Ela respondeu em um tom divertido: "Então tenta, para ver o que acontece".

Eu sabia o que ia acontecer. Mas ela se recusava a aceitar a ideia. Por enquanto.

"Voltando ao seu sonho...", ela murmurou. "Sei que já falei isso antes, mas vou repetir. Acho que você precisa conversar sobre Hugh com sua mãe de novo. Sei que vai ser difícil, mas precisa ser feito."

"Não vai mudar nada."

"Você não tem como saber."

"Tenho, sim." Eu me mexi, e Lucky soltou um grunhido de protesto. "Tem uma coisa que não contei mais cedo. Chris pediu o divórcio."

"Quê? Quando?"

"Não sei. Ireland me contou. Conversei com Chris depois do trabalho, mas ele só falou sobre o acordo pré-nupcial e me avisou que queria fazer algumas concessões voluntárias. Não conversamos sobre o motivo de ele querer acabar com o casamento."

"Você acha que é porque descobriu a verdade sobre Hugh?"

Soltei um suspiro, contente por poder conversar sobre aquilo com ela. "Acho que seria uma coincidência incrível se isso não tivesse nada a ver com a história."

"Uau." Ela limpou a garganta. "Acho que gosto muito do seu padrasto."

Eu não era capaz de dizer como me sentia em relação a Chris, pois não sabia. "Quando penso em como minha mãe deve estar chateada... Posso até ver, Eva. Já aconteceu antes."

"Eu sei."

"E sei que vou detestar ver minha mãe assim. Fico magoado quando acontece."

"Você ama sua mãe. Isso é bom."

E eu amava Eva. Por sua capacidade de não me julgar. Por sua devoção impossível de qualificar. Aquilo me deu coragem para dizer: "Também fico contente com isso. Que tipo de cuzão ia gostar de ver a mãe sofrer?".

Houve uma longa pausa. "Você ficou magoado com ela. E *ainda* está. É um instinto natural querer fazer com que sofra também. Mas acho que você está contente por ter um... defensor. Alguém que diga que o que você sofreu não é aceitável."

Fechei os olhos. Se existia alguém que me defendia, era minha esposa.

"Quer que eu volte para aí?", ela perguntou.

Quase respondi que não. Minha rotina depois de um pesadelo era tomar um banho demorado e me afundar no trabalho. Era a maneira que conhecia de lidar com aquilo. Mas em pouco tempo ela estaria morando comigo, compartilhando toda a minha vida, e era daquilo que eu precisava, embora não estivesse totalmente pronto. Eu tinha que começar a fazer alguma coisa.

Maior do que isso, porém, era minha necessidade da companhia dela naquele momento. Eu queria poder vê-la, sentir seu cheiro, sua proximidade.

"Vou buscar você", respondi. "Só vou tomar um banho. Mando uma mensagem antes de sair."

"Certo. Vou estar pronta. Te amo, Gideon."

Respirei fundo e deixei as palavras fluírem. "Também te amo, meu anjo."

Despertei de novo ao sentir a luz do sol, sentindo-me descansado, apesar das horas que passei acordado. Quando me espreguicei, senti alguma coisa quente e peluda no meu braço, depois uma língua passando pelo meu bíceps.

Abrindo um dos olhos, dei de cara com Lucky. "Você não consegue manter essa coisa dentro da boca?"

Eva rolou e sorriu, ainda sem abrir os olhos. "Dá pra entender. Você é uma delícia."

"Então traz a *sua* língua para cá."

Ela virou a cabeça para mim e abriu os olhos. Seus cabelos estavam bagunçados, e seu rosto estava vermelho.

Peguei Lucky antes de me virar de lado. Apoiando a cabeça em uma das mãos, olhei para minha esposa sonolenta, sentindo um raro contentamento só de poder começar o dia com ela na cama.

A verdade era que eu não deveria ter me arriscado. Eva não tinha visto o estado em que ficara o lençol, pois eu o trocara antes de ir buscá-la, mas aquilo era só um exemplo do estrago que eu podia causar enquanto dormia. Nem Lucky nem Eva estavam seguros comigo durante o sono. O fato de que nunca havia tido mais de um pesadelo por noite não significava que podia abusar da sorte.

Nem o fato de que sentia uma saudade violenta de Eva. Eu também queria passar a noite com ela.

"Que bom que você ligou", ela murmurou.

Estendi a mão e fiz carinho em seu rosto com o dedo. "Foi bom mesmo."

Eva se mexeu e beijou minha mão.

Ela via o que havia de pior em mim e mesmo assim me amava cada vez mais. Eu já tinha desistido de questionar seus motivos. Só precisava fazer por merecer, e estava disposto a isso. Tinha a vida inteira pela frente para me dedicar a Eva.

"Você não está planejando nenhuma outra emboscada para hoje, né?", perguntei.

"Não." Ela se espreguiçou, atraindo meu olhar para seus seios grandes, que esticavam o tecido da blusa de algodão. "Mas, se alguém quiser me emboscar, pode vir."

Coloquei Lucky no chão e puxei Eva mais para perto, rolando para cima dela. Suas pernas se abriram instintivamente e me acomodei sobre seu corpo, remexendo os quadris para esfregar meu pau em sua boceta.

Ela soltou um suspiro e segurou meus ombros, arregalando os olhos. "Eu não estava me referindo a você, garotão."

"Não sou alguém?" Enterrei o rosto em seu pescoço, acariciando-a com o nariz. Seu cheiro era divino, suave e doce. Muito sexy. De pau duro, eu me esfreguei nela, sentindo o calor através de sua calcinha e da minha calça de seda. Ela se derreteu para mim, daquela maneira que me deixava ferozmente excitado.

"Não", Eva murmurou, ficando bem séria. Depois apertou minha bunda, cravando as unhas em mim. "Você é *o* cara. A combinação perfeita para mim."

Por mais feminina e luxuriosa que Eva fosse, ela tinha ficado mais forte treinando krav maga. Aquilo me deixava com tesão. Baixei a cabeça, roçando a boca na dela. Meu coração disparou, lutando para aceitar o que Eva significava para mim. A maneira como fazia com que me sentisse era algo novo, que jamais se tornaria rotineiro.

Talvez fosse por isso que eu tivesse passado por tanta coisa: para aprender a dar valor a Eva quando a encontrasse. Eu jamais deixaria de valorizá-la.

Uma língua que não era a da minha esposa começou a roçar a lateral do meu corpo, fazendo cócegas em mim. Tive um sobressalto e soltei um palavrão. Eva deu risada.

Olhei feio por cima do ombro para o responsável, que saltitava de alegria, abanando o rabo sem parar. "Você já está abusando da sorte, Lucky."

Eva deu uma risadinha. "Ele está ajudando você a manter a promessa de se comportar."

Voltei meu olhar para minha esposa, cujas unhas continuavam cravadas na minha bunda. "Desde que você se comporte também."

Eva afastou as mãos e as ergueu acima da cabeça, balançando os dedos. Seu olhar era de excitação, e sua respiração parecia acelerada por entre os lábios semiabertos. Ela estremeceu sob meu corpo, sua pele queimando. Seu desejo aplacou minha necessidade furiosa. Seu comprometimento com a espera, agora que eu entendia o motivo, deu forças para eu me conter.

Era fisicamente doloroso me afastar dela. Seu gemido baixinho de angústia ecoava dentro de mim, refletindo meus sentimentos. Eu me deitei de costas e fui imediatamente submetido a um banho de língua oferecido por Lucky.

"Ele adora você." Eva ficou de lado e estendeu a mão para acariciar suas orelhas. Aquilo teve o efeito benéfico de atrair a atenção dele para ela. A risada que Eva soltou quando Lucky começou a lambê-la no rosto me fez sorrir, apesar de o meu pau doer de tão duro.

Eu poderia reclamar do cachorro, da falta de sexo e de sono e de muito mais coisas. Mas, na verdade, minha vida estava próxima da perfeição.

Mantive-me ocupado a manhã toda no trabalho.

O lançamento do novo console GenTen aconteceria em breve e, apesar de todas as especulações, conseguimos manter em segredo o componente da realidade virtual. A tecnologia vinha se desenvolvendo rapidamente, mas as Indústrias Cross estavam anos à frente da concorrência. Eu tinha informações de fontes seguras de que o PhazeOne da LanCorp era apenas um aprimoramento da versão anterior, com visual e velocidade superiores. Seria capaz de competir com a geração anterior do GenTen, mas só isso.

Pouco antes do almoço, tirei um tempo para ligar para minha mãe.

"Gideon." Ela soltou um suspiro trêmulo. "Então você ficou sabendo?"

"Sim. Lamento." Dava para sentir que ela estava sofrendo. "Se precisar de alguma coisa, é só me falar."

"Foi Chris que do nada concluiu que não estava feliz com nosso casamento", ela falou, amargurada. "E é tudo culpa minha, claro."

Amenizei o tom de voz, mas falei com firmeza: "Sem querer parecer insensível, mas não estou interessado nos detalhes. Como você está?".

"Converse com ele." Seu apelo era sincero. Sua voz ficou embargada. "Diga que está cometendo um erro."

Fiquei pensando no que responder. O apoio que estava oferecendo era financeiro, não emocional. Não havia mais um componente emocional na minha relação com ela. Mesmo assim, me peguei dizendo: "Você não pediu meu conselho, mas vou falar mesmo assim: talvez seja melhor fazer terapia".

Houve uma pausa. "Não acredito que justamente *você* está me sugerindo isso."

"Só estou sugerindo o que deu certo comigo." Meu olhar se voltou para a fotografia da minha esposa, como acontecia várias vezes durante o dia. "Eva sugeriu a terapia de casal assim que começamos a namorar. Ela queria que nosso relacionamento evoluísse. Eu queria ficar com ela, então concordei. No início, estava fazendo só por fazer, mas agora posso dizer que realmente vale a pena."

"Foi ela que começou tudo isso", minha mãe sibilou. "Você é um homem inteligente, Gideon, mas não consegue entender o que Eva está fazendo."

"E essa é minha deixa para me despedir, mãe", respondi antes que ela me irritasse. "Ligue se precisar de alguma coisa."

Desliguei e virei lentamente a cadeira. A decepção e a raiva que sempre acompanhavam minhas interações com ela estavam lá, mas eu me senti mais consciente do processo daquela vez. Talvez por ter sonhado com minha mãe pouco tempo antes, revivendo o momento em que me dei conta de que jamais ficaria do meu lado, já que ela preferia *deliberadamente* fazer vista grossa, por motivos que eu nunca seria capaz de entender.

Durante anos, procurei desculpas para ela. Criei dezenas de razões para sua recusa em me defender, tentando me consolar. Até que percebi que ela estava fazendo a mesma coisa, só que no sentido inverso, inventando histórias que explicassem por que eu estaria mentindo, para conseguir conviver com sua decisão de fingir que aquilo nunca tinha acontecido. Então parei.

Ela foi um fracasso como mãe, mas preferia acreditar que eu fora um fracasso como filho.

E continuava acreditando naquilo.

Quando fiquei de frente para a mesa de novo, peguei o telefone e liguei para meu irmão.

"O que você quer?", ele perguntou quando atendeu.

Dava para imaginar a contrariedade em seu rosto, que era bem diferente do meu. Dos três filhos da minha mãe, Christopher era o único mais parecido com o pai do que com ela.

Sua má vontade teve o efeito previsível de me fazer querer provocá-lo. "O prazer de ouvir sua voz. O que mais seria?"

"Para com essa bobagem, Gideon. Você ligou para se gabar? Seu desejo enfim virou realidade."

Recostando-me na cadeira, olhei para o teto. "Eu até diria que lamento muito pela separação dos seus pais, mas você não acreditaria, então não vou perder tempo com isso. Só vou dizer que, se precisar de mim, é só pedir."

"Vai pro inferno." Ele desligou.

Tirei o aparelho do ouvido e o mantive suspenso por um momento. Ao contrário do que Christopher acreditava, não era verdade que eu nunca tinha gostado dele. Houve um tempo em que o considerara uma presença bem-vinda na minha vida. Durante um curto período, eu enfim tivera um companheiro. Um irmão. A animosidade que sentia no momento não era injustificada. Mas, mesmo assim, estava disposto a cuidar dele e não deixá-lo afundar, Christopher querendo ou não.

Encaixei o fone de volta no gancho e voltei ao trabalho. Afinal, não podia ter nenhum assunto pendente para o fim de semana, que eu pretendia passar completamente isolado com minha mulher.

Fiquei observando com atenção o dr. Petersen, sentado bem à vontade diante de mim. Ele usava uma camisa branca por dentro da calça jeans escura e larga, mais informal do que nunca. Eu me perguntei se tinha sido uma escolha deliberada, um esforço para parecer o mais inofensivo possível. Agora que ele sabia do meu histórico com a terapia, entendia o motivo por que eu o considerava uma ameaça.

"Como foi seu fim de semana em Westport?", ele perguntou.

"Ela ligou para você?" Antes, quando Eva queria garantir que eu discutisse algo na terapia, avisava o dr. Petersen com antecedência. Eu não gostava daquilo, mas era uma ação motivada pelo amor que ela sentia por mim, então não havia do que reclamar.

"Não." Ele abriu um sorriso gentil, quase carinhoso. "Vi fotografias de vocês dois."

Aquilo me surpreendeu. "Não sabia que você acompanhava os tabloides."

"Minha esposa tem esse hábito. Ela achou as fotos românticas e me mostrou. Sou obrigado a concordar. Vocês pareciam bem felizes."

"E estamos."

"Você se dá bem com a família de Eva?"

Eu me ajeitei no sofá, apoiando-me no braço. "Conheço Richard Stanton há muitos anos, e Monica há um tempinho."

"Parceiros de negócios e conhecidos são bem diferentes de sogros."

Sua capacidade de percepção me incomodava. Mesmo assim, resolvi ser sincero. "Foi... estranho. Mais do que deveria, mas consegui lidar com isso."

O sorriso do dr. Petersen se ampliou. "Como você lidou com a situação?"

"Eu me concentrei em Eva."

"Então você manteve distância dos demais."

"Não mais que o habitual."

Ele fez algumas anotações no tablet. "Aconteceu alguma coisa desde que conversamos na quinta?"

Abri um sorrisinho. "Ela me comprou um cachorro. Um filhote."

Ele ergueu os olhos para mim. "Parabéns."

Dei de ombros. "Foi Eva quem providenciou tudo."

"O cachorro é dela, então?"

"Não. Ela comprou todos os acessórios e jogou o cachorro no meu colo."

"É um compromisso e tanto."

"Ele vai ficar bem. Os animais são autossuficientes quando precisam." Como ele pareceu esperar que eu dissesse mais, resolvi mudar de assunto. "Meu padrasto pediu o divórcio."

O dr. Petersen inclinou a cabeça enquanto me observava. "Passamos dos novos sogros para o cachorro e para o fim do casamento dos seus pais em poucos minutos. São muitas mudanças para alguém que gosta das coisas bem estruturadas."

Aquilo era óbvio, então eu não disse nada.

"Você parece estar absolutamente tranquilo, Gideon. É porque as coisas estão indo bem com Eva?"

"Excepcionalmente bem." O contraste entre aquela sessão e a da semana anterior era marcante. Poucos dias antes eu estava em pânico por causa da separação, apavorado com a perspectiva de perdê-la para sempre. Eu me lembrava claramente dos sentimentos que me angustiavam, mas não conseguia acreditar na velocidade com que se desfizeram. Não me reconhecia mais naquele homem desesperado. Não parecia ser eu.

Ele balançou a cabeça de leve. "Como você classificaria as três coisas que mencionou em ordem de importância?"

"Depende da sua definição de importância."

"Muito bem. Qual delas tem o maior impacto na sua vida?"

"O cachorro."

"Ele tem nome?"

Tive que conter o sorriso. "Lucky."

O dr. Petersen anotou isso, por algum motivo. "Você compraria um animal de estimação para Eva?"

Fiquei desconcertado com a pergunta e respondi sem pensar a respeito. "Não."

"Por que não?"

Pensei um pouco mais sobre a questão. "Como você mencionou, é um compromisso e tanto."

"Está incomodado por ela ter assumido esse compromisso por você?"

"Não."

"Você tem alguma foto de Lucky?"

Franzi a testa. "Não. Aonde você quer chegar com isso?"

"Ainda não tenho certeza." Ele pôs o tablet de lado e me encarou. "Pense comigo um pouquinho."

"Certo."

"Ter um animal de estimação é uma grande responsabilidade, comparável a adotar uma criança. Eles dependem de você para ter comida, abrigo, companhia e amor. No caso dos cachorros, isso é ainda mais válido do que com gatos e outros bichos."

"Foi o que me disseram", respondi secamente.

"Você tem uma família biológica e uma família por associação, mas mantém distância de ambas. O que acontece com elas não tem muito impacto sobre você, porque não permite isso. Elas provocam distúrbios na ordem da sua vida, então você preserva uma distância segura."

"Não vejo nada de errado com isso. Com certeza não sou o único a dizer que a verdadeira família é aquela que a gente escolhe."

"Quem você escolheu, além de Eva?"

"Eu... não tive escolha."

Eu a imaginei na minha mente, exatamente como estava da primeira vez que a vi. Vestida para malhar, sem maquiagem, as roupas justíssimas coladas ao corpo. Assim como milhares de outras mulheres em Manhattan. Mas sua presença me atingiu como um raio antes mesmo que ela me notasse.

"Minha preocupação é que Eva se torne uma válvula de escape para você", disse o dr. Petersen. "Você encontrou alguém que o ama e que confia em você. Alguém que o apoia e lhe dá forças. Em diversos sentidos, sente que ela é a única pessoa capaz de entender você."

"As circunstâncias colaboraram para ela ser essa pessoa."

"Sim, mas ela não é a única", ele rebateu gentilmente. "Li as transcrições de alguns discursos seus. Você conhece bem as estatísticas."

Sim, eu sabia que uma em cada quatro mulheres já tinha sofrido abuso sexual. Aquilo não mudava o fato de que nenhuma delas era capaz de despertar os sentimentos que Eva aflorava em mim. "Se está querendo provar alguma coisa, diga logo."

"Quero que você tenha em mente que existe uma tendência a se isolar com Eva, deixando todos os demais de fora. Perguntei se você daria um animal a ela porque não consigo imaginar que fizesse isso. Uma atitude como essa desviaria o foco da atenção e do afeto dela de você, ainda que levemente, enquanto seu foco é concentrado apenas nela."

Comecei a batucar com os dedos no braço do sofá. "Isso não é incomum nos recém-casados."

"É incomum em você." Ele se inclinou para a frente. "Eva explicou por que pegou Lucky?"

Hesitei, pois preferia manter as coisas mais íntimas só para mim. "Ela quer que eu tenha mais amor incondicional na vida."

Ele sorriu. "E com certeza adoraria receber o mesmo em troca. Eva teve que insistir demais para que você se abrisse, tanto para ela como para mim. Agora que você está conseguindo, ela quer que se abra para os outros também. Quanto maior for seu círculo de relações íntimas, mais feliz ela vai ficar. Eva quer que você faça parte disso, e não que a afaste de todos."

Soltei um suspiro longo e profundo. Ele tinha razão, por mais que eu detestasse admitir.

O dr. Petersen se recostou outra vez e voltou a fazer anotações no tablet, dando-me um tempo para absorver o que dissera.

Resolvi perguntar algo que estava na minha cabeça fazia um tempo. "Quando contei sobre Hugh…"

Ele voltou sua atenção para mim. "Sim?"

"Você não pareceu surpreso."

"E você quer saber por quê." A gentileza era evidente em seu olhar. "Existem alguns sinais claros. Eu poderia dizer que consegui deduzir, mas não seria a verdade."

Senti meu celular vibrar dentro do bolso, mas ignorei, apesar de saber que havia poucas pessoas que não caíam no filtro de chamadas que eu usava durante as sessões com o dr. Petersen.

"Conheci Eva assim que ela se mudou para Nova York", ele continuou. "Ela me perguntou se era possível que dois sobreviventes de abuso sexual tivessem uma relação saudável. Poucos dias depois, você me procurou e me perguntou sobre minha disponibilidade para sessões exclusivas, além daquelas que faria com Eva."

Minha pulsação acelerou. "Eu ainda não tinha contado a ela. Só falei depois de começar a vir aqui por um tempo."

Mas havia os pesadelos, que estavam ficando cada vez piores.

Meu celular vibrou de novo, e eu o tirei do bolso. "Com licença."

Era Angus. **Estou na frente do consultório**, dizia a primeira mensagem. **É urgente**, dizia a segunda.

Senti um frio na espinha. Angus não me interromperia sem uma boa razão. Fiquei em pé. "Vou ter que encerrar mais cedo por hoje."

Ele pôs de lado o tablet e também se levantou. "Está tudo bem?"

"Se não estiver, com certeza você vai ficar sabendo na quinta-feira." Apertei sua mão em um gesto apressado e saí do consultório, passando pela recepção vazia antes de chegar ao corredor.

Angus estava lá, com uma expressão de preocupação no rosto. "A polícia está na cobertura com Eva."

Meu sangue gelou. Fui andando para o elevador com tanta pressa que ele acabou ficando para trás. "Por quê?"

"Anne Lucas prestou queixa na delegacia por ameaça."

7

Servi três xícaras do café que tinha acabado de fazer com a mão trêmula. Não sabia se era de raiva ou de medo. Sem dúvida, sentia as duas coisas naquele momento. Como filha de policial, entendia as regras não escritas que circulavam por baixo dos panos, dentro da corporação, na hora de acobertar um colega. Depois de tudo o que Gideon e eu tínhamos passado por causa da morte de Nathan, estava duplamente alerta.

Mas não eram os detetives Graves e Michna, da divisão de homicídios, que queriam falar comigo. Eu não tinha certeza se aquilo me deixava mais ou menos ansiosa. Com eles, pelo menos sabia com quem estava lidando. E, mesmo que não pudesse chegar ao ponto de chamar Shelley Graves de aliada, ela tinha abandonado o caso, embora algumas perguntas não tivessem sido respondidas.

Dessa vez, foram os policiais Peña e Williams que apareceram à nossa porta.

E foi Anne Lucas quem os enviou. Aquela vaca.

Tive que encerrar minha reunião com Blaire Ash antes da hora, sabendo que ele inevitavelmente passaria pelos policiais no saguão quando saísse do elevador privativo. Mas eu não tinha tempo para me preocupar com o que Blair ia pensar. Gastei meus poucos minutos sozinha ligando para Raúl e pedindo que encontrasse Arash Madani. Queria avisar Gideon, mas ele estava com o dr. Petersen, o que me parecia mais importante. Eu podia lidar com a polícia sozinha. Sabia o básico: precisava estar com meu advogado e ser sucinta. Não devia falar demais nem oferecer informações não solicitadas.

Coloquei as três xícaras de café numa bandeja e procurei por um recipiente para o creme.

"Não queremos dar trabalho, sra. Tramell", disse o policial Peña, ao entrar com a parceira na cozinha, os dois com o quepe enfiado debaixo do braço.

Imaginei que Peña fosse mais ou menos da minha idade, embora tivesse cara de criança. Williams era negra, pequena e curvilínea, com os olhos afiados típicos da profissão, que me diziam que tinha visto coisas que eu não gostaria de testemunhar.

Eu havia pedido a eles que esperassem na sala de estar, mas os dois tinham me seguido até a cozinha. Isso fazia com que me sentisse encurralada, e certamente essa era sua intenção, em parte.

"Não é trabalho nenhum." Desisti de tentar ser elegante e simplesmente coloquei a caixinha de creme na bancada. "Estou esperando meu advogado chegar, e não tenho muito o que fazer enquanto isso."

Williams me examinou friamente, como se estivesse se perguntando por que senti a necessidade de um advogado.

Eu não precisava me justificar, mas sabia que não faria mal. "Meu pai é colega de vocês, na Califórnia. Ele ia me matar se eu não seguisse o conselho dele."

Peguei o açúcar na despensa e coloquei na bandeja, antes de levar tudo para a bancada.

"Onde na Califórnia?", perguntou Peña, pegando uma das xícaras e tomando seu café puro.

"Oceanside."

"Na região de San Diego? Lugar agradável."

"É, sim."

Williams tomou seu café com bastante açúcar e um pouquinho de creme, que derramou ao servir. "O sr. Cross está?"

"Está numa reunião."

Ela levou a xícara aos lábios, com o olhar fixo em mim. "Quem era o cara saindo quando chegamos?"

Diante da descontração deliberada de seu tom de voz, fiquei feliz por ter mandado chamar Arash. Não acreditei nem por um minuto que estivesse só jogando conversa fora. "Blair Ash. É designer de interiores, estamos fazendo algumas reformas."

"A senhora mora aqui?", perguntou Peña. "Passamos num apartamento no Upper West Side que falaram que era seu."

"Estou mudando."

Ele se recostou na bancada e olhou ao redor. "Lugar legal."

"Também acho."

"Faz muito tempo que namora Gideon Cross?", perguntou Williams.

"Na verdade, somos casados", disse Gideon, aparecendo na porta.

Peña se ajeitou, engolindo depressa. Williams baixou sua xícara com força suficiente para derramar um pouco de café.

Gideon correu os olhos por nós até fixá-los nos meus. Estava impecável, o terno alinhado, um nó perfeito na gravata, o cabelo escuro emoldurando aquele rosto selvagemente lindo. Havia uma leve sombra de barba por fazer ao redor da boca sensual. Isso e o comprimento dos cabelos davam um ar perigoso à sua aparência, que, do contrário, poderia ser descrita como inteiramente civilizada.

Nem mesmo os dois policiais entre nós poderiam diminuir o desejo que aquela visão despertara em mim.

Observei-o se aproximar e tirar o paletó, como se fosse a coisa mais natural do mundo encontrar a esposa sendo interrogada. Ele jogou o paletó sobre o encosto de uma das banquetas e postou-se ao meu lado, tirando a xícara das minhas mãos e me dando um beijo junto à têmpora.

"Gideon Cross", ele se apresentou, estendendo a mão. "E este é nosso advogado, Arash Madani."

Só então percebi que Arash tinha entrado na cozinha atrás do meu marido. Os policiais, tão concentrados em Gideon quanto eu, também pareciam não ter notado.

Extremamente confiante, com boa aparência e dono de um charme acolhedor, Arash entrou e assumiu o comando da situação, apresentando-se com um largo sorriso. A disparidade entre ele e Gideon era impressionante. Ambos eram elegantes, bonitos e equilibrados. Ambos eram educados. Mas Arash era acessível e sociável. Gideon era imponente e distante.

Olhei para meu marido, observando-o beber da minha xícara. "Quer um café puro?"

Sua mão correu pelas minhas costas, os olhos nos policiais e em Arash. "Adoraria."

"Que bom que está aqui, sr. Cross", disse Peña. "A dra. Lucas também prestou queixa contra o senhor."

"Bem, isso foi divertido", concluiu Arash, uma hora mais tarde, depois de levar os policiais até o elevador.

Gideon lhe lançou um olhar enquanto abria com destreza uma garrafa de Malbec. "Se é isso que chama de diversão, precisa sair mais."

"Tinha pensado em fazer isso hoje... com uma loira bem gostosa, diga-se de passagem... até receber sua ligação." Arash puxou uma das banquetas e se sentou.

Recolhi as xícaras e as levei para a pia. "Obrigada, Arash."

"Imagina."

"Aposto que você não atua muito em tribunais, mas vou querer ver da próxima vez que estiver em um. Você é incrível."

Ele sorriu. "Pode deixar que eu aviso."

"Não agradeça a ele por fazer seu trabalho", murmurou Gideon, servindo três taças de vinho.

"Estou agradecendo por fazer seu trabalho *bem*", retruquei, ainda impressionada com a forma como Arash tinha lidado com a situação. Ele era carismático e desarmava as pessoas, além de ser humilde quando isso servia aos seus propósitos. Fez todo mundo ficar à vontade e, depois, deixou que os policiais falassem bastante, enquanto descobria a melhor forma de ataque.

Gideon fez uma cara feia para mim. "Acha que pago o cara para quê? Fazer besteira?"

"Pega leve, garotão", eu disse, calmamente. "Não vai perder a cabeça por causa daquela maluca. E não use esse tom comigo. Nem com seu amigo."

Arash me lançou uma piscadinha. "Acho que ele está com ciúmes."

"Haha!" Quando vi o jeito como Gideon olhou para o advogado, arregalei os olhos. "É sério?"

"De volta ao assunto. Como é que você vai consertar isso?", desafiou meu marido, olhando furiosamente para o amigo por cima da taça de vinho.

"Como é que vou consertar a burrada que vocês fizeram?", perguntou Arash, com um brilho divertido nos olhos castanho-claros. "Vocês dois deixaram Anne Lucas com a faca e o queijo na mão nas duas vezes em que foram ao trabalho dela. Vocês têm muita sorte que ela tenha resolvido embelezar a história com uma queixa de agressão contra Eva. Se tivesse dito a verdade, estariam no papo."

Fui até a geladeira e comecei a tirar algumas coisas para fazer o jantar. Tinha me culpado pela minha burrice a noite inteira. Não imaginava que Anne fosse revelar voluntariamente o sórdido caso extraconjugal que tivera com Gideon. Ela deveria ser um exemplo no meio dos profissionais de saúde mental, e o marido era um pediatra importante.

Eu a tinha subestimado. E não havia escutado Gideon quando me avisara do perigo. O resultado foi que Anne tinha uma reclamação legítima: Gideon tinha invadido seu escritório durante uma sessão de terapia e eu a emboscara no trabalho duas semanas depois.

Arash aceitou a taça que Gideon deslizou bruscamente em sua direção. "Pode ser que o promotor resolva pegar no pé dela, por causa da denúncia falsa... ou não, mas, ao acusar Eva de tocar nela quando as câmeras de segurança provam o contrário, Anne acabou prejudicando a própria credibilidade. Aliás, muito conveniente que você tenha essas imagens."

Saber que Gideon era mesmo dono do edifício em que Anne Lucas trabalhava não me surpreendeu. Meu marido era um controlador, e manter esse tipo de poder sobre o trabalho de ambos os Lucas era a cara dele.

"E nunca é demais repetir: quando abordados por malucos, NÃO JOGUEM O JOGO DELES", disse Arash.

Gideon arqueou as sobrancelhas para mim. Bem irritante, mas ele estava certo. Tinha me avisado.

Arash disparou olhares de aviso para nós dois. "Vou fazer com que a falsa queixa de agressão seja retirada e tentar virar as coisas a nosso favor prestando uma queixa por assédio. Também vou tentar obter uma ordem de restrição tanto para vocês dois quanto para Cary Taylor, mas, independentemente disso, vocês precisam ficar longe, muito longe dela."

"Claro", assegurei, apertando a bunda do meu marido enquanto passava atrás dele.

Gideon me lançou um olhar irônico por cima do ombro. Soprei-lhe um beijo.

O fato de que sentisse o mínimo ciúme me divertia. O mais impressionante era que Arash mantinha a pose na presença de Gideon, mas certamente não era capaz de superá-lo. Embora eu soubesse que o advogado poderia ser tão ameaçador quanto meu marido, aquele não era seu padrão.

Gideon era sempre perigoso. Ninguém pensaria outra coisa. Aquilo me atraía intensamente: eu entendia que jamais ia domá-lo. Nossa, como ele era lindo. E sabia disso. Sabia o quanto me deslumbrava.

Mas eu ainda era capaz de ganhar dele.

"Quer jantar com a gente?", perguntei a Arash. "Não faço ideia do que vou fazer ainda, mas estou me sentindo mal por termos arruinado sua noite."

"Ainda é cedo." Gideon tomou um gole de vinho. "Ele pode fazer outros planos."

"Adoraria ficar para o jantar", disse Arash, sorrindo maliciosamente.

Não pude resistir à tentação de provocar meu marido e me estiquei por trás dele para pegar minha taça, acariciando sua coxa enquanto o fazia. Ao voltar, esbarrei os seios em suas costas.

Com a velocidade de um relâmpago, a mão de Gideon agarrou meu pulso. Ele o apertou, e um arrepio de excitação invadiu meu corpo.

Aqueles olhos azuis me excitavam. "Quer aprontar?", ele perguntou, baixinho.

Fiquei desesperada por ele na mesma hora. Como Gideon podia parecer tão descontraído e selvagemente civilizado, todo contido, ao me perguntar, simples assim, se eu queria transar?

E ele não tinha ideia do quanto eu queria.

Ouvi um leve zumbido. Ainda me segurando pelo pulso, Gideon olhou para Arash, do outro lado da bancada. "Passe meu telefone."

Arash me encarou e, enquanto procurava pelo celular de Gideon nos bolsos do paletó sobre o encosto da banqueta, balançou a cabeça. "Nunca vou entender como você aguenta esse cara."

"Ele é bom de cama. E não fica mal-humorado lá, então..."

Gideon me puxou para junto de si e mordeu minha orelha. Meus mamilos se contraíram. Ele grunhiu de forma quase inaudível contra meu pescoço, mas não parecia que se importasse que Arash ouvisse.

Sem fôlego, afastei-me e tentei me concentrar em cozinhar. Nunca tinha usado a cozinha de Gideon antes e não fazia ideia de onde ficavam as coisas ou do que ele tinha na despensa, exceto o que vira enquanto preparava o café para os policiais. Achei uma cebola, uma faca e uma tábua. Por mais que estivesse apreciando a distração, precisava fazer alguma coisa antes que nós dois perdêssemos o controle.

"Certo", concluiu Gideon ao telefone, com um suspiro. "Já vou."

Ergui o rosto. "Você tem que ir a algum lugar?"

"Não. Angus está trazendo Lucky aqui."

Sorri.

"Quem é Lucky?", perguntou Arash.

"O cachorro de Gideon."

O advogado parecia adequadamente chocado. "Você tem um cachorro?"

"Agora tenho", respondeu Gideon, com ironia, deixando a cozinha.

Quando voltou, logo depois, com um Lucky agitado e muito feliz lambendo seu queixo, mal pude aguentar. Lá estava ele, de colete e camisa social, um titã da indústria, uma potência global, sendo atacado pelo filhotinho mais fofo do mundo.

Desbloqueei seu celular e tirei uma foto.

Aquilo tinha que ir para um porta-retrato o mais rápido possível.

Em seguida, ainda usando o celular dele, mandei uma mensagem para Cary. *Oi, é a Eva. Topa dar um pulo na cobertura para jantar?*

Esperei um pouco pela resposta, então baixei o telefone de Gideon e voltei a picar a cebola.

"Desculpa. Eu deveria ter escutado o que você falou sobre Anne", disse a Gideon depois de nos despedir de Arash.

Sua mão deslizou ao longo de minhas costas até a cintura. "Não precisa se desculpar."

"Deve ser frustrante ter que lidar com minha teimosia."

"Você é boa de cama e não é teimosa lá, então..."

Ri quando ele usou minhas próprias palavras contra mim. Estava feliz. Tinha gostado de passar a noite com ele e Arash, observando-o descontraído e à vontade com o amigo, andando pela cobertura como se fosse minha casa...

"Eu me sinto casada", murmurei, percebendo que ainda não tinha sentido aquilo de verdade. Tínhamos as alianças e fizéramos os votos, mas eram adereços, e não a realidade do casamento.

"Que bom, porque você está casada e vai se manter assim pelo resto da vida", ele disse, com uma nota familiar de arrogância.

Nós nos sentamos no sofá, e eu me voltei para ele. "E você?"

Seu olhar recaiu sobre o cercadinho junto da lareira, onde Lucky dormia. "Está me perguntando se me sinto domesticado?"

"Isso nunca vai acontecer", observei, secamente.

Gideon me fitou com um olhar penetrante. "Você quer que aconteça?"

Deslizei a mão por sua coxa. Não podia me segurar. "Não."

"Esta noite... Você gostou de ter Arash aqui."

Lancei um olhar enviesado para ele. "Você não está com ciúmes do seu advogado, está? Isso seria ridículo."

"Também não gosto dessa ideia." Ele fez uma cara feia. "Mas não é disso que estou falando. Você gosta de receber visitas."

"Gosto." Franzi a testa. "Você não?"

Ele desviou os olhos, os lábios contraídos. "Tudo bem."

Gelei. A casa de Gideon era seu santuário. Antes de mim, ele nunca tinha levado nenhuma mulher ali. Eu tinha presumido que recebia amigos, mas talvez estivesse errada. Talvez a cobertura fosse seu esconderijo.

Peguei a mão dele. "Desculpa, Gideon. Eu deveria ter perguntado primeiro. Foi errado da minha parte. É sua casa..."

"*Nossa* casa", ele corrigiu, voltando a olhar para mim. "Por que está se desculpando? Tem todo o direito de fazer o que quiser aqui. Não precisa pedir permissão para nada."

"Mas você não tem que se sentir invadido na sua própria casa."

"Na *nossa* casa", ele repetiu. "Você precisa entender isso, Eva. E logo."

Aquela ira repentina me fez ter um sobressalto. "Você está com raiva?"

Ele se levantou e contornou a mesinha de centro, o corpo vibrando com a tensão. "Você passou de se sentir casada a agir como se fosse uma convidada na minha casa."

"Na *nossa* casa", corrigi. "O que significa que ela é de nós dois, e você tem o direito de dizer que prefere não receber visitas."

Gideon passou a mão pelo cabelo, um sinal claro da agitação crescente. "Não dou a mínima para isso."

"Não é o que parece", respondi, pausadamente.

"Pelo amor de Deus." Ele me encarou, as mãos nos quadris estreitos. "Arash é meu amigo. Qual é o problema de você fazer um jantar para ele?"

Estávamos de volta à questão do ciúme? "Fiz um jantar para *você* e convidei Arash para se juntar a nós."

"Tudo bem. Tanto faz."

"Não, acho que não está tudo bem, não, porque você ficou com raiva."

"Não fiquei."

"Bem, não estou entendendo, e quem está começando a ficar com raiva sou *eu*."

Ele contraiu a mandíbula, virou as costas e caminhou até a lareira, onde ficou olhando para as fotos de família que eu tinha colocado ali.

De repente, fiquei arrependida. Eu admitia que o pressionara a mudar mais rápido do que deveria, mas entendia a necessidade de se ter um refúgio, um lugar tranquilo onde baixar a guarda. E queria ser aquilo para ele, queria que nossa casa fosse aquilo para ele. Se fizesse dela um lugar que Gideon preferisse evitar — se ele algum dia achasse mais fácil *me* evitar —, então estava efetivamente comprometendo o casamento que valorizava mais do que tudo no mundo.

"Gideon. Por favor, fale comigo." Eu provavelmente tinha dificultado aquilo também. "Se fui longe demais, você tem que me dizer."

Ele me encarou de novo, franzindo a testa. "Do que você está falando?"

"Não sei. Não estou entendendo por que você está com raiva de mim. Me ajuda a entender."

Gideon soltou um suspiro de frustração, então se concentrou em mim com aquela precisão penetrante capaz de expor todos os meus segredos. "Se não houvesse mais ninguém no mundo, só eu e você, eu ficaria bem com isso. Mas, para você, não seria o suficiente."

Recuei no sofá, assustada. Sua mente era um labirinto que eu jamais seria capaz de mapear. "Você ficaria bem só comigo e mais ninguém... pra sempre? Sem nenhum concorrente para esmagar? Sem nenhum domínio global para planejar?" Bufei. "Você ia morrer de tédio."

"É o que você acha?"

"Eu *sei* disso."

"E você?", ele desafiou. "Como ia se virar sem amigos para te visitar ou sem poder se intrometer na vida dos outros?"

Estreitei os olhos. "Eu não me intrometo na vida de ninguém."

Ele me lançou um olhar paciente. "Eu seria o suficiente para você, se não existisse mais ninguém?"

"Não existe ninguém mais."

"Eva. Responda à pergunta."

Não tinha ideia do que tinha desencadeado aquilo, mas só facilitava a minha resposta. "Você me fascina, sabia? Nunca me entedia. Uma vida inteira sozinha ao seu lado não seria tempo suficiente para te entender."

"Você seria feliz?"

"Com você só para mim? Seria o céu." Minha boca se curvou num sorriso. "Tenho uma fantasia com Tarzan. Você, Tarzan. Mim, Jane."

A tensão em seus ombros se aliviou visivelmente, e um leve sorriso apareceu em seus lábios. "Faz um mês que estamos casados. Por que só fiquei sabendo disso agora?"

"Pensei em esperar um pouco antes de revelar meus podres."

Gideon abriu um sorriso largo e raro que me fez derreter. "Como é essa fantasia?"

"Ah, você sabe." Acenei casualmente. "Uma casa na árvore, uma tanguinha. Calor tropical suficiente para deixar um brilho de suor na sua pele, mas não quente demais. Você fervendo com a necessidade de transar, mas sem experiência. E eu teria que te ensinar."

Ele ficou me encarando. "Você tem uma fantasia sexual na qual eu sou *virgem*?"

Foi preciso muito esforço para não rir de sua incredulidade. "Em todos os sentidos", respondi, na maior seriedade. "Você nunca viu uma mulher nua antes de eu aparecer. Tenho que mostrar como me tocar, do que eu gosto. Você aprende rápido, mas tenho um homem selvagem nas minhas mãos. E insaciável."

"Essa é a realidade." Ele começa a caminhar na direção da cozinha. "Tenho algo para você."

"Uma tanguinha?"

Gideon respondeu por cima do ombro. "Que tal o que fica dentro dela?"

Meus lábios se curvaram num sorriso. Eu esperava que ele voltasse com a garrafa de vinho. Quando vi algo pequeno e vermelho em suas mãos, numa cor e num formato que eu reconhecia como Cartier, desencostei do sofá. "Um presente?"

Gideon cobriu a distância entre nós com seu passo confiante e sensual.

Animada, puxei as pernas para cima do sofá e fiquei de joelhos. "É meu, é meu."

Ele balançou a cabeça enquanto se sentava. "Você não pode ter o que ainda não dei."

Relaxei o corpo de novo, soltando as mãos sobre as coxas.

"Em resposta às suas perguntas..." Ele correu a ponta dos dedos pelo meu rosto. "Sim, eu também me sinto casado."

Minha pulsação disparou.

"Vir para casa para você", ele murmurou, o olhar fixo na minha boca, "te ver preparando o jantar na nossa cozinha. Mesmo com o Arash aqui. É isso que eu quero. Você. Esta vida que estamos construindo."

"Gideon..." Sentia a garganta pegando fogo.

Ele baixou os olhos para o saco de camurça vermelha na mão. Então abriu o botão que o mantinha fechado e deslizou dois semicírculos de platina para a palma da mão.

"Uau." Levei a mão ao pescoço.

Gideon pegou meu braço com carinho e o apoiou em seu colo, envolvendo meu pulso esquerdo com o primeiro semicírculo. O outro, trouxe para perto do meu rosto, para que eu pudesse ver o que mandara inscrever.

Para sempre minha. Para sempre seu. Gideon

"Nossa", exclamei, vendo meu marido encaixar as duas metades da pulseira. "Com certeza vai rolar hoje."

Sua risada suave fez com que eu me apaixonasse um pouquinho mais.

A pulseira tinha desenhos de parafusos em toda a superfície, e dois parafusos de verdade na lateral, que Gideon apertou com uma pequena chave de fenda.

"Isto aqui", ele disse, erguendo a chave de fenda, "é meu."

Ele a guardou no bolso, e entendi que não poderia tirar a pulseira sem ele. Não que eu quisesse. Estava apaixonada por ela — uma prova da alma romântica de Gideon.

"E isto aqui...", montei no seu colo, envolvendo seus ombros, "... é meu."

Suas mãos agarraram minha cintura, a cabeça pendeu para trás, expondo seu pescoço a meus lábios vorazes. Não era submissão. Era uma indulgência, e por mim tudo bem.

"Me leva para a cama", sussurrei, a língua em sua orelha.

Senti seus músculos tensionarem e, em seguida, flexionarem com facilidade, à medida que ele se levantava do sofá, erguendo-me como se eu não pesasse nada. Deixei escapar um ronronar gutural de apreço, e ele deu um tapa na minha bunda, jogando-me mais para cima, antes de sair comigo da sala de estar.

Eu estava ofegante, o coração disparado. Minhas mãos estavam por toda parte, por entre os cabelos dele e sobre os ombros, desfazendo o nó da gravata. Queria sentir sua pele na minha. Meus lábios percorreram seu rosto, beijando-o em todos os pontos possíveis.

Seu passo era determinado, mas sem pressa. Sua respiração, controlada e regular. Gideon fechou a porta com o pé, num empurrão gracioso e simples.

Eu ficava maluca com aquele autocontrole.

Ele tentou me colocar na cama, mas eu o segurei.

"Não posso tirar sua roupa se você não me soltar." Somente a aspereza de sua voz traía sua urgência.

Soltei-o, atacando os botões de seu colete antes que se levantasse. "Tira a *sua* roupa."

Ele afastou meus dedos para terminar o que eu estava fazendo. Quase sem fôlego, fiquei assistindo a Gideon se despir.

A visão de suas mãos, bronzeadas, brilhando com os anéis que eu lhe dera e desfazendo com habilidade o nó da gravata... Como podia ser tão erótico?

O barulho da seda deslizando. A maneira descuidada com que a deixou cair no chão. O calor de seus olhos enquanto me observava observá-lo.

Era o pior tipo de negação, tortura autoimposta ao extremo, e me forcei a aguentar. Querendo tocá-lo, mas me restringindo. Esperando por ele ao mesmo tempo que o cobiçava. Eu havia torturado nós dois fazendo-nos esperar, aquilo era o mínimo que merecia.

Estava morrendo de *saudade*. Tinha sentido falta de tê-lo daquela maneira.

Gideon foi abrindo os botões da camisa, expondo o pescoço forte e proporcionando, em seguida, um vislumbre do tórax. Então parou no botão logo abaixo do peitoral, passando para as abotoaduras, numa provocação.

Tirou-as devagar, uma de cada vez, pousando-as com cuidado na mesa de cabeceira.

Deixei escapar um gemido baixo. O desespero era algo selvagem dentro de mim, correndo por minhas veias, o mais potente afrodisíaco.

Gideon tirou a camisa e o colete, contraindo e então relaxando os ombros.

Era perfeito. Cada centímetro do seu corpo. Cada músculo rijo visível sob a seda áspera de sua pele. Nada brutal. Nada exagerado.

Exceto seu pau. Minha nossa.

Apertei as coxas ao vê-lo tirar os sapatos e baixar as calças e a cueca, revelando pernas longas e fortes. Meu sexo doía, inchado, o sangue correndo para lá, meu íntimo escorregadio de desejo.

Ele se levantou de novo, e vi seu abdome flexionando. Os músculos formavam um V na altura dos quadris, apontando para o pau grosso e longo, que se curvava para cima, entre suas coxas.

"Minha nossa, Gideon."

A cabeça grande de seu pau coberto de veias grossas estava molhada. Ele era magnífico, lindo da forma mais primitiva, selvagemente masculino. Sua visão instigava tudo de feminino dentro de mim.

Lambi os lábios, a boca salivando. Queria sentir seu gosto, ouvir seu prazer sem estar perdida no meu, senti-lo tremer e tremer à medida que eu o levava ao limite.

Gideon segurou a ereção, acariciando-a com força da base à cabeça, bombeando uma camada perolada de umidade na ponta.

"É seu, meu anjo", ele disse, rouco. "Pegue."

Pulei da cama e me ajoelhei.

Ele me segurou pelo cotovelo, a boca formando uma linha reta. "Nua."

Foi difícil esticar as pernas, os joelhos moles de desejo. Mais difícil ainda foi não arrancar as roupas de qualquer jeito. Trêmula, soltei a blusa transpassada sem mangas, tentando abri-la numa espécie de striptease.

Expus a renda do sutiã, e sua respiração entrecortada traiu a fragilidade de seu autocontrole. Meus seios estavam sensíveis, os mamilos rígidos.

Gideon deu um passo na minha direção, enfiando as mãos no meu sutiã até envolver meus seios. Meus olhos se fecharam e dei um gemido quando ele os apertou de leve, acariciando os mamilos com os polegares.

"Devia ter deixado você vestida", ele disse, com firmeza. Mas seu toque dizia outra coisa. Que eu era bonita. Atraente. Que ele só tinha olhos para mim.

Ele se afastou e arfei, sentindo falta de suas mãos.

Seus olhos estavam tão escuros que pareciam negros. "Mostra pra mim."

Meu sexo latejava. Com um movimento dos ombros, deixei a blusa cair. Em seguida, levei as mãos ao fecho do sutiã. Eu o abri e deslizei as alças pelos braços.

Inclinando a cabeça com uma paciência frustrante, Gideon correu a ponta da língua sobre um mamilo, numa lambida lenta e sem pressa. Eu queria gritar... bater nele... fazer alguma coisa. *Qualquer* coisa para tirá-lo daquele comedimento enlouquecedor.

"Por favor", implorei, sem vergonha. "Gideon, por favor..."

Ele chupou *com força*. Sua língua atacava furiosamente, com puxões rápidos e profundos, a ponta sensível do mamilo. Dava para sentir o desejo animal emanando de Gideon, feromônios e testosterona, o cheiro de um macho viril ferozmente excitado. Exigente e possessivo, ele me invocava. Eu podia sentir a atração, a força. Sentia algo derretendo dentro de mim, entregando-se.

Perdi o equilíbrio, mas Gideon me segurou, inclinando-me para trás em seus braços e passando para o outro seio. Suas bochechas mostravam a força da sucção, e meu sexo se contraindo no mesmo ritmo. Minha coluna doía com o esforço da posição que tinha que manter para ele obter seu prazer, e isso me excitava às raias da loucura.

Tinha lutado por Gideon. Ele tinha matado por mim. Havia um vínculo entre nós, primitivo, que transcendia qualquer definição. Gideon podia me pegar e me usar. Eu era sua. Fizera-o esperar, e ele *deixara*, por razões que eu não tinha certeza se entendia. Mas Gideon estava me lembrando agora de que eu até podia ir longe e tentar manter a distância às vezes, mas ele sempre estaria em poder das correntes que nos uniam. E me puxaria de volta quando lhe conviesse, porque eu pertencia a ele.

Para sempre minha.

"Não, espera." Minhas mãos percorreram seus cabelos. "Me come. Preciso do seu pau dentro de mim..."

Ele me girou e me debruçou sobre a cama, empurrando-me com uma das mãos e levando a outra até o zíper traseiro da minha calça capri. Então a arrancou com um puxão, rasgando o tecido.

"Tem certeza?", ele rosnou, enfiando a mão para pegar minha bunda.

"Tenho! E como..." Ele sabia daquilo, mas perguntou mesmo assim. Sempre se certificando de mostrar que eu estava no controle, que eu lhe dava permissão.

Com uma das mãos, destruiu minha calça, descendo-a até os joelhos, enquanto com a outra agarrava meu cabelo. Foi bruto e impaciente. Segurou a lateral da minha calcinha e puxou com força, o elástico apertando minha pele antes de arrebentar, com um estalo.

Então passou a mão entre minhas pernas presas, envolvendo meu sexo. Minhas costas estavam arqueadas e meu corpo inteiro tremia.

"Você está molhadinha", ele disse, enfiando o dedo. Então tirou. E enfiou dois. "Estou tão duro pra você."

A pele macia envolveu seus dedos. Ele os tirou, circulando meu clitóris, esfregando-o. Apertei-me contra seus dedos, buscando a pressão de que tanto precisava, emitindo sons suaves do fundo da garganta.

"Não goze até eu entrar em você", ele rosnou. Agarrou meus quadris com as duas mãos, puxando-me para trás, enquanto encostava a cabeça larga de seu pau na minha abertura.

Fez uma pausa, respirando com dificuldade e alto. Em seguida, entrou. Gritei contra o colchão, aberta e preenchida, contorcendo-me para acomodá-lo.

Gideon me ergueu, e meus pés deixaram o chão. Então girou os quadris e ocupou o último espacinho dentro de mim, bem no fundo. Apertei cada centímetro dele, pulsando ao seu redor, num prazer frenético.

"Tudo bem?", ele balbuciou, os dedos apertando, agitados, a minha carne.

Com os braços, impulsionei-me contra ele, tão perto de gozar que doía. "Mais."

Em meio ao rugido do sangue latejando em meus ouvidos, ouvi-o gemer meu nome. Seu pau cresceu dentro de mim, tremendo, enquanto seu orgasmo vinha em jorros fortes. Parecia interminável e talvez fosse, porque continuou me comendo durante o clímax, enchendo-me de seu sêmen quente. Sentir Gideon gozar despertou meu próprio orgasmo, que me tomou em espasmos poderosos, dominando meu corpo com tremores violentos.

Minhas unhas afundaram no edredom, tentando encontrar apoio, à medida que ele entrava em mim, perdido num movimento furioso e quente. O esperma escorregadio desceu por minhas pernas. Gideon gemeu e meteu fundo, girando os quadris, enroscando em mim. Então estremeceu, gozando de novo poucos momentos depois do primeiro orgasmo.

Debruçando-se sobre mim, beijou meu ombro, o hálito quente e ofegante sobre a curva suada das minhas costas. Seu peito arfava e as mãos rijas suavizaram o aperto firme em meus quadris, até que começaram a me acariciar, gentis. Seus dedos encontraram meu clitóris e o massagearam, esfregando até me levar a outro clímax.

Seus lábios se moviam contra minha pele. *Meu anjo...* Ele repetiu aquilo de novo e de novo. Entrecortado. Desesperadamente. Sem fôlego.

Para sempre seu.

Enquanto isso, dentro de mim, Gideon permanecia duro e pronto.

Eu estava na cama, acomodada no peito de Gideon. Não sabia onde estavam minhas calças, e ele estava nu, o magnífico corpo ainda molhado de suor.

Gideon estava de costas, um braço musculoso em arco sobre a cabeça, o outro embaixo de mim, abraçando-me, os dedos correndo, distraídos, para cima e para baixo ao longo do meu corpo.

Estávamos deitados sobre os lençóis, as pernas abertas, ele com o pau semiereto, numa curva em direção ao umbigo, brilhando à luz dos abajures, molhado de mim e dele. Sua respiração estava apenas começando a se acalmar, o batimento cardíaco desacelerando sob minha orelha. Seu cheiro era delicioso: pecado, sexo, Gideon.

"Não lembro como viemos parar na cama", murmurei, a voz grave, quase rouca.

O peito de Gideon retumbou com uma risada. Virando a cabeça, ele pressionou os lábios na minha testa.

Apertei o corpo no dele, passando o braço por sua cintura e segurando com força.

"Você está bem?", ele perguntou, em voz baixa.

Inclinando a cabeça para trás, olhei para Gideon. Estava corado e suado, o cabelo grudado nas têmporas e no pescoço. Seu corpo era uma máquina bem oleada, habituada às extenuantes artes marciais com que o condicionava. Não era o sexo que o esgotava; era capaz de fazer aquilo a noite toda, sem descanso. Era o esforço de segurar pelo máximo de tempo possível, controlando-se até que eu estivesse tão louca por ele quanto ele por mim.

"Você me pegou de jeito." Sorri, sentindo-me inebriada. "Meus dedos das mãos e dos pés estão formigando."

"Fui bruto." Ele tocou meu quadril. "Deixei algumas marcas."

"Hum..." Meus olhos se fecharam. "Eu sei."

Senti-o ajeitar o corpo, levantando o torso e bloqueando a luz.

"Você gosta disso", ele murmurou.

Olhei para seu rosto pairando sobre o meu. Toquei sua testa, traçando com os dedos uma linha até a mandíbula. "Amo seu controle. Me deixa excitada."

Ele pegou meus dedos entre os dentes e então os soltou. "Eu sei."

"Mas quando você perde o controle..." Soltei um suspiro diante da memória. "Fico louca de saber que sou capaz de fazer isso com você, que me quer tanto assim."

Sua cabeça pendeu, a testa tocando a minha. Gideon me puxou para junto de si, fazendo-me sentir que já estava duro de novo. "Mais que qualquer coisa."

"E você confia em mim." Em meus braços, ele baixava a guarda. A urgência de sua necessidade não escondia seu estado vulnerável: revelava-o.

"Mais do que em qualquer pessoa." Ele deitou em cima de mim, cobrindo meu corpo do tornozelo ao ombro, sustentando o peso sem esforço, para não me esmagar. A pressão sensual me deixou com tesão de novo.

Inclinando a cabeça, Gideon roçou os lábios nos meus. "Crossfire", ele murmurou.

Aquela era minha palavra de segurança, a que eu usava quando estava no meu limite e precisava que ele parasse o que estava fazendo. Ao dizer aquilo, Gideon mostrava que também estava no limite, mas não queria que eu parasse. Para ele, a palavra transmitia uma conexão mais profunda do que o amor.

Minha boca se curvou num sorriso. "Também te amo."

Abraçando um travesseiro, olhei para o closet. Ouvi Gideon cantando. Sorri, um pouco triste. Estava de banho tomado, vestindo-se e, obviamente, sentindo-se energizado, apesar de ter começado o dia me dando um orgasmo que me deixou vendo estrelas.

Demorei um instante para reconhecer a música. Quando percebi qual era, senti um arrepio. "At Last". Se estava ouvindo em sua mente a versão da

Etta James ou da Beyoncé não importava. O que *eu* ouvia era sua voz, rica e cheia de nuances, cantando sobre céus azuis e sorrisos que enfeitiçavam.

Ele saiu do closet, dando um nó na gravata cinza, o colete desabotoado e o paletó jogado sobre o braço. Lucky veio correndo logo atrás. Depois de ser solto do cercadinho, naquela manhã, ele havia se tornado a sombra de Gideon.

O olhar do meu marido pousou em mim. Ele me lançou um sorriso arrebatador e cantou um verso da música: "*And here we are*".

"Aqui estou eu... Nocauteada por horas de sexo. Acho que nem consigo ficar de pé, e você aí...", apontei para ele, "tão você. Não é justo. Devo estar fazendo alguma coisa de errado."

Gideon, impecável, sentou na beirada da cama desfeita. Curvou-se e me beijou. "Quantas vezes eu gozei na noite passada?"

Lancei um olhar enviesado para ele. "Não o bastante, aparentemente, já que estava pronto para outra quando o sol nasceu."

"O que prova que você está fazendo alguma coisa *muito* certo." Ele afastou o cabelo do meu rosto. "Queria ficar em casa, mas tenho que deixar tudo pronto para a gente poder desaparecer por um mês. Como pode ver, estou extremamente motivado."

"Estava falando sério sobre isso?"

"Achou que eu não estivesse?" Ele afastou o lençol e segurou meu seio.

Detive sua mão antes que me excitasse de novo. "Uma lua de mel de um mês. Vou exaurir você pelo menos uma vez. Estou determinada."

"Ah, vai?" Seus olhos brilhavam com um riso. "Só uma vez?"

"É você quem está pedindo, garotão. Quando terminar com você, vai implorar para que eu te deixe em paz."

"Isso nunca vai acontecer, meu anjo. Nem em um milhão de anos."

Sua autoconfiança era um desafio.

Puxei o lençol de volta. "É o que vamos ver."

8

Assim que Angus entrou na minha sala, ergui os olhos do e-mail que estava lendo. De pé, diante da minha mesa, ele segurava o quepe nas mãos.

"Vasculhei a sala de Terrence Lucas na noite passada", anunciou. "Não achei nada."

Eu não esperava que achasse, por isso não estava surpreso. "Talvez não haja registros. Ele pode ter dito a Anne o que sabe."

Angus balançou a cabeça, pesaroso. "Durante a busca, deletei todos os vestígios de Eva tanto dos discos rígidos quanto dos arquivos de backup. Também apaguei os vídeos de vocês dois lá. Conferi com a segurança e ele nunca pediu uma cópia, então você não deve ter problemas se ele resolver imitar a esposa e prestar queixas também."

Aquele era Angus, sempre pensando em tudo.

"A polícia ia gostar disso." Recostei-me contra a cadeira. "Os Lucas têm tanto a perder quanto eu."

"Eles são culpados, rapaz. Você não."

"Nunca é tão simples."

"Você tem tudo o que sempre quis e merece. Eles não podem tomar nada de você."

Exceto minha autoestima e o respeito de meus amigos e colegas. Tinha trabalhado tanto e por tanto tempo para recuperar as duas coisas depois da desgraça pública do meu pai. Os que desejavam encontrar alguma fraqueza em mim ficariam satisfeitos. Aquilo não me alarmava tanto quanto tinha alarmado um dia.

Angus tinha razão. Eu construíra minha fortuna e tinha Eva.

Se me afastar do escrutínio público ia garantir a paz de espírito da minha esposa, então aquilo era algo que eu ia fazer. Já tinha pensado a respeito quando Nathan Barker ainda era uma ameaça. Eva estava disposta a esconder nosso relacionamento do mundo para me poupar de qualquer possível escândalo decorrente do seu passado. Um sacrifício que eu não estava inclinado a fazer. Esconder-nos. Esgueirar-nos para ter um momento juntos. Fingir para os outros que não estávamos profunda e irrevogavelmente apaixonados.

Agora era diferente. Eu precisava dela como precisava de ar. Proteger sua felicidade era mais crucial do que nunca. Sabia qual era a sensação de ser julgado pelos pecados dos outros e nunca faria Eva passar por aquilo. Ao contrário do que ela pensava, eu era capaz de viver sem ter que controlar absolutamente tudo nas Indústrias Cross.

Não ia passar meus dias vestindo uma tanga, dando uma de Tarzan, mas havia um meio-termo agradável.

"Você me avisou sobre Anne." Balancei a cabeça. "Devia ter escutado."

Ele deu de ombros. "O que está feito está feito. Ela é adulta. Tem idade suficiente para assumir a responsabilidade de suas decisões."

O que está fazendo, rapaz?, ele tinha perguntado, quando Anne entrou pela porta traseira do Bentley, naquela primeira noite. Nas semanas que se seguiram, Angus deixou sua desaprovação cada vez mais clara, até que, um dia, levantou a voz para mim. Com nojo de mim mesmo por punir uma mulher que nada tinha feito comigo, descontei nele, mandando que lembrasse qual era seu lugar.

Sua expressão de dor, disfarçada rapidamente, ia me perseguir até o túmulo.

"Sinto muito", eu disse, sustentando seu olhar. "Por como lidei com isso."

Um pequeno sorriso realçou as rugas em seu rosto. "Nem precisava, mas aceito suas desculpas."

"Obrigado."

A voz de Scott surgiu no alto-falante. "A equipe da Posit chegou. E Arnoldo Ricci está na linha. Diz que não vai demorar."

Olhei para Angus, para ver se ainda tinha alguma coisa a dizer. Ele levou a mão à testa, numa saudação casual, e saiu.

"Pode passar a ligação", falei então para Scott.

Esperei a luz vermelha piscar e puxei a chamada. "Onde você está?"

"Olá para você também", saudou Arnoldo, a voz acentuada pelos tons da Itália. "Ouvi dizer que perdi vocês dois no restaurante esta semana."

"Tivemos um almoço excelente."

"Ah, é o único tipo que servimos. O jantar também não é nada ruim."

Balancei para trás na cadeira. "Está em Nova York?"

"Estou, e planejando sua despedida de solteiro, que é o motivo da ligação. Se tem planos para o fim de semana, pode cancelar."

"Vamos viajar."

"*Eva* vai viajar. Para fora do país, pelo que Shawna falou. E você também. Todos já concordaram. Vamos tirar você de Nova York, para variar."

Estava tão chocado com a primeira parte do que Arnoldo tinha dito que quase não ouvi a segunda. "Eva não vai viajar."

"Isso você vai ter que ver com ela e os amigos dela", ele disse, suavemente. "Quanto a nós, vamos para o Rio."

Fiquei de pé. Droga. Eva não estava no prédio. Eu não podia simplesmente pegar um elevador e encontrá-la.

"Vou pedir a Scott para ver as passagens", continuou Arnoldo. "Vamos na sexta e voltamos na segunda, na hora de ir para o trabalho, se você for ambicioso assim."

"Para onde Eva vai?"

"Não faço ideia. Shawna não disse, porque não é do seu interesse. Só falou que iam sumir durante o fim de semana e que era para eu manter você ocupado, porque Cary não quer que interfira."

"Quem é ele para decidir isso?", eu disse, exasperado.

Arnoldo ficou em silêncio por um instante. "Descontar em mim não vai ajudar em nada, Gideon. E, se não confia nela, não deveria se casar."

Apertei o fone com força. "Arnoldo, você é meu melhor amigo. Mas isso vai mudar logo, logo se não parar de idiotice quando se trata de Eva."

"Você entendeu errado", ele corrigiu depressa. "Se prender Eva demais, vai acabar perdendo a mulher. O que se considera romântico num namorado pode ser sufocante num marido."

Percebendo que ele estava dando um conselho, comecei a contar até dez, mas só cheguei ao sete. "Não acredito nisso."

"Não me leve a mal. Arash garantiu que ela é a melhor coisa que já aconteceu com você. Diz que nunca te viu mais feliz e que ela te adora."

"Eu já disse o mesmo."

Arnoldo exalou audivelmente. "Homens apaixonados não são as testemunhas mais confiáveis."

O divertimento substituiu a irritação. "Por que você e Arash estão discutindo minha vida pessoal?"

"É o que os amigos fazem."

"É o que *meninas* fazem. Vocês são homens adultos. Deveriam ter algo melhor com que ocupar o tempo." Tamborilei os dedos na mesa. "E você quer que eu passe um fim de semana no Brasil com um monte de fofoqueiros?"

"Escuta", ele disse, num tom irritantemente calmo. "Manhattan já era. Também amo esta cidade, mas acho que já esgotamos seus encantos. Especialmente para a ocasião."

Ofendido, olhei pelas janelas para a cidade que amava. Só Eva sabia do quarto de hotel que mantinha reservado — meu "matadouro", como ela o chamava. Até Eva aparecer na minha vida, era o único lugar para onde levava as mulheres com quem transava. Seguro. Impessoal. O lugar não revelava nada sobre mim, exceto como eu era quando estava nu e como gostava de sexo.

Sair de Nova York significava ficar sem sexo, então é claro que eu sempre insistia para ficar por lá.

"Tá legal. Eu topo." Ia discutir a questão com Eva — e Cary —, mas aquilo não era da conta do Arnoldo.

"Ótimo. Vou deixar você voltar ao trabalho. A gente bota as coisas em dia no fim de semana."

Desligamos. Olhei para Scott pela divisória de vidro e levantei um dedo, avisando que precisava de só mais um minuto. Peguei meu smartphone e liguei para Eva.

"Oi, garotão", ela atendeu, sensual e feliz.

Assimilei aquilo com a onda de prazer e calor que me invadia. Sua voz, sempre gutural, estava mais rouca do que o normal. Lembrei a longa noite, os sons que fazia quando ficava excitada, como gritava meu nome durante o clímax.

Era um novo objetivo de vida, mantê-la falando daquele jeito para sempre, a pele eternamente corada e os lábios inchados, o passo lento e sensual, porque ainda podia me sentir dentro dela. Onde quer que Eva fosse, deveria ficar óbvio que eu a tinha comido várias vezes, demoradamente. E em mim já ficava óbvio. Eu estava com os membros bambos e relaxados, e os joelhos fracos, embora nunca fosse admitir aquilo.

"Os planos para o fim de semana mudaram?", perguntei.

"Talvez eu precise de mais vitaminas", brincou ela, "mas, tirando isso, não. Estou ansiosa."

A rouquidão me deixou excitado. "Acabei de ser avisado de que nossos amigos estão planejando nos manter afastados neste fim de semana, para a despedida de solteiro."

"Ah." Houve uma pausa. "Estava meio que torcendo para que esquecessem isso."

Minha boca se curvou num sorriso que desejava que ela pudesse ver. "A gente pode fugir para um lugar onde não nos encontrem."

"Bem que eu gostaria." Eva suspirou. "Acho que essas coisas são mais para eles do que para nós. É a última chance de nos terem só para eles, como antes."

"Esses dias acabaram no instante em que conheci você", eu disse, sabendo que não era o mesmo para Eva. Ela se agarrava à sua independência, mantendo suas amizades inabaladas.

"É um ritual estranho, né?", Eva refletiu. "Duas pessoas se comprometem para o resto da vida e os amigos as separam, embebedam e incentivam a fazer besteira uma última vez."

O tom de flerte divertido do começo da conversa tinha desaparecido por completo. Eva era uma mulher muito ciumenta. Eu sabia disso e aceitava, assim como ela fazia com minha possessividade. "De noite a gente conversa."

"Mal posso esperar", ela respondeu, irônica.

O que era uma espécie de consolo. Preferia imaginar que estava sofrendo por passar um fim de semana longe de mim do que se divertindo horrores.

"Te amo, Eva."

Ouvi-a prendendo a respiração. "Também te amo."

Desliguei, fui buscar meu paletó e então mudei de ideia. Refiz meus passos até a mesa e liguei para Cary.

"E aí?", atendeu ele.

"Aonde você está pensando em levar minha esposa neste fim de semana?"

A resposta veio tão rápida que soube que ele estava preparado para aquilo. "Você não precisa saber."

"Preciso, sim."

"Não vou aceitar você controlando Eva", Cary disse, com firmeza. "Com um monte de guarda-costas afastando todos os caras que chegam perto dela, como em Las Vegas. Ela já é bem grandinha. Pode tomar conta de si mesma e merece se divertir."

Então era aquilo. "Daquela vez havia circunstâncias atenuantes, Cary."

"Ah, é?" O sarcasmo era pesado em seu tom. "Tipo o quê?"

"Nathan Barker ainda estava circulando e você tinha acabado de fazer uma merda de uma orgia na sua sala de estar. Não podia confiar a segurança dela a você."

Houve uma pausa. Quando voltou a falar, sua voz soava bem menos alterada. "Clancy está cuidando da segurança. Ela vai ficar bem."

Respirei fundo. As coisas andavam meio estranhas entre mim e Clancy, já que ele sabia o que eu tinha feito para tirar Nathan da vida de Eva. Independentemente daquilo, nós dois queríamos a mesma coisa: Eva feliz e segura. Confiava que ele tomaria conta dela e sabia que cuidava muito bem da segurança de Stanton e de Monica.

Eu ia falar com Clancy pessoalmente e colocá-lo em contato com Angus. Teríamos que organizar um plano de contingências e estabelecer uma comunicação. Se ela precisasse de mim, eu tinha que ser capaz de chegar o mais rápido possível.

Meu estômago se revirou com o pensamento. "Eva precisa dos amigos, e quero que ela se divirta."

"Ótimo", comemorou Cary, satisfeito. "Nisso concordamos."

"Não vou interferir, mas não se esqueça de que ninguém se preocupa mais com a segurança dela do que eu. Eva é só uma parte da sua vida. Mas é tudo pra mim. Não demore muito a ligar se precisar de mim. Entendeu?"

"Entendi, claro."

"Se isso faz você se sentir melhor, vou estar no Brasil."

Ele ficou quieto um minuto. "Ainda não bati o martelo sobre aonde vamos, mas acho que Ibiza."

Praguejei em silêncio. Levaria umas doze horas para chegar a ela do Rio. Pensei em discutir — no mínimo sugerir outro lugar na América do Sul —, mas fiquei de boca fechada, muito consciente dos comentários do dr. Petersen sobre a necessidade de Eva ter um círculo social. "Me avise quando decidir", eu disse apenas.

"Tá."

Desliguei, peguei o paletó e vesti.

Tinha certeza de que Eva e o dr. Petersen não concordariam, mas amigos e parentes podem ser mais um pé no saco do que qualquer outra coisa.

O restante da tarde passou como programado e planejado. Eram quase cinco quando Arash apareceu e se acomodou confortavelmente no sofá, abrindo os braços no encosto.

Encerrei a ligação com um dos nossos centros de distribuição em Montreal e levantei, esticando as pernas. Era dia de treino, mas sabia que ia levar uma surra do personal. E tinha certeza de que Eva ia adorar saber que esgotara minhas energias.

Não que aquilo fosse me impedir de possuí-la de novo no final do dia.

"É melhor você ter um bom motivo para estar tão à vontade", eu disse a Arash, secamente, dando a volta na minha mesa.

Ele abriu um sorriso arrogante. "Deanna Johnson."

Diminui o passo, levando um susto diante do nome. "O que tem ela?"

Arash assobiou. "Ah, você *conhece*."

"É uma jornalista." Fui até o bar e peguei duas garrafas de água na geladeira. Deanna era também uma mulher que eu tinha comido, o que tinha se revelado um erro colossal, de diversas maneiras.

"Certo. Sabe a loira gostosa em quem dei bolo na noite passada?"

Atirei-lhe um olhar impaciente. "Fala logo."

"Ela trabalha no departamento jurídico da editora que adquiriu os direitos do livro da Corinne. E me disse que a ghost-writer do livro é Deanna Johnson."

Expirei, exaltado. Apertei as garrafas com tanta força que acabaram vazando. "Droga."

Eva tinha me avisado sobre Deanna, e eu não tinha escutado.

"Vou tentar adivinhar", Arash começou, pausadamente. "Você conhece a sra. Johnson no sentido bíblico."

Virei-me e olhei para ele, caminhando até onde estava sentado. Joguei uma das garrafas para ele, espirrando um pouco de água entre nós dois. Abri a minha e dei um longo gole.

Eva tinha razão: tínhamos que ser um time melhor, mais coeso. Precisávamos aprender a confiar nos conselhos um do outro e a aceitá-los.

Arash apoiou os cotovelos nos joelhos, segurando a água com as duas mãos. "Agora entendi por que estava com tanta pressa de casar. É melhor sacramentar o acordo antes que ela fuja."

Arash estava brincando, mas eu podia ver a preocupação em seu rosto. Um eco da minha própria. Quanto mais Eva era capaz de aguentar?

Afastei a garrafa dos lábios. "Bela notícia para encerrar este dia", murmurei.

"O que foi?"

Viramos a cabeça e vimos Eva passando pela porta aberta da minha sala, com o celular na mão. Estava vestida com a mesma roupa de ginástica do dia em que me viu pela primeira vez. O rabo de cavalo estava mais curto, o corpo mais magro e mais definido. Mas seria sempre a mulher que tinha me tirado o fôlego.

"Eva." Arash ficou de pé na mesma hora.

"Oi." Ela lançou um sorriso para ele enquanto caminhava na minha direção e ficava na ponta dos pés para me dar um beijo na boca. "Oi, garotão."

Ela se afastou e franziu a testa.

"O que houve? Cheguei numa hora ruim?"

Envolvi sua cintura num abraço, puxando-a para perto de mim. Amava a sensação do seu corpo contra o meu; acalmava a ansiedade que sentia quando estávamos separados. "Nunca, meu anjo. Você pode aparecer a hora que quiser."

Seus olhos brilharam. "Megumi e eu vamos juntas à academia, mas, como estou adiantada, achei que podia dar um pulinho aqui. Dar uma conferida nessa gostosura pode me motivar."

Dei um beijo em sua testa. "Não se desgaste", murmurei. "Esse é o meu trabalho."

Ajeitei o corpo e vi que ela franzia as sobrancelhas. "Sério. Qual é o problema?"

Arash limpou a garganta e fez um gesto em direção à porta. "Vou voltar para a minha sala."

Respondi à pergunta antes que ele saísse. "Deanna é a ghost-writer do livro da Corinne."

Eva enrijeceu. "Ah, é?"

"Ela sabe da Deanna?" Arash nos encarou com os olhos arregalados.

Eva sustentou seu olhar. "*Você* sabe da Deanna?"

Ele ergueu as mãos. "Nunca a vi. Nem tinha ouvido falar dela até hoje."

Saindo do meu abraço, Eva me lançou um olhar. "Avisei você."

"Eu sei."

"Avisou o quê?", perguntou Arash, enfiando as mãos nos bolsos.

Ela pegou minha garrafa de água e se deixou cair numa das poltronas. "Que ela não é flor que se cheire. Está magoada porque levou um pé na bunda. Não que eu a culpe. Também ficaria frustrada se tivesse uma amostra da mercadoria e não pudesse finalizar a compra."

Arash voltou para o sofá. "Você tem problemas de desempenho, Cross?"

"Está tentando perder o emprego, Madani?" Ocupei a outra poltrona.

"Ela já tinha ficado com Gideon uma vez", Eva continuou. "E pegou gosto pela coisa. De novo, não é culpa dela. Já falei como ele é bom de cama."

Arash me fitou, muito divertido. "Falou."

"É de tirar o fôlego. De arrepiar todos os pelos do seu corpo e..."

"Pelo amor de Deus, Eva", murmurei.

Ela se virou para mim, com ar de inocente. "Só estou tentando contextualizar, amor. E dar o devido crédito. De qualquer forma, Deanna está dividida entre o ódio por ele e a vontade de pular na sua cama. Como não pode fazer uma coisa, se atém à outra."

Olhei para ela. "Já acabou?"

Eva me soprou um beijo e tomou um grande gole de água.

Arash se recostou no sofá. "Você tem meu respeito por ter aberto o jogo com ela", disse para mim. "E você é uma santa, Eva, por aturar esse cara e uma fila de mulheres desprezadas correndo atrás dele."

"O que posso fazer?" Eva franziu os lábios. "Como vocês descobriram?"

"Tenho um contato na editora."

"Ah. Achei que Deanna tivesse dito alguma coisa."

"Ela não vai falar nada. Não querem que ninguém saiba que Corinne não está escrevendo o livro, têm até uma cláusula de confidencialidade. Estão negociando os termos do contrato neste instante."

Eva se inclinou para a frente, os dedos cutucando o rótulo da garrafa. Seu telefone tocou na poltrona, junto à sua coxa, e ela leu a mensagem. "Tenho que ir. Megumi está pronta."

Eva ficou em pé, e eu e Arash levantamos também. Um momento depois, estava em meus braços, inclinando a cabeça para receber um beijo. Toquei meu nariz no seu antes que se afastasse.

"Você tem muita sorte de eu ter aparecido." Eva me devolveu a água. "Pense só na quantidade de problema que ia ter se tivesse continuado solteiro."

"Você é bastante problema para a vida toda."

Eva se despediu de Arash e saiu. Fiquei olhando enquanto se afastava, odiando que tivesse que ir. Ela acenou para Scott e sumiu de vista.

"Ela tem irmã?", perguntou Arash, enquanto sentávamos de novo.

"Não, só existe uma no mundo."

"Ei", Eva gritou, correndo de volta para a sala.

Arash e eu levantamos na mesma hora.

"Se estão negociando os termos, ainda não assinaram o contrato, não é?"

"É", respondeu Arash.

Eva olhou para mim. "Você pode conseguir que ela não assine."

Arqueei as sobrancelhas. "Como?"

"Oferecendo um emprego a ela."

Olhei firme para minha mulher e disse: "Não".

"Não diga não."

"Não", repeti.

Eva se voltou para Arash. "Seus contratos de trabalho incluem coisas como confidencialidade, não difamação e não concorrência, certo?"

Arash considerou a pergunta por um minuto. "Estou vendo aonde você quer chegar. Só que há limitações quanto ao que essas cláusulas cobrem e como podem ser aplicadas."

"Mas é melhor do que nada, não? Mantenha seus inimigos por perto e tal." Seu olhar se voltou para mim, com expectativa.

"Não me olhe assim, Eva."

"Tá. É só uma ideia. Tenho que ir." Ela acenou e correu de volta para o corredor.

A falta de um beijo ou de uma despedida me deixou incomodado. E vê-la sair de novo... Odiei ainda mais aquela segunda vez.

Eva tinha me feito esperar para poder tê-la. E tinha acabado de sugerir casualmente que eu seduzisse outra mulher.

A Eva que eu conhecia e amava nunca teria feito nada daquilo.

"Você não quer que o livro seja publicado", gritei na direção dela.

Eva parou na porta e virou. Olhou para mim, a cabeça pendendo de leve. "Não, não quero."

Seu olhar inquisitivo me fez enrijecer as costas. Ela sabia exatamente o que eu estava pensando, via o turbilhão dentro de mim. "Você sabe que ela está esperando mais do que só um emprego."

"Sim, você teria que apresentar outro atrativo", ela concordou, voltando na minha direção. "Você é uma isca e tanto, Cross. É capaz de atrair as pessoas sem perceber. Deanna só tem que assinar. Depois, você pode transferir a mulher para a Sibéria, desde que arrume um trabalho que se encaixe na descrição do cargo para o qual foi contratada."

Algo na sua voz me irritou — isso e o jeito como ela me encarava, como um domador circulando o leão, cautelosa e vigilante, mas no controle.

Atiçado, ataquei. "Você está me prostituindo para conseguir o que quer."

"Minha nossa, Cross", Arash murmurou. "Não seja idiota."

Eva semicerrou os olhos, o tom cinzento de repente passou a tempestuoso. "Deixa de palhaçada. É só para atrair Deanna para a empresa, não para transar com ela. Quero esse livro publicado tanto quanto você quer ouvir 'Golden Girl' de novo e de novo, mas você tem que aturar a porcaria da música, então posso aturar a merda do livro."

"Então por que contratar Deanna?", retruquei, dando um passo na sua direção. "Não quero aquela mulher a um quilômetro de mim, quanto mais trabalhando aqui."

"Tá legal. Foi só uma sugestão. Vi quando cheguei que você estava chateado, e não gosto que fique chateado..."

"Eu não fico *chateado*!"

"Claro que não", debochou ela. "*Mal-humorado* é melhor? *Emburrado*? *Amuado*? São palavras suficientemente masculinas para você, garotão?"

"Eu deveria dar um jeito em você."

"Experimente, e arrebento essa sua boca bonita", ela retrucou. "Acha que gosto da ideia de você deixando a maluca toda excitada? Só de te imaginar flertando com a criatura, dando a entender que quer ir para a cama, quero quebrar tudo — inclusive a cara dela."

"Ótimo." Era do que eu precisava. Eva não conseguia esconder o ciúme quando estava com raiva. E estava fervendo, vibrando de ódio. Eu, no entanto, estava apaziguado.

"E, talvez, mesmo que Deanna pule fora, nada mude", continuou ela, ainda fora de si. "A editora pode contratar outro ghost-writer para a merda do livro. A gente pode torcer para que seja alguém imparcial, mas você tem um monte de ex-amantes por aí, eles podem dar sorte."

"Já chega, Eva."

"Eu não prostituiria você só para impedir que esse livro seja publicado. Você tem muito potencial, Gideon. Daria para tirar mil por hora, no mínimo."

"Eva!" Fui em sua direção, mas Eva se afastou.

"Ei!" Arash interveio, pulando entre nós. "Como seu advogado, tenho de avisar que irritar sua esposa pode custar milhões."

"Ele gosta de irritar uma mulher", ela incitou, esquivando-se de mim por trás de Arash. "Fica excitado."

"Sai da frente, Madani", rosnei.

"Ele é todo seu, Arash." Eva se esquivou de novo e correu para fora da sala.

Fui atrás dela e a agarrei quando estava passando pela porta, segurando-a pela cintura e erguendo-a do chão. Eva lutou, rosnando.

Afundei os dentes em seu ombro, e ela gritou, atraindo uma dúzia de olhos na nossa direção. Entre eles, os de Megumi, que apontou no corredor bem naquela hora.

"Me dê um beijo de despedida", exigi.

"Você não quer minha boca perto de você agora!"

Jogando-a para cima, girei-a no ar para virá-la de frente para mim, e capturei sua boca num beijo ríspido. Foi desleixado, deselegante. Nossos narizes se bateram. Mas a sensação da sua boca na minha, a pele quente sob as minhas mãos, era tudo de que precisava.

Ela mordeu meu lábio inferior. Podia ter me machucado, tirado sangue. Em vez disso, a mordida — e o puxão que deu no meu cabelo — foi como uma reprimenda suave.

"Você está maluco?", ela reclamou. "Qual é o seu problema?"

"Nunca vá embora sem me dar um beijo."

"Sério?" Ela olhou para mim. "Eu te dei um beijo."

"Na primeira vez. Não na segunda ou na terceira."

"Não brinca", sussurrou. Segurando meu pescoço com força, ela ergueu o corpo e passou as pernas pela minha cintura. "Por que não pediu?"

"Não vou implorar."

"Não é do seu feitio." Ela tocou meu rosto. "Você manda. Não pare agora."

"O tipo de coisa que você pode fazer no trabalho quando é o chefe...", comentou Megumi para Scott, que tinha o olhar cravado no monitor.

Ele, sabiamente, não respondeu.

Arash, no entanto, não foi tão cauteloso. "Insanidade temporária causada por nervosismo pré-casamento, certo, Scott?" Ele se aproximou. "Capacidade de raciocínio reduzida. Um enorme branco, por assim dizer."

Lancei-lhe um olhar de advertência. "Cala a boca."

"Seja gentil." Eva me beijou de leve. "Depois a gente conversa sobre isso."

"Na sua casa ou na nossa?"

Eva sorriu, de bom humor. "Na nossa."

Então soltou as pernas, e eu a coloquei no chão.

Eu podia deixá-la ir agora. Ainda não gostava de vê-la partir, mas o aperto tinha diminuído. Eva não demonstrava o menor sinal de aborrecimento. Sua paciência ia e vinha rápido, como se nada tivesse acontecido.

"Oi, Megumi." Estendi a mão.

Ela a apertou, exibindo as unhas feitas. Era uma mulher atraente, com o cabelo preto na altura do queixo e olhos amendoados.

Parecia mais forte do que na última vez em que a tinha visto, o que me agradou, porque sabia o quanto Eva se preocupava com ela. Conhecia-a apenas de passagem antes da agressão sexual que mudara sua vida. Uma pena. A mulher diante de mim agora tinha uma olhar ferido e um ar presunçoso que traía sua vulnerabilidade.

A experiência me dizia que Megumi ainda tinha um longo caminho pela frente. E nunca mais seria a mesma pessoa.

Olhei para Eva. Ela havia percorrido um caminho tão longo, distanciando-se tanto da menina que tinha sido quanto da jovem que eu conhecera. Ficara mais forte. Isso me deixava feliz, e eu não mudaria por nada.

Só podia torcer para que aquela força não a acabasse levando para longe de mim.

Saí do treino com James Cho exatamente do jeito que imaginara: humilhado. Pelo menos consegui me redimir no final, derrubando o ex-campeão na última luta.

Angus estava me esperando do lado de fora, de pé junto ao Bentley. Abriu a porta e pegou minha mala, mas não sorriu. No banco de trás, Lucky latia em sua gaiola, todo animado, espiando por trás das grades.

Sustentei o olhar de Angus antes de entrar no carro.

"Tenho algumas informações", ele anunciou, severamente.

Considerando que ele revirara os arquivos de Hugh, eu estava preparado para más notícias. "Conversamos na cobertura."

"Melhor no seu escritório."

"Tudo bem." Sentei no banco traseiro, franzindo a testa. Tanto a cobertura quanto o escritório eram privados. Tinha sugerido a primeira porque Eva estaria comigo, apoiando-me, quando ele transmitisse as informações que tinha. A preferência de Angus pelo escritório só poderia indicar que não queria Eva por perto.

O que Angus poderia ter para me dizer que era melhor manter em segredo dela?

Lucky bateu as patas contra a gaiola, choramingando baixinho. Abri a grade distraído, e ele subiu no meu colo, esticando-se para lamber meu queixo.

"Tudo bem, tudo bem." Ergui o cachorro para que ele não caísse em seu frenesi, inclinando a cabeça para trás para evitar ser lambido na boca. "É bom ver você, também."

Afagando seu corpo quente e macio com uma das mãos, observei a cidade pela janela. Nova York era uma paisagem totalmente diferente à noite, uma mistura de becos escuros e arranha-céus iluminados, lojas com letreiros de néon espalhafatoso e restaurantes com mesinhas na calçada.

Com quase dois milhões de pessoas morando numa ilha de menos de sessenta quilômetros quadrados, privacidade era algo raro e fictício. As janelas dos apartamentos davam umas para as outras, quase sem qualquer distância entre elas. E muitas vezes ficavam abertas, expondo a vida privada a quem quisesse olhar. Telescópios eram um produto popular.

Aquele era o jeito dos nova-iorquinos, vivendo numa bolha, cuidando da própria vida e esperando que os outros fizessem o mesmo. A opção era a claustrofobia, antítese do espírito de liberdade que era a base do lugar.

Chegamos ao Crossfire e saltei do Bentley com Lucky. Angus me seguiu pelas portas giratórias e atravessamos o saguão em silêncio. Os seguranças ficaram em pé quando me aproximei, cumprimentando-me pelo nome, enquanto lançavam olhares para o cachorro minúsculo debaixo do meu braço. Sorri por dentro pensando na minha própria imagem. De calça de moletom e camiseta, cabelo molhado do banho, duvidava de que qualquer pessoa imaginasse que eu era dono do prédio.

Chegamos depressa ao andar e logo estávamos cruzando a sede das Indústrias Cross. A maioria das salas e baias estava escura e vazia, mas alguns funcionários ambiciosos ainda trabalhavam — ou não tinham motivo para ir para casa. Eu entendia. Pouco tempo antes passava mais tempo no trabalho do que na cobertura.

Entrei na minha sala, acendi as luzes e acionei o botão que tornava o vidro opaco. Então fui até a área de estar e sentei no sofá, soltando Lucky na almofada ao lado. Só então notei que Angus carregava uma pasta de couro gasto.

Ele puxou uma poltrona para junto da mesa de centro e sentou. Então fixou os olhos nos meus.

Senti um nó na garganta diante da outra possibilidade que me veio à mente. Angus parecia muito sombrio, formal demais.

"Você não vai se aposentar", eu me antecipei, as palavras saindo incisivas da minha boca. "Não vou deixar."

Ele me olhou por um instante, então seu rosto se suavizou. "Ah, rapaz. Você vai ter que me aturar por um tempo ainda."

Tomado pelo alívio, recostei-me no sofá, com o coração acelerado. Lucky, sempre pronto para brincar, saltou no meu peito.

"Desce", ordenei, o que só o deixou mais agitado. Mantive-o no lugar com uma das mãos e fiz um sinal para que Angus fosse em frente.

"Lembra o dossiê que compilamos quando você conheceu Eva?"

Ao ouvir o som do nome dela, aprumei as costas. "Claro."

A memória do dia em que a conheci veio num instante. Estava sentado na limusine estacionada, prestes a me afastar do Crossfire. Ela entrava no prédio. Observei-a, senti sua força. Incapaz de resistir, pedi a Angus que esperasse e voltei para encontrá-la, correndo atrás de uma mulher — algo que nunca tinha feito antes.

Eva deixou cair o crachá ao me ver e eu o peguei para ela, reparando no seu nome e na empresa para a qual trabalhava. Ao final da noite, havia uma pasta fina sobre a mesa do escritório de casa, contendo uma pesquisa rápida sobre seu histórico — de novo, algo que nunca tinha feito por mero interesse sexual. De alguma forma, em um nível que ainda não podia compreender, sabia que ela era minha. Por mais iludido que estivesse, desconfiava que ela seria importante para mim.

Nos dias que se seguiram, o dossiê aumentou, englobando Cary e os pais dela, depois seus avós.

"Temos um advogado em Austin que nos envia relatórios de qualquer atividade incomum de Harrison e Leah Tramell", Angus continuou.

Os pais de Monica. Eu não tinha nenhum problema com seu distanciamento em relação à filha e à neta. Era menos família com que lidar. Mas também entendia que, embora pudessem não ter o menor interesse na neta ilegítima, podiam mudar de ideia quando Eva se tornasse publicamente minha esposa. "O que eles fizeram?"

"Morreram", respondeu ele, sem rodeios, abrindo a pasta. "Cerca de um mês atrás."

Hesitei. "Eva não sabe. Estávamos falando dos convites no fim de semana e o nome deles apareceu. Imagino que Monica não acompanhasse de perto o que acontecia com eles."

"Ela escreveu o obituário do jornal local." Angus retirou uma cópia e a colocou sobre a mesa.

Peguei o papel e passei os olhos depressa por ele. Os Tramell tinham morrido juntos, num acidente de barco, nas férias de verão. A foto que acompanhava o texto era antiga: pelas roupas e pelos cabelos, parecia ser da década de 1970. Eram um casal atraente, bem-vestido e com acessórios caros. O que não encaixava era a cor do cabelo — mesmo para um recorte de jornal em preto e branco, dava para ver que o de ambos era escuro.

Até que li a frase final. "Harrison e Leah deixam uma filha, Monica, e dois netos." Erguendo os olhos para Angus, repeti o final em voz alta: "*Dois netos? Eva tem um irmão?*".

Lucky aproveitou que relaxei a mão para se soltar e ir para o chão.

Angus respirou fundo. "Essa menção e a foto me fizeram ir mais fundo."

Ele pegou uma foto e a colocou na mesa.

Olhei para ela. "Quem é?"

"Monica Tramell — agora Monica Dieck."

Meu sangue gelou. A mulher na foto era morena, como seus pais. Não parecia em nada com a Monica que eu conhecia ou com minha esposa. "Não estou entendendo."

"Ainda não descobri o nome da mãe da Eva, mas a verdadeira Monica Tramell tinha um irmão chamado Jackson, que foi casado brevemente com uma Lauren Kittrie."

"Lauren." O nome do meio de Eva. "O que sabemos sobre ela?"

"Por enquanto, nada, mas isso vai mudar. Estamos pesquisando."

Corri as mãos pelo cabelo. "Será que erramos de Tramell e estamos pesquisando outra família?"

"Não, rapaz."

Levantei e fui até o bar. Peguei dois copos na prateleira e servi dois dedos de puro malte Ardbeg Uigeadail em cada um. "Stanton deve ter virado o passado de Monica — ou da mãe de Eva — do avesso antes de casar com ela."

"Você não ficou sabendo do passado de Eva até ela contar", Angus ressaltou.

Ele tinha razão. Os registros do seu abuso, o aborto, as transcrições do tribunal, o acordo... tudo tinha sido meticulosamente enterrado. Quando pedi a Arash que rascunhasse o acordo pré-nupcial, verificamos seus ativos financeiros e as dívidas, mas foi tudo. Amava Eva. Eu a queria. Nunca quis desacreditá-la de forma alguma.

Stanton também amava a esposa. Sua fortuna pessoal, acumulada depois de dois divórcios financeiramente vantajosos, teria sido a questão mais premente. Quanto ao resto, imagino que ele e eu tenhamos agido de forma semelhante. Por que procurar problemas quando tudo indicava que não existia nada? O amor era cego e tornava as pessoas tolas.

Contornei o bar e quase tropecei em Lucky, que saltitava na minha frente. "Benjamin Clancy é muito bom. Não teria deixado isso passar."

"Nós deixamos." Ele pegou o copo que lhe entreguei. "Se os Tramell não tivessem morrido, não teríamos ficado sabendo. A pesquisa não deu em nada."

"Como pode não ter dado em nada?" Virei o uísque num gole só.

"A mãe de Eva usou o nome, a data de nascimento e a história familiar de Monica, mas nunca abriu uma linha de crédito, que é como a maioria dos roubos de identidade é descoberta. A conta bancária que usa é empresarial e foi criada vinte e cinco anos atrás, com um número de identificação fiscal separado."

Ela também teria que ter fornecido o número da seguridade social na época em que abriu a conta, mas o mundo era um lugar muito diferente antes da internet.

Era difícil imaginar a enormidade daquela fraude. Se Angus estava certo, a mãe de Eva tinha vivido a maior parte da vida como outra mulher.

"Não tem rastro, rapaz", reiterou ele, baixando o copo intocado. "Nenhuma pista."

"E a Monica Tramell verdadeira?"

"O marido administra tudo. Nesse sentido, ela quase não existe."

Olhei para o cachorro, que brincava com minha perna. "Eva não sabe disso", afirmei, severamente. "Ela teria me contado."

Foi só pronunciar as palavras e fiquei me perguntando *como* ela teria me contado. Se eu estivesse no lugar dela, como teria explicado aquilo? Seria capaz de manter um segredo daquela escala, tendo vivido com a mentira por tanto tempo que já acreditava nela?

"Claro", disse Angus, a voz baixa e conciliadora. Ele tinha as mesmas dúvidas que eu. Era seu trabalho. "Ela te ama. Mais profunda e verdadeiramente do que qualquer outra."

Sentei de novo no sofá, sentindo o peso leve de Lucky, que se acomodava ao meu lado. "Preciso de mais informações. Tudo. Não posso levar isso para Eva assim, aos pedaços."

"Pode deixar", Angus prometeu.

9

"É..." Balancei a cabeça, fazendo uma careta diante do croqui detalhado que Cary colocou na minha frente. "É bonito, mas... não é a minha cara. Não é por aí."

Cary soltou a respiração. Sentado no chão aos meus pés, deixou a cabeça cair para trás no sofá, olhando para mim. "Tá brincando? Eu te dou um vestido de noiva maravilhoso, desenhado exclusivamente para você, e você dispensa?"

"Não quero tomara que caia. E tem essa barra desigual..."

"Isso é uma cauda", explicou ele, secamente.

"Mas dá para ver os sapatos. Não deviam ficar escondidos?"

"É um esboço feito em cinco minutos. Você pode pedir para fazer a frente mais comprida."

Inclinando-me, peguei a garrafa de vinho que tínhamos aberto mais cedo e servi um pouco mais na minha taça. Uma coletânea com os sucessos do Journey soava baixinho. A sala de estar iluminada por dois abajures de mesa, e o restante da cobertura estava silencioso e escuro.

"É muito... contemporâneo", reclamei. "Moderno demais."

"É." Ele levantou a cabeça para olhar o desenho de novo. "Por isso é tão legal."

"É coisa de moda, Cary. Meus filhos vão olhar para esse vestido e perguntar onde eu estava com a cabeça." Dei um gole no vinho e passei os dedos pelo cabelo espesso. "Quero algo atemporal. Como Grace Kelly ou Jackie Kennedy."

"Filhos, é?" Ele se aproximou para um carinho, feito um gato. "Se vocês se apressarem, podemos passear juntos pelo parque com os carrinhos de bebê e deixar as crianças brincarem juntas."

"Haha! Daqui a uns dez anos, talvez." Era o que eu achava mesmo. Dez anos com Gideon só para mim. Tempo para amadurecer um pouco, suavizar as coisas, encontrar nosso ritmo.

Tudo estava cada vez melhor, mas ainda éramos um casal instável, com um relacionamento tempestuoso. Eu ainda não tinha entendido a discussão daquela manhã, por exemplo. Mas Gideon era daquele jeito. Elegante, selvagem e perigoso feito um lobo. Comendo na palma da minha mão num momento e me mordendo no outro. O que em geral era seguido por sexo selvagem, então... funcionava.

"É", comentou Cary, morosamente. "Você vai precisar mesmo de uns dez anos — e da Imaculada Conceição — para engravidar, se não começar a dar um trato nele logo."

"Ei!" Dei um puxão no seu cabelo. "Não que isso seja da sua conta, mas virei o mundo dele de cabeça para baixo ontem à noite."

"Ah, é?" Cary me olhou de soslaio por cima do ombro. "É assim que eu gosto."

Sorri. "E vou repetir tudo quando ele chegar em casa hoje."

"Que inveja. Nada acontece comigo. Nadica mesmo. A palma da minha mão vai ficar com uma marca permanente do meu pau solitário."

Recostei-me no sofá, rindo. "É bom dar uma pausa. Coloca as coisas em perspectiva."

"Você mal conseguiu segurar uma semana", zombou ele.

"Foram dez dias, na verdade. Dez longos, abomináveis e horríveis dias." Dei outro gole no vinho.

"É uma merda."

"Não estou ansiosa para repetir, mas fico feliz que a gente tenha conseguido tirar o sexo da equação por um tempo. Fez com que a gente se concentrasse em discutir as coisas e aproveitasse o tempo juntos. Quando a gente enfim conseguiu se soltar, foi..." Lambi os lábios. "Explosivo."

"Você está me deixando duro."

Soltei uma risada. "E o que não deixa você duro?"

Ele me lançou um olhar enviesado. "Não vou me envergonhar do meu saudável apetite sexual."

"Só valorize um pouco o fato de ter um tempo para descobrir onde está indo. Estou orgulhosa de você."

"Ah, obrigado, mãe." Ele deitou a cabeça no meu joelho. "Sabe... Posso estar mentindo."

"Não. Se estivesse comendo alguém, ia querer que eu soubesse, assim eu podia te dar uma bronca, o que é parte da diversão." Não era. Mas ele me usava para se punir.

"Você vai ver o que é diversão em Ibiza."

"Ibiza?" Levei um segundo para entender. "Na despedida de solteira?"

"É."

Espanha. A meio mundo de distância. Não estava esperando por aquilo. "Quanto tempo essa festa vai durar?"

Cary abriu seu sorriso de um milhão de dólares. "O fim de semana todo."

"Não que ele tenha alguma coisa a ver com isso, mas Gideon não vai gostar."

"Já falei com ele. Está preocupado com a segurança, mas vai estar ocupado no Brasil."

Aprumei as costas. "No Brasil?"

"Você parece um papagaio hoje, repetindo tudo."

Eu amava o Brasil. A música, o clima, o povo. A cultura brasileira tinha uma sensualidade inigualável.

Pensar em Gideon lá, com aquele bando de homens ricos e bonitos que ele chamava de amigos, comemorando os últimos dias de uma solteirice da qual já tinha aberto mão...

Cary se virou para me encarar. "Conheço essa cara. Você está ficando nervosa só de pensar nele cercado de biquínis e brasileiras de sangue quente."

"Cala a boca, Cary."

"E ele vai com o grupo certo. Especialmente aquele tal de Manuel. Esse é pegador."

Eu me lembrei de Manuel Alcoa caçando quando fomos a um karaokê. Da mesma forma que Arnoldo, Gideon e Arash, ele não precisava se esforçar. Tinha só que escolher entre uma vasta seleção de mulheres se atirando nele.

O que Gideon ia fazer quando cada um dos seus amigos tivesse arrumado um par? Sentar sozinho e tomar uma caipirinha? Pouco provável.

Gideon não ia me trair. Não ia nem flertar; não era seu estilo. Não tinha flertado comigo, lá no início, e eu era o amor da vida dele. Não, ele ia dominar o ambiente, com aquela aparência sombria, perigosa e intocável, enquanto uma maré interminável de mulheres maravilhosas se jogava aos pés dele.

Como era possível Gideon não se alterar com aquilo?

Cary riu. "Você está com cara de quem vai matar alguém."

"Você é a pessoa mais próxima de mim", avisei.

"Você não pode me matar. Quem mais vai escolher as roupas certas para deixar Gideon com o mesmo ciúme que você está sentindo agora?"

"Parece que cheguei bem na hora."

Cary e eu nos viramos em direção à porta da frente e deparamos com Gideon entrando com uma mala pendurada no ombro e a gaiola de Lucky.

Minha cara feia logo sumiu diante do prazer que a visão dele me proporcionou. Não tinha ideia de como fazia aquilo, mas Gideon transformava moletom e camiseta em algo extremamente sensual.

Ele colocou as coisas no chão.

"O que você tem aí?" Cary ficou de pé e caminhou até a gaiola.

Levantei e fui até meu marido, emocionada com a simples alegria de recebê-lo em casa. Ele me encontrou no meio do caminho, envolvendo-me com os braços. Passei as mãos por suas costas por baixo da camiseta, acariciando os músculos quentes e rígidos. Ele se inclinou para me beijar, e deitei a cabeça para trás. Sua boca roçou a minha, então a tomou, num "oi" gentil e sem palavras.

Ao se endireitar, Gideon lambeu os lábios. "Você está com gosto de vinho."

"Quer um pouco?"

"Adoraria."

Fui até a cozinha buscar mais uma taça. Atrás de mim, ouvi os dois se cumprimentando, e, em seguida, Gideon apresentando Lucky a Cary. Um latido feliz e a risada animada do meu amigo cortaram o ar.

Ainda não tinha me mudado, mas me sentia em casa.

Já fazia uma hora que Cary tinha ido embora quando reuni coragem para fazer a Gideon a pergunta que estava me perturbando.

Estávamos no sofá. Ele estava recostado confortavelmente, os joelhos abertos, um braço no meu ombro, a outra mão casualmente na sua coxa. Eu estava enroscada em seu corpo, as pernas em cima do sofá, a cabeça em seu ombro, os dedos brincando com a bainha da sua camiseta. Lucky dormia junto à lareira apagada, choramingando vez ou outra, enquanto sonhava com o que quer que cachorros sonhem.

Fazia uns trinta minutos que Gideon estava quieto, quase contemplativo, enquanto eu comentava o desenho de vestido que ele tinha pegado na mesa de centro.

"Fico com a sensação de que vou saber que é o vestido certo quando o vir, mas estou correndo contra o tempo. Estou tentando não entrar em pânico com isso. Só não quero ter que aceitar qualquer coisa."

Ele levou a mão do meu ombro à minha cabeça e beijou minha testa. "Você poderia entrar de calça jeans, meu anjo, e seria a noiva mais linda do mundo."

Comovida com o comentário, eu me aconcheguei um pouco mais nele. Respirei fundo e perguntei: "Você vai para onde no Brasil?".

Gideon correu os dedos por entre meus cabelos. "Rio."

"Ah." Eu podia vê-lo tomando sol na areia branca da praia de Copacabana, o magnífico corpo bronzeado à mostra, o azul brilhante de seus olhos protegidos por óculos escuros.

As mulheres esculturais ao redor não iam saber ao certo se ele estava olhando para elas ou não. Aquilo as deixaria excitadas e atiradas.

À noite, eles iam explorar a vida noturna de Ipanema ou, se fossem verdadeiros hedonistas, da Lapa. A todos os lugares que fossem, mulheres deslumbrantes, intensas e com pouca roupa iriam atrás. Era inevitável.

"Ouvi Cary dizer que você está com ciúmes", ele murmurou, esfregando o rosto no topo da minha cabeça. Havia um tom presunçoso de satisfação em sua voz.

"Foi por isso que você escolheu o Brasil? Para me fazer sofrer?"

"Meu anjo." Ele puxou meu cabelo com um pouco mais de força, inclinando gentilmente minha cabeça para trás, de modo a olhar para ele. "Não tive nada a ver com isso." Seus lábios se curvaram num sorriso sensual. "Mas fico feliz de saber que vai sofrer."

"Sádico." Eu me afastei.

Gideon não me deixou ir longe, puxando-me de volta. "Depois da história da Deanna, estava começando a achar que você estava entediada comigo."

"Ah, muito engraçado."

"Não para mim", ele disse, calmamente, seu olhar avaliando meu rosto.

Percebendo que estava falando meio sério, parei de tentar fugir. "Eu disse que não gostava da ideia."

"Não de imediato. Você recomendou que eu a seduzisse como se estivesse me mandando comprar uma garrafa de vinho no caminho de casa. Pelo menos quando falei que ia para o Rio você ficou toda tensa e amuada."

"Tem uma diferença..."

"Entre seduzir ativamente uma mulher com quem já transei antes e concordar em ir a uma despedida de solteiro que não planejei? Sem dúvida. E não faz o menor sentido você ficar tranquila com a primeira coisa e ter um problema com a segunda."

Encarei-o. "A primeira é uma transação de negócios em um ambiente controlado. A outra é a última aventura de sexo casual numa das cidades mais sensuais do mundo!"

"Você quem sabe." Sua voz estava baixa, suave, tranquila. O que significava perigo.

"Não estou preocupada com você", ressaltei. "O problema são as mulheres que vão querer você. E seus amigos, que vão ficar bêbados e querer que você entre na brincadeira."

Seu rosto estava impassível, seu olhar, tranquilo. "E você acha que não sou forte o suficiente para lidar com a pressão dos amigos?"

"Não falei isso. Não coloque palavras na minha boca."

"Só estou tentando entender seu raciocínio complicado."

"Olha. Vamos voltar ao cenário da Deanna." Eu me soltei do abraço dele e levantei. De frente para a mesa de centro, estendi as mãos, como se dirigisse um filme. "O que imaginei antes de fazer a sugestão foi: você na sua sala, recostado contra sua mesa daquele seu jeito bem sensual. O paletó no cabide, talvez um uísque com gelo ao alcance da mão, para dar um toque informal."

Voltei-me para o sofá.

"Deanna na poltrona mais distante, para ter uma visão bem completa da cena. Você lança um olhar demorado na direção dela, diz algumas frases de duplo sentido sobre fazerem coisas juntos. A imaginação corre solta, e Deanna assina um contrato. Só isso. Você não chega nem a um metro dela nem se senta. O vidro fica transparente, para ela não dar em cima de você."

"E você imaginou tudo isso em uma fração de segundo?"

Dei uma batidinha na têmpora. "Tenho algumas memórias aqui que serviram de inspiração."

"Minhas memórias de sedução na minha sala não incluem mais ninguém", disse ele, secamente.

"Escuta, garotão." Sentei na mesa de centro. "Foi um pensamento espontâneo que me veio porque estava preocupada com você."

O rosto de Gideon se suavizou. "A salvadora da pátria. Eu entendo."

"Entende mesmo?" Inclinando-me para a frente, pousei as mãos sobre seus joelhos. "Vou ser sempre possessiva, Gideon. Você é *meu*. Queria poder colocar uma placa no seu pescoço dizendo isso."

Ele ergueu a mão esquerda, mostrando a aliança.

"Sabe quantas mulheres vão prestar atenção nisso quando você estiver circulando pelo Rio com sua turminha?", escarneci.

"Elas vão prestar atenção quando eu mostrar."

"E aí um dos caras vai deixar escapar que é uma despedida de solteiro, e elas só vão tentar com mais vontade."

"Tentar não vai levar ninguém a lugar nenhum."

Corri os olhos por seu corpo. "Você vai estar irresistível, de calça cinza e camiseta preta com decote V..."

"Você está se lembrando daquela noite na casa noturna."

Ele também, obviamente. Seu pau cresceu, levantando a calça de moletom de um jeito obsceno.

Quase gemi quando sua excitação comprovou o que já suspeitava: ele estava sem cueca.

"Não consegui parar de pensar em você, depois que saiu da minha sala", ele murmurou. "Não consegui tirar sua imagem da minha cabeça. Aí liguei para seu trabalho e você me provocou, dizendo que ia para casa para brincar com o vibrador, enquanto meu pau estava duro e pronto para você."

Eu me contorci, lembrando cada detalhe. Gideon estava com um suéter de gola V naquela noite em Nova York, mas imaginei a camiseta mais adequada ao clima tropical e ao calor úmido dos corpos se roçando em uma casa noturna do Rio.

"Imaginei você na sua cama", ele prosseguiu, acariciando a ereção por cima da calça. "As pernas abertas. As costas arqueadas. O corpo nu e molhado de suor enquanto enfiava um pau grosso de plástico na boceta molhada. Fiquei enlouquecido com a ideia. Nunca tinha sentido tanto tesão. Parecia que estava no cio. A necessidade de comer você era uma febre dentro de mim."

"Minha nossa, Gideon." Meu sexo doía. Meus seios estavam inchados e sensíveis, os mamilos duros e doloridos.

Ele me fitou, os olhos semicerrados. "Saí antes de marcar com você. Resolvi arranjar alguém que não me negasse. Ia levar a mulher para o hotel, jogar na cama e transar até aquela loucura ir embora. Não importava quem fosse. Ela não ia ter rosto nem nome. Não ia nem olhar para sua cara enquanto estivesse dentro dela. Ia ser só uma substituta."

Deixei escapar um ruído baixo de dor, a ideia de Gideon com alguém daquele jeito era angustiante demais para suportar.

"Cheguei perto." Sua voz estava rouca agora. "Bebi alguma coisa enquanto esperava uma indicação de que tinham terminado de flertar e estavam prontas para ir embora. Na primeira vez, achei que tivesse mudado de ideia só porque ela não fazia meu tipo. Na segunda, tive certeza de que ninguém serviria. Ninguém além de você. Fiquei furioso. Com você, por me dispensar. Com elas, por serem inferiores. Comigo, por ser fraco demais para esquecer você."

"Foi como eu me senti", confessei. "Nenhum cara servia. Nenhum deles era você."

"E vai ser sempre assim comigo, Eva. Só você. Sempre."

"Não tenho medo de que pule a cerca", reiterei, ficando em pé. Tirei a camiseta, depois o short. Em seguida, o sutiã e a calcinha de renda Carine Gilson. Fiz isso depressa, metodicamente. Sem qualquer tipo de provocação.

Gideon continuou recostado, observando, imóvel. Como o deus do sexo que era, esperava ser agradado.

Então o vi pelos olhos de outra pessoa, sentado daquele jeito, numa casa noturna brasileira lotada, a demanda silenciosa por sexo emanando de seus poros em ondas de calor e necessidade. Ele era aquilo, uma criatura intensa, sexual e insaciável. Havia alguma mulher no mundo capaz de resistir àquele desafio? Eu ainda não tinha encontrado.

Aproximei-me. Subi em seu colo. Minhas mãos deslizaram sobre os ombros largos, sentindo seu calor através do algodão da camiseta. Gideon pousou as dele nos meus quadris, queimando minha pele. "As mulheres que olharem para você vão querer fazer isso", murmurei. "Tocar você assim. Vão imaginar."

Olhando para mim, Gideon correu a língua lentamente pelo lábio inferior. "Vou estar pensando em você. Bem assim."

"Isso só vai piorar, porque elas vão perceber o quanto você quer."

"O quanto quero *você*", ele completou, descendo as mãos para agarrar minha bunda e me puxar contra sua ereção. Os lábios do meu sexo, abertos pela posição das minhas coxas, envolveram seu pau por cima do tecido. Com o clitóris pressionado contra ele, movi os quadris, emitindo um suspiro de prazer.

"Posso até ver essas mulheres procurando o melhor lugar para admirar você", continuei, quase sem fôlego. "Olhando você como quem quer ser comida imediatamente. Correndo os dedos pelo decote para exibir suas qualidades. Cruzando e descruzando as pernas, porque querem isto aqui."

Segurei aquele pau grosso e duro e o acariciei. Ele parecia vivo e ansioso na minha mão. Gideon abriu a boca, sua única demonstração de descontrole.

"Você está pensando em mim, por isso está duro. E, se estiver sentado assim, com as pernas abertas, elas vão ver como seu pau é grande e que você está pronto para usá-lo."

Levando a mão às minhas costas, peguei seu pulso e puxei seu braço esquerdo para o encosto do sofá. "Você vai estar assim. Não se mexa." Coloquei o outro braço no seu colo. "Um copo nesta mão, com dois dedos de cachaça envelhecida. Você dá um golinho de vez em quando, lambendo os lábios."

Inclinei-me para a frente e brinquei com a língua ao longo da curva sensual de sua boca. Seus lábios eram cheios, mas firmes. Com frequência adotavam uma expressão severa, sem deixar pistas do que estava pensando. Gideon sorria muito pouco, mas, quando o fazia, era com um ar bobo de menino ou com uma presunção confiante e desafiadora. Seus sorrisos vagarosos eram eróticos e provocantes, e os meios-sorrisos irônicos zombavam tanto de si mesmo quanto dos outros.

"Você vai parecer distante e reservado", continuei. "Perdido em seus pensamentos. Entediado com a energia frenética e a música alta. Os caras indo e vindo ao seu redor. Manuel sempre com um mulherão no colo. Cada vez que você olha é uma diferente. Por ele, tem para todos."

Gideon sorriu. "Ele tem uma queda por latinas. Aprova totalmente minha escolha em matéria de esposas."

"Esposa", corrijo. "Primeira e última."

"A única", ele concordou. "Pavio curto. Sangue quente. Meu primeiro e único caso permanente de uma noite só. Sei exatamente como vai ser entre a gente, e aí você vem e me pega de surpresa. Me come vivo, toda vez, e ainda quer mais."

Segurei seu queixo com a mão e o beijei, acariciando seu pau em movimentos lentos. "Arash aparece com um copo para você toda vez que dá uma volta no salão. Ele conta o que viu, e você parece divertido por um instante, o que enlouquece as mulheres de olho em você. Aquele pequeno momento de intimidade só faz com que queiram mais."

"E Arnoldo?", murmurou, olhando-me com olhos sombrios e ardentes.

"Está sozinho, como você. Ferido e cauteloso, mas acessível. Flerta e sorri, só que sempre com aquele ar de inalcançável. As mulheres que ficarem intimidadas demais por você vão até ele. E Arnoldo vai fazer com que esqueçam você, embora ele próprio não vá se lembrar delas."

Uma sombra de sorriso passou por sua boca. "Enquanto isso, eu vou estar lá, emburrado e pensativo, num tesão constante, sentindo tanto sua falta que nem vou conseguir me divertir?"

"É como imagino, garotão." Ajeitei-me em suas coxas rígidas. "E as mulheres vão se ver sentadas assim no seu colo. E vão querer enfiar as mãos na sua camiseta desse jeito."

Deslizei minhas mãos sob sua roupa e apertei os músculos fortes do abdome. Meus dedos acompanharam os sulcos, traçando todas as linhas daquele tanquinho ao meu alcance. "E vão imaginar quão forte é seu corpo por baixo das roupas, como seria apertar seus peitorais."

Minhas ações acompanhavam as palavras, o coração disparando com a sensação da pele dele nas minhas mãos. Gideon era tão forte e trabalhado, uma máquina sexual poderosa. Eu podia sentir o impulso feminino primitivo que respondia imediatamente àquilo. Ansiava por ele. Era um par digno com quem acasalar, um macho alfa no auge. Vigoroso. Potente. Eminentemente perigoso e indomável.

Ele se moveu, e eu parei. "Não, fica quieto", adverti. "Você não tocaria nelas."

"Nem deixaria que chegassem perto de mim", ele disse, mas voltou para a posição em que eu o tinha colocado. Um sultão, reverenciado por uma ávida integrante do harém.

Levantei sua camisa, puxando-a pela cabeça e prendendo seus ombros para trás ao esticar o tecido. Gideon virou o rosto, levando a boca ao meu mamilo sensível e o chupando de leve. Soltei um gemido e tentei me afastar, excitada demais para aguentar. Seus dentes morderam a ponta endurecida, prendendo-me.

Com a cabeça baixa, mantive os olhos fixos na visão de suas bochechas sulcadas. Sua língua atacou meu mamilo com o calor da boca, o pescoço esguio se movendo à medida que me chupava. Meu útero tremeu e se contraiu, num eco da sucção rítmica.

Levando a mão entre nós dois, desamarrei o elástico do moletom e baixei a calça o suficiente para libertar seu pau. Segurei-o com ambas as mãos, os dedos acompanhando as veias pulsantes e grossas ao longo dele. Estava molhado na ponta, e deslizei sobre aquele líquido escorregadio.

Quando posicionei seu pau na entrada do meu sexo, ele me interrompeu. "Devagar, meu anjo", ele ordenou, bruscamente. "Prepare o terreno. Vou passar a noite toda dentro de você e não te quero dolorida."

Senti a pele toda arrepiada. "Elas não pensariam em ir devagar", argumentei.

Gideon ergueu ambas as mãos e ajeitou meu cabelo para trás. "Você não está imaginando outras mulheres agora, meu anjo. É em *você* que está pensando."

Espantada, percebi que ele tinha razão. A mulher em cima dele não era nenhuma das morenas de pernas compridas que eu tinha visualizado comendo Gideon com os olhos. Era eu. Era eu a acariciar seu pau, admirada. Era eu quem o posicionava junto a mim e baixava o corpo para ele, aproveitando para esfregar a cabeça larga do pau de um lado para o outro na entrada do meu sexo.

Gideon gemeu com a sensação, os quadris se erguendo de leve, empurrando, exigente, a entrada do meu corpo. Ele agarrou meus quadris e me puxou para baixo, abrindo-me com o pau.

"Ah, Gideon." Afundei em cima dele, as pálpebras pesadas, recebendo alguns centímetros da sua grossura dentro de mim.

Ele me levantou de leve, até que só a cabeça estivesse lá dentro, e me baixou de novo, entrando mais um pouquinho. Os tendões do seu pescoço saltaram. "Você não me quer usando uma placa no pescoço. Me quer usando *você*, essa boceta apertada espremendo meu pau. Você se vê em cima de mim enquanto eu fico aqui sentando, vendo você se esbaldar."

E esticou os braços ao longo do encosto do sofá, exibindo o torso magnificamente masculino.

"Ou você quer que eu participe?"

Umedeci os lábios secos e balancei a cabeça. "Não."

Ergui o corpo e desci mais uma vez. E de novo, e de novo. Indo cada vez mais fundo, até que minha bunda chegasse a suas coxas. Ele era grosso e longo. Eu gemia baixinho, sentindo-o pulsar dentro de mim.

E Gideon ainda não tinha entrado por inteiro.

Inclinando a cabeça, beijei-o, saboreando o lento movimento de sua língua na minha.

"Elas estão olhando você, não estão?", ele ronronou.

"Olhando *você*. Quando eu levanto, elas o veem de relance, o quanto é grande. E querem isso, sofrem por isso, mas é meu. Você me observa. Não consegue tirar os olhos de mim. Para você, não tem mais ninguém na sala."

"Mas, ainda assim, eu não toco você, não é?" Fiz que não com a cabeça, e sua boca se curvou num sorriso perverso. "Dou um gole casual na minha cachaça, como se não estivesse com a mulher mais linda do mundo sentada no meu pau à vista de todo mundo. Já não estou mais entediado; aliás, nunca fiquei. Estava esperando. Por você. Sabia que estava por perto, pelo latejar do meu sangue."

Com as mãos em seus ombros, cavalguei-o com movimentos cadenciados dos quadris. Ele era uma delícia. A sensação de seu pau entrando. O ruído baixo e perigoso em seu peito que traía sua excitação. O brilho de suor no torso. A forma como seu abdome se contraía quando eu descia e o deixava entrar fundo. Eu queria mais e mais.

E a forma como entrou no meu jogo... quão bem me conhecia... o quanto me amava...

Gideon se entregava ao sexo comigo, mas estava sempre consciente, concentrado em mim antes de gozar. Ele percebeu minha fantasia exibicionista antes de mim e me satisfez. Sempre me mantendo segura, nunca realmente arriscando a exposição, mas me provocando com a possibilidade. Eu jamais compartilharia meu homem daquela maneira, era possessiva demais. E ele nunca compartilharia nem um vislumbre de mim, porque era muito protetor.

Mas a gente se provocava e brincava. Para duas pessoas a quem o sexo fora introduzido com dor e vergonha, o fato de que éramos capazes de encontrar alegria e amor no ato era maravilhoso.

"Estou tão duro dentro de você", ele rosnou. "A música está alta, então ninguém pode ouvir os sons que estou fazendo, só você. Você sabe que está me deixando louco. O fato de que não demonstro a deixa tão excitada quanto o de estarmos sendo observados."

"Seu controle", arfei, acelerando o ritmo.

"Porque estou no comando mesmo estando embaixo", ele acrescentou, sombrio. "Você finge estar no controle, mas não é o que quer. Conheço seus segredos, Eva. Vou conhecer todos eles. Não há nada que possa esconder de mim."

Ele levou o polegar aos lábios e passou a língua de forma lenta e sensual por todo o dedo, os olhos fixos no meu rosto. Levando a mão entre nós dois, esfregou meu clitóris em círculos rápidos e firmes, e gozei com um grito, meu sexo apertando seu pau em ondas de êxtase.

Ele despertou para a ação: agarrou-me apertado e se levantou, jogando-me de costas no sofá, enquanto ficava em pé e enfiava aquele centímetro final de pau grosso dentro de mim. E logo estava me fodendo com uma fome violenta e primal, em meio às ondas do meu clímax, em busca do seu próprio.

Gideon jogou a cabeça para trás e arfou meu nome ao ter um espasmo dentro de mim. Gemendo, soltou um jorro quente, mas seus quadris continuaram se movendo como se não pudesse parar.

Piscando, fui aos poucos me dando conta da luz do luar no teto. Um travesseiro acomodava minha cabeça, e o calor de um edredom envolvia meu corpo nu.

Virei a cabeça para procurar por Gideon, mas o lugar ao meu lado estava vazio, os lençóis ligeiramente amassados, mas arrumados. Sentei e olhei para o relógio. Eram quase três da manhã.

Olhei na direção do banheiro e então para o corredor. Uma luz fraca se infiltrava pela fresta da porta parcialmente fechada. Saí da cama e fui até o robe pendurado atrás da porta. Envolvendo-me na seda azul, saí do quarto e, apertando o cinto, caminhei até o escritório de Gideon.

Era de lá que vinha a luz que iluminava o corredor. Apertei os olhos diante do clarão e absorvi a cena depressa: um cachorrinho dormindo na cama e um homem pensativo sentado à mesa. Tinha os olhos fixos no mural de fotos que enfeitava a parede, os braços apoiados no descanso da cadeira e um copo nas mãos.

Ele olhou para mim.

"O que foi?", perguntei, atravessando o cômodo de pés descalços. "Não está fugindo da cama, está?"

"Não. Deveria", respondeu, "mas não estou. Não consegui dormir."

"Quer se exercitar?" Dei um sorriso, que deve ter parecido bobo, considerando que estava com um dos olhos fechado por causa da luz.

Gideon colocou a bebida na mesa e deu um tapinha no colo. "Vem aqui."

Fui até ele e enrosquei os braços em volta do seu pescoço. Beijei sua mandíbula. "Tem alguma coisa incomodando você."

Fosse o que fosse, aquilo o estava incomodando a noite inteira.

Passando a ponta do nariz na curva da minha orelha, ele sussurrou: "Tem alguma coisa que você não me contou?".

Franzi o cenho e me afastei, avaliando seu rosto. "Tipo o quê?"

"Tipo qualquer coisa." Seu peito se expandiu em uma respiração profunda. "Você tem algum segredo guardado?"

Assimilei a pergunta, sentindo algo estranho no estômago. "Seu presente de aniversário. Mas não vou dizer o que é."

Um sorriso suavizou sua boca.

"E você", murmurei, encantada com aquilo. "Todas as suas partes que só eu conheço. Você é um segredo que vou levar para o túmulo."

Ele mantinha a cabeça baixa, os cabelos escondendo parcialmente o rosto. "Meu anjo."

"Aconteceu alguma coisa, Gideon?"

Ele levou um longo tempo para responder. Então olhou para mim. "Você me diria se alguém que conhece, alguém próximo a você, estivesse fazendo algo ilegal?"

A sensação ruim em meu estômago se transformou em um nó. "O que você ouviu? Tem algum blog de fofoca espalhando mentiras?"

Ele ficou tenso. "Responda à pergunta, Eva."

"Não tem ninguém fazendo nada ilegal!"

"Não foi o que perguntei", insistiu, paciente, mas com firmeza.

Lembrei qual tinha sido a pergunta. "Diria, claro que diria. Eu te conto tudo."

Ele relaxou. Sua mão tocou meu rosto. "Você pode me confiar qualquer coisa, meu anjo. Não importa o quê."

"Eu confio." Segurei seu pulso. "Não estou entendendo por que está falando assim."

"Não quero nenhum segredo entre nós."

Lancei-lhe um olhar. "Você é que nunca me conta nada."

"Estou trabalhando nisso."

"Eu sei que está. É por isso que está tudo tão bem entre nós agora."

A suavidade voltou ao seu sorriso. "Está, não está?"

"Claro." Beijei sua boca sorridente. "Chega de fugir e se esconder."

Ajustando meu corpo em seu abraço, Gideon se levantou, carregando-me consigo.

"O que a gente vai fazer?", perguntei, mergulhando o rosto no seu corpo quente.

Ele voltou para o quarto. "Se exercitar."

"Oba!"

A manhã seguinte foi como a anterior, com Gideon em pé na hora de sempre, enquanto eu, nua, rolava na cama feito um bicho-preguiça.

Dentro do closet, atando o nó da gravata, ele desviou o olhar do espelho para mim. "O que vai fazer hoje?"

Bocejando, abracei o travesseiro mais apertado. "Vou voltar a dormir quando você sair. Só mais uma hora. Blair Ash vai passar aqui lá pelas dez."

"Ah, é?" Ele olhou para o espelho. "Por quê?"

"Vou mudar algumas coisas. Vamos transformar o quarto de hóspedes em escritório, com um sofá-cama. Ainda vamos poder receber gente, mas vou ter um lugar onde trabalhar."

Gideon alisou a gravata e começou a abotoar o colete, voltando para o quarto. "Não discutimos isso."

"Verdade." Deslizei a perna para fora do lençol. "Não queria brigar por causa disso."

O arranjo original era transformar o quarto de hóspedes no meu quarto e conectá-lo ao banheiro principal, para termos duas suítes, uma para cada um. Era um jeito de lidar com a parassonia de Gideon, mas também significava que teríamos que dormir em quartos separados.

"Não podemos dividir a mesma cama", ele disse, calmamente.

"Discordo." Continuei, antes que pudesse insistir: "Tentei me adaptar, Gideon, mas não gosto da ideia de ficarmos separados".

Ele continuou em pé, em silêncio, as mãos nos bolsos da calça. "Não é justo me fazer escolher entre sua felicidade e sua segurança."

"Eu sei. Mas não estou fazendo você escolher, já decidi. Também sei que não é justo, mas alguém tinha que decidir, e foi o que fiz." Sentei na cama, joguei o travesseiro atrás de mim e me recostei contra a cabeceira.

"Tomamos uma decisão juntos. Aí você mudou de ideia sem falar comigo. E ficar exibindo esses peitos, por mais bonitos que sejam, não vai me distrair."

Franzi a testa para ele. "Se quisesse distrair você, não teria tocado no assunto."

"Cancela a visita, Eva", Gideon ordenou, firme. "A gente tem que conversar sobre isso primeiro."

"Ele já veio aqui. Teve que sair mais cedo, porque a polícia apareceu, mas Blair está trabalhando no projeto novo. Vai trazer algumas ideias hoje."

Gideon tirou as mãos dos bolsos e cruzou os braços. "Então sua felicidade vem em primeiro lugar e a minha que se dane?"

"Você não vai ficar feliz de dividir a cama comigo?"

Um músculo em sua mandíbula tremeu. "Não brinca com isso. Você não está levando em conta o que aconteceria comigo se eu machucasse você."

Na mesma hora minha frustração se transformou em vergonha. "Gideon..."

"E não está considerando o que aconteceria com *a gente*", ele exclamou. "Você pode brincar com o que quiser, Eva, mas não com algo que vai prejudicar nossa relação. Se quiser dormir perto de mim, vou estar lá. E se me quiser do seu lado quando acordar, também posso fazer isso. Mas as horas entre uma coisa e outra, quando estamos inconscientes, são muito perigosas para arriscar por um capricho."

Engoli em seco, com um nó na garganta. Queria explicar melhor, dizer que me preocupava com a distância que dormir em quartos separados criaria. Não só física, mas emocional.

Doía que ele fizesse amor comigo e então deixasse minha cama. Era como pegar algo bonito e mágico e transformar em outra coisa. Se ele ficasse até eu dormir e depois acordasse antes de mim para voltar para a cama, não dormiria o suficiente. Por mais incansável que Gideon parecesse, ainda era humano. Trabalhava muito, exercitava-se mais ainda e tinha que lidar com uma tonelada de estresse dia após dia. Falta de sono não poderia se tornar uma rotina.

Mas seus medos a respeito da minha segurança não iam se dissipar numa única conversa. Aquilo teria que ser feito aos poucos.

"Certo", concedi. "Vamos combinar assim: Blaire vai deixar os projetos aqui e mais tarde a gente conversa sobre eles juntos. Enquanto isso, a gente concorda em não derrubar nenhuma parede no quarto de hóspedes. Acho que seria ir longe demais, Gideon."

"Você não achava isso antes."

"É um paliativo que pode se tornar permanente, e não queremos isso. Bom, você não quer isso, né? Não quer trabalhar a possibilidade de dormirmos juntos?"

Ele descruzou os braços e deu a volta na cama, sentando na beirada. Segurou minha mão e a levou aos lábios. "Quero. Me mata saber que não posso dar algo tão básico do casamento a você. E saber que está infeliz com isso... Sinto muito, meu anjo. Não consigo dizer o quanto."

Inclinei-me para a frente e segurei seu rosto. "Vamos dar um jeito. Eu deveria ter falado com você. Acho que dei uma de Gideon... fazer primeiro, explicar depois."

Sua boca se retorceu de tristeza. "*Touché*." Então ele me deu um beijo rápido. "Fica de olho nesse Blaire. Ele está a fim de você."

Recostei-me de novo no travesseiro. "Ele me acha bonita", corrigi. "É um galanteador nato."

Os olhos de Gideon assumiram um brilho perigoso. "Ele deu em cima de você?"

"Se tivesse passado dos limites, eu mesma o poria no olho da rua, mas acho que deve flertar um pouco com todas as clientes. Aposto que é bom para os negócios." Sorri. "Ele baixou a bola quando disse que estava me acostumando com sua resistência física e não achava mais que precisava de uma cama separada."

Gideon arregalou os olhos. "Mentira."

"Verdade. Vou ter bastante tempo para dormir quando morrer, eu disse a ele. Até lá, se meu marido quiser dar no couro uma meia dúzia de vezes por noite e for sempre tão habilidoso, quem sou eu para reclamar?"

A primeira vez que marquei com Blair, não tinha pensado no que o designer ia achar da ideia de Gideon se casar com uma mulher com a qual não tinha intenção de dormir. Quando percebi seu flerte sutil, entendi por que ele achou que eu seria receptiva — a situação toda era bem estranha. No entanto, Gideon nunca se preocupou com o que estranhos poderiam pensar. Sua questão era sempre comigo, não com sua reputação como mulherengo inveterado.

E foi engraçado colocar Blair no lugar dele.

Afofei o cabelo bagunçado. "Sou uma loira peituda. É só dar uma risadinha e posso dizer qualquer coisa."

"Minha nossa." Gideon fingiu um suspiro longo e sofrido, mas estava obviamente achando graça. "Você precisa compartilhar os detalhes da nossa vida sexual com todo mundo?"

"Não." Pisquei. "Mas é divertido."

Não dormi depois que Gideon saiu para trabalhar. Peguei o telefone e liguei para meu instrutor, Parker Smith. Como era cedo, ele ainda não estava trabalhando e atendeu.

"Oi, Parker. É Eva Tramell. Tudo bem?"

"Tudo bem. Você vem hoje? Anda muito mole."

Franzi o nariz. "Pois é. Mas vou hoje, sim. É por isso que estou ligando. Quero trabalhar uma coisa com você."

"Ah, é? O quê?"

"A gente já viu a questão da consciência situacional e do que fazer se eu ficar acuada, como fugir e tal. Mas e se eu for pega totalmente de surpresa, quando estiver dormindo, por exemplo?"

Ele assimilou a pergunta. "Uma joelhada forte no saco derruba qualquer homem. E dá a você o espaço de que precisa."

Já tinha feito aquilo com Gideon antes, para acordá-lo de um pesadelo horroroso. E faria de novo, se as coisas chegassem a esse ponto, mas preferia conseguir me soltar dele e fugir sem machucá-lo. Os sonhos já eram sofrimento o bastante. Não queria que acordasse sentindo dor física também.

"Mas e se... Como dar uma joelhada em alguém que estiver deitado em cima de você?"

"A gente pode trabalhar isso. Coreografar alguns cenários diferentes." Ele fez uma pausa. "Está tudo bem?"

"Tudo ótimo", assegurei, e então menti. "Apareceu uma situação assim num programa de TV ontem à noite, e pensei que não importa o quanto você esteja preparada, não é possível estar consciente da situação durante o sono."

"Sem problemas. Vou chegar ao galpão daqui a umas duas horas e ficar até a hora de fechar."

"Legal. Obrigada."

Desliguei e fui para o chuveiro. Quando saí, havia duas chamadas não atendidas de Cary. Liguei de volta.

"E aí, tudo bem?"

"Estava pensando aqui com meus botões: você disse alguma coisa sobre um vestido clássico, não foi?"

Suspirei. Só de pensar naquilo eu gelava. Não importava o quanto quisesse acreditar que o vestido perfeito ia cair do céu antes do grande dia, era mais realista aceitar que teria que simplesmente me contentar com o que aparecesse.

Ainda assim, adorava que Cary não desistisse. Ele me conhecia tão bem quanto eu mesma.

"Que tal um dos vestidos de noiva da Monica?", ele sugeriu. "Vocês têm o mesmo corpo. Não ia precisar fazer muita alteração."

"Sério? Credo. Se for o do casamento com o meu pai, talvez. Mas não posso usar o vestido de um dos outros casamentos. Seria estranho demais."

Ele riu. "É, tem razão. Mas sua mãe tem muito bom gosto."

Corri os dedos pelo cabelo úmido. "E não acho que ela tenha guardado os vestidos de noiva. Não é uma boa lembrança para levar para a casa do novo marido."

"Tá, é uma ideia idiota. A gente pode procurar alguma coisa vintage. Tenho um amigo que conhece todos os brechós de design e de alta costura de Manhattan."

Não era uma ideia ruim. "Legal. Gostei."

"Às vezes, sou brilhante. Hoje vou passar o dia preso na Grey Isles, mas à noite estou livre."

"Tenho terapia de casal."

"Ah, certo. Divirta-se. E amanhã? A gente pode comprar alguma coisa para Ibiza também."

O lembrete dos planos do fim de semana fez com que eu me sentisse correndo contra o tempo. Não conseguia deixar de ficar ansiosa com a viagem, mesmo sabendo quão divertido seria passar um tempo com os amigos. "Amanhã está ótimo. Passo no apartamento."

"Perfeito. A gente faz logo as malas."

Desligamos, e fiquei com o telefone na mão por um bom tempo, sentindo uma pontada de tristeza. Pela primeira vez desde que tínhamos nos mudado para Nova York, era como se Cary e eu estivéssemos vivendo em dois locais distintos. Eu estava fazendo da cobertura minha casa com Gideon, enquanto a dele ainda era o apartamento.

A agenda do celular tocou, avisando que Blair chegaria em trinta minutos. Xingando a mim mesma, deixei o celular na cama e corri para me arrumar.

"Como vocês estão?", perguntou o dr. Petersen assim que, como sempre, eu e Gideon nos sentamos no sofá e ele em sua poltrona, pegando o tablet.

"Melhor do que nunca", respondi.

Gideon não disse nada, mas estendeu a mão e pegou a minha, colocando-a para descansar em sua coxa.

"Recebi o convite da festa." O dr. Petersen sorriu. "Minha esposa e eu estamos ansiosos."

Não tinha conseguido convencer minha mãe a incluir nem uma pontinha de vermelho nos convites, mas eles ficaram bonitos mesmo assim. Tínhamos escolhido um papel acetinado com um invólucro transparente e um envelope branco liso, para poder mandar por correio com privacidade. Imaginar que já tinham chegado aos convidados me causou um frio na barriga. Estávamos a mais um passo de poder deixar de lado a fachada do noivado.

"Eu também." Recostei no ombro de Gideon, e ele pôs o braço em mim.

"A última vez que nos encontramos", o dr. Petersen começou, "você tinha acabado de sair do trabalho, Eva. Como tem sido isso?"

"Mais fácil do que imaginava. Mas tenho andado ocupada, o que ajuda."

"Ajuda com o quê?"

Pensei na resposta. "Me impede de me sentir sem rumo. Estou mais ocupada agora. E trabalhando em coisas que realmente fazem uma diferença na minha vida."

"Tipo?"

"A festa, claro. E a mudança para a cobertura, que estou fazendo aos poucos. Também estou planejando algumas reformas e queria falar disso."

"Claro." Ele me estudou. "Vamos falar sobre essa mudança feita aos poucos, primeiro. Tem algum motivo para isso?"

"Bem, só não estou fazendo tudo de uma vez. Estou indo devagar."

"Você vê isso como uma forma de entrar na relação mais lentamente? Até aqui você foi muito decisiva. O casamento escondido. A separação. Largar o emprego."

Isso me fez pensar. "É uma transição que também afeta Gideon e Cary."

"Por mim quanto mais cedo ela se mudar, melhor", Gideon interveio.

"Só estou sendo cuidadosa." Dei de ombros.

O dr. Petersen fez anotações no tablet. "Cary está tendo dificuldade de se adaptar?"

"Não sei", admiti. "Não está agindo como se estivesse. Mas eu me preocupo. Sem minha ajuda, ele pode voltar aos maus hábitos."

"Você tem alguma opinião sobre isso, Gideon?"

Meu marido manteve o tom neutro. "Sabia onde estava me metendo quando me casei com ela."

"Isso é sempre bom." O dr. Petersen sorriu. "Mas não diz muito."

Gideon levou a mão do meu ombro ao meu cabelo e ficou brincando com ele. "Como um homem casado, doutor, você sabe que é preciso fazer algumas concessões para manter a paz. Cary é uma das minhas."

Doía ouvir aquilo, mas eu entendia que Cary tinha pisado na bola várias vezes — como ao fazer sexo grupal na sala do nosso apartamento —, e isso pesava contra ele.

O dr. Petersen olhou para mim. "Então você está tentando equilibrar as necessidades do seu marido e do seu melhor amigo. É estressante?"

"Não é divertido", eu me esquivei, "mas também não chega a ser *equilibrar* as coisas. Meu casamento — e Gideon — está em primeiro lugar."

Pelo jeito com que sua mão agarrou meu cabelo — possessivamente —, dava para perceber que Gideon tinha gostado de ouvir aquilo.

"Mas não quero sobrecarregar Gideon e não quero que Cary se sinta abandonado. Levar uma mala de cada vez faz com que a mudança seja gradual."

Uma vez que as palavras tinham sido ditas, não tinha como não admitir que soavam maternais. Ainda assim, não podia deixar de querer proteger as pessoas da minha vida que precisavam de proteção, sobretudo da dor que minhas próprias ações poderiam causar.

"Você falou de todo mundo, menos você", o terapeuta ressaltou. "Como está se sentindo?"

"A cobertura está começando a ficar com um jeitinho de casa. Só estou tendo dificuldade de lidar com a questão das suítes. Temos dividido a cama, mas Gideon quer dormir em quartos separados, e eu não."

"Por causa dos pesadelos?", perguntou o dr. Petersen, com os olhos em Gideon.

"É", ele respondeu.

"Teve algum recentemente?"

Ele assentiu. "Nenhum muito ruim."

"O que constitui um pesadelo muito ruim? Faz você agir fisicamente?"

O peito de Gideon se expandiu em uma respiração profunda. "Isso."

O terapeuta me olhou de novo. "Você entende o risco, Eva, mas ainda quer dividir a cama com Gideon?"

"Quero, claro." Meu coração disparou com as memórias. Gideon me prendendo violentamente, as palavras horríveis de dor e fúria se derramando em ameaças brutais.

No meio de um pesadelo, Gideon não me via, via Hugh, um homem que queria matar com as próprias mãos.

"Muitos casais felizes dormem separados", o dr. Petersen comentou. "As razões são as mais variadas — o marido ronca, a esposa puxa as cobertas, e por aí vai —, mas eles acham que dormir separados traz mais benefícios para a harmonia conjugal."

Eu me afastei de Gideon, querendo fazê-lo entender. "Eu *gosto* de dormir junto dele. Às vezes, acordo no meio da noite e o vejo dormir. Às vezes, acordo e nem preciso abrir os olhos, só fico ouvindo sua respiração. Sinto seu cheiro, seu calor. Durmo melhor quando está do meu lado. E sei que ele também."

"Meu anjo." Gideon acariciou minhas costas.

Olhando por cima do ombro, sustentei seu olhar. Seu rosto estava impassível. Lindo. Os olhos, porém, eram duas piscinas azuis de dor. Peguei sua mão. "Sei que você sofre. Desculpa. Só preciso que a gente tente resolver isso. Não quero desistir agora."

"O que você descreveu, Eva", o dr. Petersen disse, gentilmente, "é a intimidade. Uma das verdadeiras alegrias do casamento. É compreensível que almeje isso. É o que todo mundo quer, em certo sentido. Para você e Gideon, no entanto, é provável que seja particularmente importante."

"Para mim, é", concordei.

"Está querendo dizer que para mim, não?", Gideon perguntou, com firmeza.

"Não." Voltei-me para ele. "Por favor, não fique na defensiva. Não estou culpando você."

"Você tem noção de que isso faz eu me sentir um lixo?", ele atacou.

"Não leve para o lado pessoal, Gideon. É..."

"Minha esposa quer me ver dormir e não posso nem dar isso a ela", ele retrucou. "Como não é culpa minha?"

"Certo, vamos discutir a questão", o dr. Petersen interveio depressa, chamando a nossa atenção para ele. "O cerne desta conversa é um desejo de intimidade. Os seres humanos, por natureza, anseiam por isso, mas, nos sobreviventes de abuso sexual na infância, essa necessidade pode ser maior."

Gideon ainda estava tenso, mas ouvia atentamente.

"Em muitos casos", o terapeuta continuou, "o abusador se esforça para isolar a vítima de modo a esconder seu crime e a tornar dependente. As próprias vítimas muitas vezes se afastam dos amigos e dos parentes. A vida dos outros parece comum demais e seus problemas, insignificantes demais, perto do terrível segredo que se sentem obrigados a esconder."

Voltei para junto de Gideon, puxando os joelhos para cima do sofá até tocá-lo com todo o meu corpo. Seu braço me envolveu de novo e ele segurou minha mão.

O rosto do dr. Petersen se suavizou ao olhar para nós. "Essa solidão profunda foi aliviada quando vocês se abriram um para o outro, mas passar tanto tempo sem intimidade de verdade deixa uma marca. Acho que vocês devem pensar em formas alternativas de alcançar a proximidade que Eva tanto almeja. Criar sinais e rituais que sejam específicos do relacionamento de vocês e que tragam um sentimento de conexão sem ameaçar nenhum dos dois."

Suspirando, assenti.

"Vamos trabalhar nisso", ele prometeu. "E, Gideon, é provável que seus pesadelos continuem a diminuir em quantidade e gravidade à medida que fizermos isso. Mas é só o começo. Os primeiros passos de uma longa viagem."

Inclinando a cabeça para trás, olhei para Gideon. "Uma vida inteira", jurei.

Gideon tocou meu rosto com dedos suaves. Não disse as palavras, mas as vi em seus olhos e as senti em sua carícia.

Tínhamos amor. O resto viria.

10

"Estou em contato com Benjamin Clancy", disse Raúl, debruçando-se sobre os cotovelos apoiados nos joelhos. "Você e a sra. Cross vão para o aeroporto na mesma hora, então podem ir juntos, se o senhor quiser."

"Claro." Precisava daquele tempo com Eva antes de nos separarmos. Ficar longe dela durante o trabalho já era demais. Um fim de semana ia ser uma tortura. "Vou ligar para Eva e avisar. Vamos precisar da limusine."

Sempre profissional, Raúl não demonstrou reação. Teria feito mais sentido usar a limusine para levar os amigos de Eva, mas nem o Bentley nem a Mercedes ofereciam a privacidade de que eu precisava.

Sentado no sofá da minha sala, tinha Angus e Raúl à minha frente, cada um numa poltrona. Tínhamos decidido que Angus ficaria nos Estados Unidos, enquanto Raúl chefiaria a equipe de segurança que me acompanharia ao Brasil.

Angus iria para Austin, para pesquisar o passado de Lauren Kittrie.

Raúl assentiu diante da minha ordem. "Vamos organizar transporte separado para os amigos da sra. Cross e os seus."

"Como Eva vai para Ibiza?"

"Jatinho particular", Raúl respondeu, "fretado por Richard Stanton. Sugeri o hotel Vientos Cruzados Ibiza, e Clancy concordou. Tivemos que fazer alguns acertos, porque o resort estava lotado para o verão, mas o gerente deu um jeito. Eles aumentaram a segurança em antecipação à chegada da sra. Cross."

"Ótimo." Ter Eva num resort das Indústrias Cross me dava mais tranquilidade. Tínhamos também duas casas noturnas famosas na ilha espanhola, uma na cidade e outra em Sant Antoni. Eu sabia que ambas já haviam sido indicadas a Clancy. Esperava que ele usasse a informação. Era um homem inteligente e ia gostar de ter o apoio adicional da equipe de segurança das casas.

"Como falamos antes", Raúl continuou, "vamos ter uma equipe nossa no aeroporto, que vai seguir a sra. Cross durante o fim de semana. Eles foram instruídos a ficar à paisana, fornecendo apoio à equipe de Clancy, e só vão interceder caso seja absolutamente necessário."

Assenti. Clancy era bom, mas estava de olho tanto em Monica quanto em Eva, e elas consideravam Cary da família, então também se ocuparia dele.

Sua atenção ficaria dividida entre três, e Monica seria a prioridade, por ser esposa do chefe. Eva não era a prioridade de mais ninguém além de mim. Queria olhos fixos nela em todos os instantes em que estivesse fora do hotel.

Ainda bem que aquele fim de semana seria uma exceção em nossa vida.

Raúl ficou em pé. "Vou falar com Clancy para discutir o protocolo da ida ao aeroporto."

"Obrigado."

Com um aceno de cabeça, ele saiu.

Angus se levantou. "Vou levar Lucky até a casa da sua irmã. Ela está me mandando mensagens de hora em hora para saber se eu já saí."

Aquilo quase me fez sorrir. Ireland tinha ficado animada quando perguntei se poderia cuidar do cachorro para mim. Imaginei que Lucky ia preferir aquilo a um canil, e Ireland estava precisando de uma distração do divórcio dos pais.

Angus parou a caminho da porta. "Divirta-se, rapaz. Vai te fazer bem."

Soltei uma risada contida. "Ligue se descobrir alguma coisa."

"Claro." Ele saiu, deixando-me sozinho para encerrar o trabalho da semana.

Conferi a hora no telefone antes de ligar para Eva.

"Oi, garotão", atendeu ela, a voz leve e animada. "Não consegue parar de pensar em mim?"

"E você não estava pensando em mim?"

"Sempre."

Pensei em Eva como a tinha visto na noite anterior, deitada de bruços na cama, os calcanhares no ar, vendo-me arrumar a mala com o queixo apoiado nas mãos e comentando minhas escolhas. Ela tinha reparado que eu não estava levando nem a calça cinza nem a camiseta preta de gola V com as quais tinha fantasiado. A omissão deliberada foi a única coisa que a fez sorrir. Tirando aquilo, passou a maior parte do tempo quieta e emburrada.

"Vamos para o aeroporto juntos", disse a ela. "Sozinhos."

"Ah." Eva assimilou a informação. "Isso vai ser bom."

"Estava torcendo para que fosse mais do que bom."

"Hum..." Eva baixou o tom de voz, adotando a rouquidão suave que me dizia que estava pensando em sexo. "Então você tem um fetiche por carros?"

Senti uma onda quente de divertimento tomar conta de mim, o que ajudava a aliviar o estresse causado pela programação dos dias que tínhamos pela frente. Eva me deixava possuí-la em qualquer ambiente, mas com frequência me seduzia quando estávamos a caminho de algum lugar. Com as antigas restrições de só transar no hotel, ela me enlouquecia, incitando-me a fazer amor em carros e aviões, na minha casa e em vários locais do trabalho.

Eu nunca dizia não. Não era capaz. Quando me queria, estava pronto e mais do que disposto.

"Tenho um fetiche por você", murmurei, repetindo algo que ela tinha me dito uma vez.

"Ótimo." Ela inspirou. "Já acabou o fim de semana?"

Ouvi Cary dizendo alguma coisa que não entendi. "Vai ser rápido, meu anjo. Vou deixar você agora."

"Não me deixe nunca, Gideon." Suas palavras tinham um fervor que me comoveu, deixando transparecer como estava insegura a respeito do fim de semana. Depois de uma separação que ela mesma exigira, era bom saber que não estava ansiosa por outra, mesmo em circunstâncias muito mais felizes.

"Vou deixar você se concentrar aí", corrigi. "Assim, vai estar pronta quando Raúl for buscar você."

"Vou estar pronta para você", ronronou ela, deixando-me duro e dolorido ao final da chamada.

Arash entrou na minha sala pouco depois das quatro, com um passo tranquilo, as mãos nos bolsos, cantarolando uma melodia. Sentou numa das cadeiras diante da minha mesa e sorriu. "Pronto para o fim de semana?"

"Tão pronto quanto é possível." Recostei-me na cadeira e tamborilei os dedos nos braços dela.

"Vai gostar de saber que a queixa de agressão de Anne Lucas vai ser retirada."

Era o que eu esperava, mas, ainda assim, era bom receber uma confirmação. "Como deveria ser."

"Não consegui descobrir se ela vai ser acusada pela falsa denúncia. Enquanto isso, se ela tentar entrar em contato com você, com Eva ou com Cary, de qualquer forma que seja, preciso saber imediatamente."

Assenti, distraído. "Claro."

Ele me avaliou. "No que está pensando?"

Fiz uma careta irônica. "Acabei de sair de uma ligação com um dos membros do conselho da Vidal Records. Christopher continua juntando capital para comprar o controle acionário."

Arash arregalou os olhos. "Se ele conseguir, você sai?"

"Se fosse só ele, sairia." Ainda não estava claro se Ireland ia se juntar aos negócios da família no futuro, mas, independentemente disso, ela tinha uma participação no sucesso da empresa, e Christopher tomava decisões ruins. Sempre dispensava minhas ofertas de ajuda e orientação. E, com frequência, também se recusava a ouvir o pai, presumindo, aparentemente, que seus conselhos viessem, em parte, de mim.

"O que o conselho acha?"

"Estão vendo a coisa como uma briga de família e querem que eu arrume uma solução rápida e indolor."

"Isso é possível? Você nunca se entendeu com seu irmão."

Balancei a cabeça. "Não."

Sabia que Arash não conseguia entender. Ele tinha um irmão e uma irmã, e sua família era muito unida.

O advogado suspirou. "Sinto muito, cara. Isso é difícil."

Em um mundo ideal, Christopher estaria na minha despedida de solteiro. Seríamos próximos. Ele seria meu padrinho de casamento...

Essa posição, aliás, ainda estava em aberto. Arnoldo tinha tomado as rédeas organizando o fim de semana, mas não sabia se ele tinha feito aquilo porque imaginava que estaria de pé ao meu lado no casamento. Talvez só tivesse mais iniciativa do que os outros.

Poucas semanas antes, não haveria dúvida de que o escolheria. Parte de mim ainda torcia por aquilo.

Arash também era uma boa opção. Eu encontrava meu advogado quase todos os dias. E, como tal, ele sabia coisas sobre mim — e sobre Eva — que ninguém mais imaginava. Podia confiar qualquer coisa a Arash, mesmo sem o privilégio da proteção advogado/cliente.

Mas Arnoldo era direto comigo de um jeito que mais ninguém além da minha esposa conseguia ser. Fazia muito tempo que achava que os conselhos curtos e incisivos dele eram o que tinha me impedido de me tornar cínico e desgastado demais.

Aquele fim de semana ia sacramentar minha escolha.

Parecia... errado esperar Eva diante da porta do apartamento. Ao me recostar contra a parede, pensei em como as coisas tinham evoluído depressa e com que fervor eu me opunha a revertê-las. Não imaginava que poderíamos ter aquilo. Um relacionamento às claras, sem segredos, profundamente apaixonados.

Havia tido vislumbres daquela vida antes. Algumas das noites que passamos juntos no apartamento ao lado. Os fins de semana em que fugíamos para ficar sozinhos. Mas aqueles eram momentos que existiam num vácuo. Agora, vivíamos aquilo abertamente. Seria ainda melhor quando o mundo soubesse que estávamos casados e que ela morava na cobertura comigo.

A porta se abriu e Eva saiu, parecendo descontraída e sensual num vestido vermelho transpassado e com sandálias de salto alto. Estava com os óculos escuros na cabeça e puxava uma mala de rodinhas. Da próxima vez que fizesse as malas, seria para nossa lua de mel. Sairíamos juntos, como naquele momento, mas continuaríamos juntos dali em diante.

"Passa pra cá", eu disse, endireitando-me para tirar a mala dela.

Eva pulou em cima de mim, o corpo macio e quente contra o meu. Então puxou minha cabeça para um beijo doce e rápido. "Você devia ter entrado."

"Você e eu, com uma cama por perto?" Abracei-a pela cintura e a levei na direção do elevador. "Eu teria tirado proveito da situação, se não achasse que Cary ia esmurrar a porta reclamando que vocês iam perder o voo."

Eva se separou de mim enquanto descíamos até o térreo, apoiando-se na parede do elevador. Ela exibia suas pernas sensuais, em um flerte de corpo inteiro, inclusive olhos. Eles brilhavam para mim à medida que ela lambia o lábio inferior. "Você está uma delícia."

Olhei para a camiseta branca de decote V e a calça cáqui que tinha vestido antes de sair do trabalho.

"Você em geral usa cores escuras", ela ressaltou.

"Vai estar quente demais aonde vamos."

"Você é que é quente demais." Ela tirou um dos pés do chão e esfregou uma perna na outra.

Divertido e sentindo o calor da excitação crescente, encostei e aproveitei o show.

Chegando ao térreo, gesticulei para que ela saísse na minha frente e me aproximei com duas passadas, pousando a mão na base de sua coluna.

Eva me lançou um sorriso por cima do ombro. "O trânsito vai estar parado."

"Que droga." Eu estava contando com o trânsito — e com o tempo que adicionaria à viagem.

"Você parece tãããão decepcionado", brincou ela, antes de sorrir para o porteiro, que abriu a porta.

Raúl estava esperando fora da limusine. Em instantes, estávamos a caminho, misturando-nos ao mar de carros que tentavam avançar pelas ruas de Manhattan.

Eva sentou no banco lateral, e eu fui para o do fundo. "Quer uma bebida?", ela perguntou, olhando para o bar à sua frente.

"Você quer?"

"Não sei." Ela franziu os lábios. "Queria uma, mais cedo."

Esperei enquanto se decidia, correndo o olhar por ela. Eva era minha alegria, minha luz. Faria qualquer coisa para mantê-la tranquila e satisfeita para o resto da vida. Doía imaginar que poderia magoá-la. Já tinha passado por tanta coisa.

Se descobríssemos que Monica não era quem Eva pensava ser, como dar a notícia a ela? Ela tinha ficado arrasada quando percebera que a mãe a estava rastreando pelo celular, pelo relógio e por um espelhinho que levava na bolsa. Identidade falsa seria uma traição muito pior.

E por que usar uma identidade falsa?

"Não consigo encontrar um vestido", ela disse, abruptamente, a boca exuberante se fechando numa expressão emburrada.

Levei um segundo para me afastar dos pensamentos e entender o que estava dizendo. "Para o casamento?"

Ela fez que sim com a cabeça, tão desanimada que minha vontade era de puxá-la para junto de mim e encher seu lindo rosto de beijos.

"Quer que eu ajude, meu anjo?"

"Não dá. O noivo não pode ver o vestido antes." Seus olhos se arregalaram de choque e horror. "Você já tinha visto o vestido que usei quando nos casamos pela primeira vez!"

Era verdade. Eu que tinha escolhido. "Quando vi, era só um vestido", tentei acalmá-la. "Só virou um vestido de noiva depois que você o colocou."

"Ah." O sorriso voltou. Ela tirou as sandálias e se juntou a mim, deitando a cabeça no meu colo, o cabelo dourado se espalhando sobre minhas coxas.

Correndo os dedos por entre os fios de seda grossa, inspirei fundo, apreciando o cheiro do seu perfume.

"O que você vai vestir?", ela perguntou, fechando os olhos.

"Está imaginando algo em especial?"

Sua boca se curvou num sorriso. A resposta saiu lenta e sonhadora. "Smoking. Você está sempre lindo, mas de smoking fica demais."

Passei os dedos sobre os lábios. Houve um tempo em que eu odiava meu rosto, odiava que minha aparência atraísse um interesse sexual tão intenso num momento em que se sentir desejado me dava arrepios. Acabei me acostumando com a atenção, mas só depois de Eva comecei a valorizar quem eu era por mim mesmo.

Ela gostava tanto de olhar para mim. Vestido. Nu. No banho. Enrolado numa toalha. Em cima dela. Embaixo dela. O único momento em que seus olhos não estavam em mim era quando estava dormindo — que, com frequência, era quando eu mais me deleitava em olhar para ela, deliciosamente nua, usando apenas as joias que eu tinha lhe dado.

"Está decidido, então. Vou de smoking."

Seus olhos se abriram, revelando o cinza suave que eu adorava. "Mas é um casamento na praia."

"Vou fazer funcionar."

"Ah, aposto que vai."

Abaixando a cabeça, ela esfregou o nariz no meu pau. O calor da respiração atravessou o tecido e alcançou a minha pele sensível. Fiquei duro de imediato.

Brinquei com seu cabelo. "O que você quer, meu anjo?"

"Isto aqui." Ela correu os dedos ao longo da minha ereção.

"Como você quer?"

Antes de responder, ela umedeceu os lábios com a língua. "Na minha boca", sussurrou, já abrindo o botão da minha calça.

Meus olhos se fecharam por um momento, numa inspiração profunda. O som do zíper abrindo, a pressão diminuindo enquanto ela cuidadosamente libertava meu pau...

Eu me preparei para o calor úmido de sua boca, mas foi inútil. Senti um espasmo violento quando Eva me sugou, o desejo e a necessidade formigando em minha espinha. Conhecia seus humores e como eles se traduziam no sexo. Ela planejava ir devagar, apreciar-me e me enlouquecer.

"Eva." Gemi quando ela me acariciou com dedos gentis, a boca trabalhando com carinho. Então Eva lambeu a cabeça do meu pau com movimentos lentos, saboreando.

Abri os olhos e a fitei. Eva ali, tão perfeitamente apresentável, inteiramente concentrada na sensação do meu pau em sua boca, era uma visão intensamente erótica e dolorosamente meiga.

"Isso é muito bom", eu disse, com a voz rouca, apoiando uma das mãos na parte de trás de sua cabeça. "Mais fundo... isso... assim..."

Joguei a cabeça para trás, as coxas tensas pela necessidade de dar impulso. Lutei contra a vontade, deixando-a tomar o que queria.

"Não vai terminar aí", avisei, sabendo que era seu objetivo.

Ela murmurou em protesto e me segurou com uma das mãos, bombeando meu pau num aperto suave e firme. Desafiando-me a resistir.

"Vou comer essa boceta perfeita, Eva. Minha porra vai estar dentro de você enquanto eu estiver lá longe esse fim de semana."

Fechei os olhos, imaginando-a em Ibiza, uma cidade famosa pela vida noturna, dançando com os amigos num mar de corpos. Os homens a cobiçando, sonhando em transar com ela. E, o tempo todo, Eva estaria marcada por mim da forma mais primitiva possível. Possuída, ainda que eu não estivesse lá.

Senti seu gemido com meu pau vibrando.

Ela se afastou, os lábios já vermelhos e inchados. "Não é justo." Fez beicinho.

Peguei sua mão e a levei ao meu peito, apertando-a contra meu coração acelerado. "Você vai estar aqui, meu anjo. Sempre."

"Cara, você não pode trabalhar agora", Manuel reclamou, deitando na espreguiçadeira ao meu lado. "Está perdendo a vista."

Olhei por cima do telefone, a brisa do mar em meu cabelo. Tínhamos ficado na Barra, na avenida Lúcio Costa, bem na frente do hotel em que nos hospedamos. A praia era mais descontraída que a de Copacabana, menos turística e cheia. Por toda a costa, mulheres de biquíni passeavam junto à arrebentação, os seios saltando quando pulavam as ondas, a bunda quase nua brilhando com o bronzeador. Na areia branca, Arash e Arnoldo continuavam jogando frisbee. Eu tinha me desligado da realidade quando senti o telefone tremer no bolso do calção de praia.

Olhei para Manuel, que estava corado e brilhando de suor. Ele tinha desaparecido cerca de uma hora antes, e o motivo estava na cara, mesmo para quem não o conhecia tão bem quanto eu.

"A vista aqui é melhor." Virei o telefone para mostrar a selfie que Eva tinha acabado de mandar. Estava deitada na praia também, numa espreguiçadeira não muito diferente da minha. O biquíni era branco, e sua pele já estava levemente bronzeada. Uma corrente fina descia por seu pescoço, aninhando-se entre seus seios fartos e envolvendo sua cintura fina. Óculos de sol protegiam seus olhos e um gloss vermelho cobria os lábios que me mandavam um beijo.

Queria que estivesse aqui..., dizia a mensagem.

Eu também. Estava contando as várias horas até entrar no avião para casa. O sábado tinha sido agradável o suficiente, um borrão de álcool e música, mas o domingo estava passando da conta.

Manuel soltou um assobio. "Uau."

Sorri, pois o comentário resumia bem meus pensamentos sobre a foto de Eva.

"Você não se preocupa que as coisas vão mudar depois do casamento?", ele perguntou, passando as mãos atrás da cabeça. "Esposas não são assim. Não mandam esse tipo de selfie."

Voltei para a tela inicial do telefone e mostrei para ele de novo.

Manuel arregalou os olhos para a foto do casamento que servia de papel de parede. "Impossível. Quando foi?"

"Um mês atrás."

Ele balançou a cabeça. "Não consigo entender. Estou falando de casamento em geral, não de você e Eva. Não cansa?"

"Ser feliz não cansa."

"A variedade não deveria ser o tempero da vida ou algo assim?", ele perguntou, com um ar de filósofo de meia-tigela. "Parte da diversão em comer uma mulher é descobrir o que a faz pulsar e se surpreender quando ela mostra algo novo. Ficar na mesma não vira rotina? Toca aqui, lambe ali, mantém o ritmo que ela gosta até gozar... Enxágua e repete."

"Quando chegar sua vez, você vai entender."

Ele deu de ombros. "Você quer filhos? É isso?"

"Um dia. Não tão cedo." Não podia nem imaginar. Eva daria uma excelente mãe; era protetora. Mas nós dois juntos como pais? Um dia, eu estaria pronto para aquilo. Lá na frente, quando fosse capaz de dividi-la com outra pessoa. "Agora, quero ela só para mim."

"Sr. Cross."

Olhei para cima e vi Raúl em pé atrás de mim, a boca numa linha rígida. Gelei na mesma hora, então sentei, pousando os pés na areia. "O que foi?"

O medo por Eva se instalou fundo em minhas entranhas. Ela tinha acabado de me mandar uma mensagem, mas...

"Você vai querer ver isso", disse ele, severamente, chamando minha atenção para o tablet que carregava.

Levantei, enfiei o celular no bolso e caminhei até ele. Estendi a mão. O brilho do sol escurecia a tela, então girei o corpo para cobrir o aparelho com minha sombra. A foto que vi fez o sangue gelar em minhas veias. A manchete me fez ranger os dentes.

Gideon Cross em despedida de solteiro selvagem à brasileira.

"Que merda é essa?", exclamei.

Manuel deu um tapa em meu ombro, aproximando-se de mim. "Parece com alguém se divertindo, *cabrón*. Com duas gostosas."

Olhei para Raúl.

"Clancy me mandou", explicou. "Fiz uma busca, e já ficou viral."

Clancy. Merda. *Eva...*

Devolvendo bruscamente o tablet a Raúl, peguei o telefone de novo. "Quero saber quem tirou essa foto." Quem sabia que eu estava no Brasil? Quem me seguira até uma casa noturna, em uma área VIP fechada, e tirara fotos?

"Já estamos em cima disso."

Xingando em silêncio, liguei para Eva. A impaciência e a fúria me invadiam enquanto esperava que ela atendesse. A ligação caiu na caixa postal, e desliguei. Liguei de novo. A preocupação tomou conta de mim.

Aquela foto capturava os piores temores de suas fantasias em cores muito vivas. Eu tinha que explicar, mesmo sem saber como. O suor escorria por minha testa e umedecia a palma das minhas mãos, mas, por dentro, eu estava gelado.

Caixa postal de novo.

"Merda." Desliguei e tentei outra vez.

11

"Você está com cara de quem precisa de um refil", anunciou Shawna, colocando dois *rebujitos* na mesinha entre nossas espreguiçadeiras.

"Nossa." Ri, um pouco bêbada. A mistura de xerez seco e refrigerante doce era sorrateira. E tratar uma ressaca com mais álcool não era exatamente a melhor estratégia. "Vou precisar de uma desintoxicação depois deste fim de semana."

Ela sorriu e se esticou na espreguiçadeira, a pele sardenta ainda pálida, mas ligeiramente rosada depois de dois dias ao sol. O cabelo ruivo estava preso no alto da cabeça num coque despojado e sensual, e a voz estava ligeiramente rouca de tanto rir na noite anterior. Num biquíni azul-claro que atraía muitos olhares apreciativos, Shawna era um ponto de luz, com sorriso fácil e senso de humor lascivo.

Nesse sentido, era muito parecida com o irmão, noivo do meu ex-chefe, Mark.

Megumi se aproximou do outro lado, com mais duas bebidas. Olhou para a espreguiçadeira vazia que estivera ocupada por minha mãe e perguntou: "Cadê a Monica?".

"Foi dar um mergulho." Procurei por ela, mas não a vi. Era difícil perder de vista seu biquíni lavanda, então imaginei que tivesse ido a algum lugar. "Já, já ela volta."

Minha mãe ficara com a gente o tempo inteiro, aproveitando cada passo do caminho. Não era seu estilo beber muito e ficar até tão tarde, mas parecia estar se divertindo. Estava, sem dúvida, causando um alvoroço, cercada por homens de todas as idades. Ela exalava uma sensualidade travessa irresistível. Gostaria de ter herdado aquilo.

"Olha só para ele", exclamou Shawna, chamando minha atenção para Cary, que brincava na arrebentação. "É um ímã de mulheres."

"Se é."

A praia estava tão lotada que ficava difícil ver a areia. Dezenas de ombros e cabeças balançando nas ondas do mar, mas era fácil identificar o grupinho ao redor de Cary. Ele estava com um sorriso no rosto, assimilando a atenção feito um gato no sol. Com o cabelo penteado para trás, a beleza de seu rosto lindo estava à mostra, apesar dos óculos de aviador que usava para se proteger do sol.

Ao me ver, acenou. Soprei um beijo, só para agitar as coisas.

"Você e Cary nunca ficaram?", perguntou Shawna. "Você já quis?"

Neguei com a cabeça. Cary era maravilhoso agora que estava saudável e musculoso, um homem perfeito. Mas, quando o conheci, era magro e tinha os olhos encovados, e usava sempre casaco com capuz, mesmo no calor do verão de San Diego. Assim ele escondia as marcas de cortes e a cabeça raspada.

Nas sessões da terapia de grupo, Cary sempre sentava fora do círculo, com a cadeira inclinada para trás, equilibrada nas pernas traseiras, apoiada na parede. Falava pouco, mas, quando o fazia, seu humor era sombrio e sarcástico, e soava quase sempre cínico.

Eu me aproximei dele uma vez, incapaz de ignorar a profunda dor que irradiava dele. *Não desperdice meu tempo tentando me amaciar*, ele disse, suavemente, os belos olhos verdes desprovidos de qualquer luz. *Se quer meu pau, é só dizer. Nunca recuso uma trepada.*

Sabia que era verdade. O dr. Travis tinha um monte de pacientes perturbados, muitos dos quais usavam o sexo como remédio ou forma de se punir. Cary estava ao dispor de todos eles, e muitos aceitavam o convite direto.

Não, obrigada, revidei, enojada pela agressividade sexual. *Você é magro demais para mim. Vai comer um cheeseburger antes, seu babaca.*

Depois disso, eu me arrependi de tentar ser gentil com ele. Cary me perseguiu sem piedade, constantemente com tiradas sexuais grosseiras. No começo, eu o afrontava. Como aquilo não funcionou, tentei ser bondosa. Por fim, ele acabou percebendo que não estava mesmo interessada em dormir com ele.

Naquele meio-tempo, Cary começou a ganhar peso. Deixou o cabelo crescer. Começou a ser mais seletivo. Notei como era bonito, mas não havia atração. Era parecido demais comigo, e meus instintos de autopreservação dispararam em alerta máximo.

"Éramos amigos", eu disse. "Até que um dia percebi que era como um irmão para mim."

"Adoro Cary", disse Megumi, passando bronzeador nas pernas. "Ele me disse que as coisas estão esquisitas com Trey. É uma pena ouvir isso. É um casal tão legal."

Assenti, voltando o olhar para meu amigo mais querido. Cary estava levantando uma mulher pela cintura para atirá-la nas ondas. Ela caiu na água às gargalhadas, obviamente conquistada. "É meio clichê dizer que se tiver que dar certo, vai dar certo, mas..."

Ainda tinha que ligar para Trey. E para a mãe de Gideon, Elizabeth. Queria trocar uma palavra com Ireland, também. E Chris. Como provavelmente estaria exausta por causa do fuso horário e do excesso de álcool, fiz uma nota mental para fazer essas ligações quando estivesse me recuperando na cobertura. Precisava falar com meu pai, já que tinha adiado nossa ligação programada para sábado por causa da diferença de horário.

"Não quero ir para casa." Megumi se esticou com um suspiro, a bebida nas mãos. "Estes dois dias passaram rápido demais. Nem acredito que vamos embora em poucas horas."

Ficaria em Ibiza facilmente mais uma semana se não estivesse com tanta saudade de Gideon.

"Eva, querida."

Virei a cabeça ao ouvir a voz da minha mãe. Envolvida em sua saída de praia, ela veio por trás de mim e parou perto da espreguiçadeira. "Já está na hora?"

Minha mãe negou com a cabeça. Então notei que torcia as mãos, o que nunca era um bom sinal.

"Vamos ao hotel comigo?", perguntou. "Precisamos conversar."

Vi Clancy de pé atrás dela, a mandíbula apertada e rígida. Meu pulso disparou. Levantei, peguei minha canga e a amarrei em volta da cintura.

"Quer que a gente vá também?", perguntou Shawna, sentando.

"Fique aqui com Cary", minha mãe respondeu, oferecendo um sorriso tranquilizador.

A forma como ela fazia aquilo me espantava, como agia com tanta frieza e serenidade quando eu sabia que estava ansiosa. Eu não conseguia esconder minhas reações, mas ela só demonstrava emoção com os olhos e as mãos, e muitas vezes dizia que mesmo rir dava rugas. Como usava óculos escuros, estava camuflada.

Em silêncio, segui minha mãe e Clancy de volta ao hotel. Quando chegamos ao saguão de entrada, parecia que todos os funcionários tinham que nos cumprimentar com um sorriso ou um aceno. Eles sabiam quem eu era. Afinal, estávamos em um dos resorts de Gideon. Vientos Cruzados era a versão espanhola de Crosswinds.

Gideon tinha casado comigo no resort que levava esse nome. Eu não tinha percebido na hora que era uma cadeia internacional.

Entramos num elevador e Clancy enfiou um cartão magnético no painel, uma medida de segurança que limitava o acesso ao nosso andar. Como havia outras pessoas no elevador, tive que esperar mais um pouco pelas respostas.

Senti o estômago embrulhar e a mente passar de um ponto a outro. Tinha acontecido alguma coisa com Gideon? Ou com meu pai? Percebi que deixara o celular em cima da mesa com a bebida e me xinguei mentalmente. Se pudesse enviar uma mensagem rápida para Gideon, ao menos teria alguma coisa para fazer.

Depois de três paradas, ficamos sozinhos no elevador, a caminho do nosso andar.

"O que está acontecendo?", perguntei, virando-me para minha mãe e Clancy.

Ela tirou os óculos com as mãos trêmulas. "Tem um escândalo prestes a estourar", começou. "Na internet."

O que significava que estava fora de controle. Ou prestes a ficar. "Mãe. Fala logo."

Ela respirou fundo. "Tem umas fotos..." Ela olhou para Clancy, em busca de ajuda.

"Do quê?" Achei que fosse vomitar. Será que as fotos de Nathan tinham vazado de alguma forma? Ou imagens do vídeo de sexo com Brett?

"Hoje de manhã, umas fotos de Gideon Cross no Brasil se espalharam pela internet", explicou Clancy. Ele falava de forma neutra, mas havia algo estranhamente rígido em sua postura. Não era comum exibir tanta tensão.

Senti como se tivesse levado um soco no estômago. Não disse mais nada. Tinha que ver as imagens primeiro.

O elevador nos deixou dentro da suíte, um espaço enorme, com vários quartos e uma ampla sala de estar. As camareiras tinham aberto as portas da varanda, e as cortinas de voile se agitavam na brisa, escapando dos laços que deveriam contê-las. Toda clara, apropriada ao calor da Espanha, a suíte me encantara no momento em que pisamos nela.

Eu mal registrava aquilo no momento.

Andei com as pernas bambas até o sofá e esperei que Clancy digitasse a senha no tablet e passasse para mim. Minha mãe se sentou ao meu lado, em silêncio, oferecendo-me apoio.

Olhando para baixo, inspirei fundo. Meu peito parecia estar sendo esmagado. O que vi me apavorou... era como se alguém tivesse rastreado minha cabeça e capturado uma imagem da minha mente.

Meu olhar se fixou em Gideon, tão sombrio e lindo, vestido inteiramente de preto. O cabelo escondia parcialmente seu rosto, mas era claramente ele. Torci para que não fosse, tentando encontrar algo que mostrasse que o homem na foto era uma fraude. Mas conhecia o corpo de Gideon tanto quanto o meu. Sabia como ele se movia. Como estava quando relaxado. Como seduzia.

Afastei o olhar da figura amada no centro da imagem obscena, incapaz de suportar.

Um sofá em U. Cortinas de veludo preto. Meia dúzia de garrafas de destilado numa mesa baixa.

Um camarote VIP fechado.

Uma morena esbelta reclinada sobre um monte de almofadas. O decote V da blusa de lantejoulas fora do lugar. O corpo de Gideon parcialmente sobre o dela. A boca chupando seu mamilo.

Uma segunda morena de pernas compridas. Abraçada às costas dele. Uma das coxas enganchada na dele. As pernas abertas. A boca formando um O de prazer. O braço de Gideon para trás. A mão sob sua saia curta.

Não dava para ver, mas ele estava enfiando os dedos nela. Eu sabia. Era como uma facada no coração.

A foto saiu de foco à medida que eu tentava afastar as lágrimas, sentindo-as correr calorosamente pelo rosto. Desci a página, tirando a imagem da minha frente. Então li meu nome e passei os olhos nas especulações rudes do autor da matéria sobre o que eu deveria estar pensando das escapadas do meu noivo enquanto dizia adeus à solteirice.

Pousei o tablet na mesa de centro, respirando com dificuldade. Minha mãe se aproximou e passou o braço à minha volta, puxando-me para um abraço. O telefone do quarto tocou alto, dando-me um susto e atiçando meus nervos.

"Shh...", ela sussurrou, a mão acariciando meu cabelo. "Estou aqui, meu amor. Estou bem aqui."

Clancy foi até o aparelho e atendeu com um brusco "Alô?". Em seguida, seu tom de voz se envolveu de uma frieza mordaz. "Parece que está se divertindo."

Gideon.

Fitei Clancy e senti o calor emanando dele. Clancy olhou para mim. "Sim, ela está aqui."

Afastei-me de minha mãe e consegui ficar em pé. Lutando contra a náusea, fui até ele e estendi a mão para o telefone sem fio. Clancy o passou e deu um passo atrás.

Engoli um soluço. "Alô."

Houve uma pausa. A respiração de Gideon acelerou. Eu tinha dito uma palavra, mas só por aquilo ele sabia que eu sabia.

"Meu anjo..."

Sentindo-me muito mal de repente, corri para o banheiro e deixei o telefone cair, quase sem conseguir levantar o assento do vaso antes de esvaziar minha barriga em ânsias violentas e torturantes.

Minha mãe entrou correndo e balancei a cabeça para ela. "Vá embora", disse, escorregando até o chão com as costas contra a parede.

"Eva..."

"Preciso de um minuto, mãe. Só... um minuto."

Ela me olhou e assentiu, fechando a porta atrás de si.

Dava para ouvir Gideon gritando pelo telefone no chão. Estendi a mão para pegar o fone, envolvi-o com os dedos e o arrastei na minha direção. Então o levantei até o ouvido.

"Eva! Pelo amor de Deus, atende o telefone!"

"Para de gritar", eu disse, a cabeça latejando.

Sua respiração era irregular. "Você está passando mal. Droga. Estou muito longe..." Sua voz se elevou. "Raúl! Cadê você, merda? Quero o jatinho pronto agora! Atende o telefone..."

"Não. Não, não..."

"Aconteceu antes de eu conhecer você." Ele falava rápido demais, respirando rápido demais. "Não sei quando ou... O quê?" Alguém falou em segundo plano. "No Cinco de Mayo? Pelo amor de Deus. Por que isso apareceu agora?"

"Gideon..."

"Eva, juro para você que essa merda dessa foto não é deste fim de semana. Nunca faria isso com você. Você sabe disso. Sabe o que significa para mim..."

"Gideon, calma." Meu coração disparado começou a desacelerar. Ele estava frenético. Em pânico. Era de partir o coração. Gideon, tão forte, capaz de gerir, sobreviver e esmagar qualquer coisa.

Eu era sua fraqueza, quando tudo o que queria era ser sua força.

"Você tem que acreditar em mim, Eva. Nunca faria isso com a gente. Nunca..."

"Eu acredito."

"... trairia você... O quê?"

Fechei os olhos e descansei a cabeça contra a parede. Meu estômago começou a se acalmar. "Acredito em você."

Sua expiração veio dura e tensa do outro lado da linha. "Nossa."

Silêncio.

Sabia o quanto significava para meu marido que eu acreditasse nele por completo. Em tudo. Qualquer coisa. Gideon não conseguia deixar de achar aquilo quase impossível de aceitar, mesmo que desejasse minha confiança talvez mais do que meu amor. Para Gideon, minha crença nele *era* meu amor.

A explicação era simples, alguns poderiam dizer que até simples demais, mas, conhecendo-o como eu conhecia, fazia sentido.

"Eu te amo." Sua voz era suave. Cansada. "Eu te amo tanto, Eva. Quando você não atendeu o telefone..."

"Também te amo."

"Desculpa." Ele soltou um ruído cheio de dor e arrependimento. "Sinto muito que você tenha visto isso. É tão escroto. Tudo isso é."

"Você já viu pior." Gideon tinha me visto beijar Brett Kline bem na frente dele. E assistido a pelo menos uma parte do vídeo de sexo com ele. Comparado àquilo, uma foto não era nada.

"Odeio que você esteja aí e eu aqui."

"Eu também." Queria o consolo de seus braços em volta de mim. Mais ainda, queria confortá-lo. Mostrar mais uma vez que não ia a lugar nenhum e que ele não tinha motivo para temer.

"Não vamos fazer isso de novo."

"Não, você só vai se casar duas vezes, e as duas comigo. Chega de despedidas de solteiro."

Ele deixou escapar uma risada. "Não foi isso que eu quis dizer."

"Eu sei."

"Diga a Clancy para levar você para casa agora. Estamos fazendo as malas para ir para o aeroporto."

Balancei a cabeça, embora ele não pudesse ver. "Tire uma folga amanhã."

"Amanhã...? É. Você está se sentindo mal..."

"Não, estou bem. Vou encontrar você. No Rio."

"O quê? Não. Não quero ficar aqui. Preciso ir para casa resolver essa merda."

"Essa merda já ganhou o mundo, Gideon. Nada do que você possa fazer vai mudar isso." Levantei. "Você pode caçar o cara — ou a mulher — que fez isso depois. Não vou deixar que arruíne nossas memórias do fim de semana."

"Não..."

"Se eles querem fotos de você no Brasil, vou estar nelas."

Ele assimilou a resposta. "Tudo bem. Estou esperando por você."

"Talvez a imagem tenha sido alterada", disse Megumi.

"Ou o cara é um sósia", Shawna sugeriu, debruçando-se junto dela para ver o tablet. "Não dá para ver direito, Eva."

"Não." Balancei a cabeça. Aquela era a mais pura realidade. "É definitivamente Gideon."

Cary, sentado do meu lado na limusine, pegou minha mão e entrelaçou nossos dedos. Minha mãe ia no banco atrás do motorista, olhando amostras de tecido. Suas pernas estavam cruzadas elegantemente, o pé balançando sem descanso.

Tanto Megumi quanto Shawna me lançaram olhares de pena.

Aquilo feriu meu orgulho. Tinha caído na bobeira de olhar a mídia social. Era impressionante como as pessoas podiam ser cruéis. De acordo com alguns, eu era uma mulher rejeitada. Ou muito burra para não perceber que estava casando com um homem que me dava seu sobrenome, mas oferecia o corpo e a atenção a qualquer uma que quisesse. Ou uma oportunista, disposta a sofrer humilhações em troca do dinheiro. Ou poderia dar exemplo para outras mulheres, dando as costas a Gideon e encontrando outra pessoa.

"É uma foto antiga", reiterei.

Na verdade, não fazia tanto tempo assim, mas ninguém precisava saber exatamente de quando era, só que a foto tinha sido tirada antes de começarmos a namorar.

Gideon tinha mudado muito desde então. Por mim. Por nós. E eu já não era a mulher que ele tinha conhecido naquele fatídico dia, em junho.

"É antiga", Shawna disse, decidida. "Certeza."

Megumi assentiu, mas ainda parecia na dúvida.

"Por que ele ia mentir?", perguntei, categoricamente. "Não deve ser difícil descobrir qual é a casa noturna. Tem que ser do Gideon, e aposto que é em Manhattan. Ele não poderia estar em Nova York e ter um carimbo do Brasil no passaporte no mesmo dia."

Tinha chegado àquela conclusão havia algumas horas e estava satisfeita com ela. Eu não precisava de provas de que meu marido estava dizendo a verdade. Mas se pudéssemos de alguma forma comprovar que a foto fora tirada em um local específico, identificável, poderíamos esclarecer as coisas publicamente.

"Ah, tem razão." Megumi deu um grande sorriso. "E ele é louco por você, Eva. Não ia fazer besteira."

Assenti e mudei de assunto. Logo chegaríamos ao aeroporto, e eu não queria me despedir pensando em fofocas idiotas em vez de na nossa viagem incrível. "Obrigada por terem vindo. Foi muito bom."

Teria amado levar as meninas para o Rio, mas elas não tinham visto para entrar no país. Além do mais, as duas tinham que trabalhar na segunda-feira. Por isso, íamos nos separar: elas voltariam para casa com a equipe de segurança de Clancy, e Cary, minha mãe, Clancy e eu iríamos para o Brasil, num jatinho que Gideon tinha preparado para nós.

Ia ser uma viagem rápida. Chegaríamos na segunda-feira de manhã e partiríamos à noite. Só daria tempo de dormir no avião. Mas, no final das contas, Gideon deixaria o Brasil com um sorriso no rosto. Não queria que ele se lembrasse do fim de semana com pesar. Já tinha memórias ruins o suficiente. Queria que só armazenasse coisas boas para o futuro.

"Nós é que temos que agradecer." Shawna sorriu. "Não teria perdido por nada no mundo."

"Concordo", disse Megumi. "Foi uma viagem única."

Fechando os olhos, Shawna inclinou a cabeça para trás contra o assento. "Mande um oi para o Arnoldo."

Sabia que Shawna e Arnoldo tinham se tornado amigos desde que apresentara os dois, na noite em que fomos ao show do Six-Ninths. Eles se sentiam seguros um com o outro. Shawna estava esperando o namorado, Doug, voltar da Sicília, onde estava fazendo um curso para chefs. Arnoldo estava se recuperando de um coração partido, mas provavelmente apreciava a companhia de alguém que não esperava nada dele.

Cary estava numa situação parecida. Sentia falta de Trey e não estava interessado em sexo casual, o que era um grande avanço para ele. Em geral, quando estava sofrendo, transava para esquecer. Em vez disso, passou o fim de semana junto de Megumi, que parecia completamente desnorteada quando os homens se aproximavam dela. Cary foi seu escudo, mantendo as coisas leves e divertidas para os dois.

Gideon não era o único que tinha amadurecido.

Quanto a mim, estava morrendo de saudade dele. Estresse lhe causava pesadelos, então peguei o telefone e mandei uma mensagem. **Sonhe comigo.**

A resposta foi tão perfeitamente Gideon que pôs um sorriso no meu rosto. **Voe mais rápido.**

E, rápido assim, sabia que ele tinha retomado o controle da situação.

"Uau." Olhei pela janela do jatinho enquanto ele taxiava num aeroporto privativo nos arredores do Rio. "Isso é que é vista."

Gideon, Arnoldo, Manuel e Arash estavam na pista. Todos vestidos casualmente, com bermuda e camiseta. Todos morenos e altos. Lindamente musculosos. Bronzeados.

Estavam lado a lado feito uma fileira de carros esportivos exóticos caríssimos. Poderosos, sensuais e perigosamente rápidos.

Não tinha dúvidas a respeito da fidelidade do meu marido, mas, se tivesse, só de olhar para ele as teria afastado. Seus amigos estavam tranquilos e descontraídos, como carros cujo motor tinha passado por longas e intensas viagens. O fato de que tinham desfrutado o Rio — e suas mulheres — estava estampado na cara deles. Gideon, no entanto, estava tenso. Vigilante. O motor ligado, ronronando com a necessidade de ir de zero a cem em segundos. Ninguém tinha feito um test drive nele.

Tinha ido até ele com a intenção de me acalmar, traçar uma estratégia e curar um pouco do orgulho ferido. Mas ia ser a motorista a queimar seu combustível.

Por favor.

Senti um leve solavanco quando a escada foi posicionada contra o jatinho. Clancy saiu primeiro. Minha mãe depois. Fui atrás dela, fazendo uma pausa no alto da escada para tirar uma foto com meu telefone. A imagem de Gideon e seus amigos ia dar o que falar na internet.

Desci o primeiro degrau e Gideon se moveu, descruzando os braços e indo na minha direção. Não podia ver seus olhos, só eu mesma no reflexo dos óculos, mas senti a intensidade com que olhava para mim. Senti os joelhos bambos e precisei me agarrar ao corrimão para me equilibrar.

Ele apertou a mão de Clancy. Aturou, e até retribuiu, um breve abraço da minha mãe. Mas não tirou os olhos de mim ou diminuiu o passo por mais que uns poucos segundos.

Tinha colocado meus sapatos de salto vermelhos que diziam "Me coma agora". O short branco apertado que mal cobria minha bunda tinha a cintura bem baixa. A blusa era de renda vermelha, de alças fininhas. Uma fita de cetim vermelho fechava as costas feito um espartilho. Estava com o cabelo preso num coque meio bagunçado no alto da cabeça, que ficou ainda mais bagunçado depois que Gideon me alcançou no último degrau e enfiou as mãos nele.

Ele selou a boca na minha como se não tivesse notado o gloss vermelho que eu tinha nos lábios. Fui erguida em seu abraço, os pés saindo do chão, seu braço me segurando com força pela cintura. Eu me envolvi nele, enganchando os tornozelos na base de sua coluna e me erguendo de modo que sua cabeça se inclinasse para trás e eu me curvasse sobre ele, a língua profundamente enfiada em sua boca. A mão que Gideon tinha no meu cabelo deslizou para me segurar por baixo, apertando minha bunda do jeito possessivo que eu amava.

"Que tesão", Cary disse, em algum lugar atrás de mim.

Manuel assobiou alto.

Não estava nem aí para o espetáculo. A sensação do corpo rígido de Gideon era deliciosa, e seu gosto, intoxicante. Meus pensamentos se dispersaram. Queria cavalgá-lo, esfregar-me contra ele. Queria meu marido nu e suado, coberto com meu cheiro. No seu rosto, nas suas mãos, no seu pau.

Gideon não era o único que queria marcar território.

"Eva Lauren", minha mãe me repreendeu. "Controle-se."

O som de sua voz nos esfriou na mesma hora. Desenrosquei as pernas e o deixei me colocar no chão. Afastei-me, relutante, as mãos erguendo brevemente os óculos de Gideon para que pudesse olhar em seus olhos. *Fúria... luxúria...*

Limpei os vestígios do gloss em sua boca. Seus lábios estavam inchados pela paixão do nosso beijo.

Ele segurou meu rosto com as mãos, os polegares roçando meus lábios. Deitando minha cabeça para trás, beijou a ponta do meu nariz. Foi suave, a ferocidade de sua alegria amornada por ter me tocado.

"Eva", Arnoldo me saudou, com um pequeno sorriso no belo rosto. "Que bom ver você."

Virei-me para cumprimentá-lo, um pouco nervosa. Queria que fôssemos amigos. Queria que ele me perdoasse por ferir Gideon. Queria...

Ele me deu um beijo na boca. Atordoada, não reagi.

"Sai daí!", Gideon exclamou.

"Não sou um cachorro", Arnoldo respondeu. Então se virou para mim, divertido. "Ele está sofrendo aqui. Agora, você pode libertar meu amigo desse tormento."

Minha ansiedade desapareceu. Arnoldo estava mais receptivo comigo do que nas outras vezes, mais do que quando fomos apresentados. "É bom ver você, também, Arnoldo."

Em seguida, veio Arash. Quando levantou as mãos para tocar meu rosto, Gideon colocou o braço na frente.

"Nem pensar", alertou.

"Não é justo."

Soprei-lhe um beijo.

Manuel foi mais sorrateiro. Veio por trás de mim e me levantou do chão, deixando um beijo estalado na minha bochecha. "Oi, linda."

"Oi, Manuel", eu disse, com uma risada. "Se divertindo bastante?"

"Nem te conto." Ele me colocou no chão e deu uma piscadinha.

Gideon parecia ter se acalmado um pouco. Ele apertou a mão de Cary e perguntou brevemente sobre Ibiza.

Seus amigos se apresentaram à minha mãe, que, na mesma hora, exibiu seu charme e obteve os resultados esperados: eles pareceram encantados.

Gideon pegou minha mão. "Está com seu passaporte?"

"Estou."

"Ótimo. Vamos." Ele me puxou bruscamente.

Apressando-me para acompanhar seu passo, olhei por cima do ombro para o grupo que tínhamos deixado para trás. Estavam indo em outra direção.

"Eles já nos tiveram pelo fim de semana", anunciou Gideon, em resposta à minha pergunta silenciosa. "Hoje o dia é nosso."

Ele me conduziu por um processo rápido pela imigração e pela alfândega e voltamos para a pista, onde um helicóptero nos aguardava.

As hélices começaram a girar quando nos aproximamos. Raúl apareceu abruptamente e abriu a porta traseira. Gideon me ajudou a entrar, subindo logo atrás de mim. Estendi a mão para pegar o cinto de segurança, mas ele a afastou e me prendeu depressa, antes de se acomodar em seu assento. Então me entregou um fone de ouvido e colocou o próprio.

"Vamos", disse ao piloto.

Estávamos no ar antes que Gideon tivesse colocado seu cinto de segurança.

Cheguei ao hotel sem fôlego, ainda impressionada com a visão da cidade do Rio de Janeiro lá embaixo, as praias pontilhadas com arranha-céus e os morros cobertos de favelas coloridas. Os carros engarrafados nas ruas, o tráfego impressionantemente denso mesmo para os padrões de Manhattan. A famosa estátua do Cristo Redentor reluzente sobre o Corcovado à distância, à minha direita, enquanto contornávamos o Pão de Açúcar e seguíamos a costa até a Barra da Tijuca.

Teríamos levado horas para ir de carro do aeroporto ao hotel. Em vez disso, a viagem durou uns poucos minutos. Estávamos entrando na suíte de Gideon quando meu cérebro, ainda confuso pela diferença de fuso horário, se deu conta de que havia estado em três países em dois dias.

O Ventos Cruzados Barra era tão luxuoso quanto todas as propriedades Crosswinds que eu tinha visto, mas com um sabor local que o tornava único. A suíte de Gideon era tão grande quanto a minha em Ibiza, e sua vista também era tão impressionante quanto aquela.

Parei um instante para admirar a praia da varanda, observando as intermináveis barraquinhas de água de coco e os corpos dourados na areia. Um samba ecoava ao fundo, verdadeiro, sensual e animado. Tirei uma foto e postei no meu Instagram, junto à de Gideon e seus amigos me esperando na pista do aeroporto. *A vista daqui... #RiodeJaneiro*

Marquei todos e descobri que Arnoldo tinha tirado uma foto de Gideon me beijando apaixonadamente no aeroporto. Era linda, sensual e íntima. Arnoldo tinha algumas centenas de milhares de seguidores, e a foto já tinha dezenas de comentários e curtidas.

Queridos amigos desfrutando o #RiodeJaneiro e um ao outro.

O celular de Gideon tocou, e ele pediu licença. Ouvi-o falando em outro cômodo e o segui. Não tínhamos trocado nem uma palavra desde que deixáramos o aeroporto, como se as estivéssemos guardando para uma conversa íntima. Ou talvez simplesmente não precisássemos dizer nada. O mundo que falasse e espalhasse suas mentiras. Sabíamos o que tínhamos. Nosso amor não precisava ser qualificado, justificado ou proferido.

Encontrei-o num escritório, em pé diante de uma mesa em forma de U coberta de bilhetes e fotos, algumas das quais tinham sido derrubadas no chão. O lugar estava uma bagunça, muito diferente da arrumação rígida que meu marido em geral mantinha. Levei um instante para perceber que as fotos eram do interior de uma casa noturna e que batiam com o fundo da foto de Gideon no Cinco de Mayo.

Era meio estranho que ele tivesse pensado na mesma coisa. Mas também era incrível.

Virei-me para sair.

"Eva. Espera."

Olhei para ele.

"Amanhã de manhã é melhor", disse à pessoa do outro lado da linha. "Mande uma mensagem quando estiver confirmado."

Gideon desligou, colocou o telefone no silencioso e tirou os óculos de sol. "Quero que veja isto."

"Você não tem que me provar nada", eu disse, balançando a cabeça.

Ele me olhou. Sem os óculos escuros, dava para ver as olheiras sob seus olhos.

"Você não dormiu nada na noite passada." Não era uma pergunta. Devia ter imaginado que ele não dormiria.

"Vou consertar isso."

"Não tem nada errado."

"Ouvi sua voz no telefone", disse ele, com firmeza.

Recostei-me no batente da porta. Sabia como Gideon tinha se sentido quando beijei Brett — com sede de sangue. Os dois haviam brigado feito loucos. Um confronto físico violento não era opção para mim. Meu corpo já havia se purificado do ciúme do jeito que sabia.

"Faça o que tiver que fazer", murmurei. "Mas não preciso de nada. Estou bem. Você e eu — nós — estamos bem."

Gideon inspirou fundo. Expirou. Então levou as mãos atrás da cabeça e puxou a camiseta. Chutou os chinelos para um canto enquanto desabotoava a bermuda e a deixava cair no chão. Não estava com nada por baixo.

Eu o observei caminhar na minha direção, nu, reparando nas linhas bronzeadas mais escuras e na rigidez de seu membro. Estava incrivelmente duro. Todos os músculos se flexionavam com o movimento. As coxas poderosas, o abdome tanquinho, os bíceps volumosos.

Não me movi, mal conseguindo respirar ou piscar. Ficava impressionada que pudesse aguentá-lo. Gideon era uns trinta centímetros mais alto que eu e quase uns cinquenta quilos mais pesado. E era forte. Muito forte.

Quando fazíamos amor, excitava-me ficar embaixo dele e sentir todo aquele poder incrível concentrado exclusivamente em dar prazer ao meu corpo e se deleitar com ele.

Gideon veio até mim e me puxou para seus braços. Ele baixou a cabeça para tomar minha boca num beijo atraente e profundo. Saboreando-me sem pressa. Com lambidas suaves e lábios persuasivos. Não percebi que tinha desatado minha blusa até ela escorregar por meus braços. Ele passou os polegares pelo cós do meu short, deslizando-o para trás e para a frente para baixá-lo, até que interrompeu o beijo para se agachar e me ajudar a sair da roupa. Gemi, querendo mais.

"Vamos deixar esses sapatos", murmurou, ficando de pé novamente. Seus olhos eram tão brilhantemente azuis que me lembravam da água em que mergulhamos nus quando nos casamos.

Passei os braços ao redor de seus ombros e ele me levantou, levando-me para o quarto.

"E alguns daqueles pãezinhos de queijo redondos", pedi a Gideon, que repassou o pedido em português para o serviço de quarto.

De bruços na cama, de frente para as portas de vidro da varanda, eu balançava as pernas atrás de mim, ainda usando os sapatos "Me coma agora". E mais nada. Descansei o queixo nos braços cruzados. A sensação da brisa morna do oceano na pele era gostosa, esfriando o suor que cobria todos os centímetros do meu corpo. O ventilador sobre a cama, com suas pás de mogno entalhado em forma de folhas de palmeira, girava preguiçosamente.

Inspirei fundo e inalei o cheiro de sexo e Gideon.

Ele desligou o telefone e senti o colchão afundar à medida que vinha na minha direção, os lábios roçando minha bunda e subindo pela coluna até meu ombro. Esparramou-se ao meu lado, apoiando a cabeça na mão. Com a outra, acariciava minhas costas.

Virei para ele e perguntei: "Quantas línguas você fala?".

"Um pouco de muitas e um monte de algumas."

"Hum." Curvei-me ao seu toque.

Ele beijou meu ombro de novo. "Que bom que você está aqui", murmurou. "Que bom que eu fiquei."

"Às vezes tenho boas ideias."

"Eu também." O brilho lascivo em seus olhos me dizia exatamente no que estava pensando.

Havia passado a noite acordado, então tinha me comido bem devagar, por quase duas horas. Gozara três vezes, a primeira com tanta força que chegou a rosnar. Alto. Eu sabia que o som tinha saído pelas janelas abertas. Gozaria só de ouvi-lo. E Gideon estava pronto para outra. Estava *sempre* pronto. Sorte a minha.

Virei de lado, para ficar frente a frente com ele. "Você precisa de duas mulheres para cansar?"

O rosto dele se fechou na mesma hora. "Não vou falar disso."

Toquei seu rosto. "Ei. Foi uma brincadeira, amor. De mau gosto."

Ele deitou de costas, agarrou um travesseiro e colocou entre nós. Então, virou a cabeça para mim, o cenho franzido. "Eu tinha um... espaço. Dentro de mim", disse, baixinho. "Você chamou de vazio. Disse que o preencheu. E é verdade."

Fiquei escutando, à espera. Ele estava falando. Abrindo-se. Era difícil para ele, que não gostava daquilo. Mas o amor que sentia por mim era maior que o desconforto.

"Estava esperando por você." Gideon afastou uma mecha de cabelo do meu rosto. "Uma dúzia de mulheres não teria feito o que você fez. Mas... Nossa." Gideon passou as mãos pelos próprios cabelos. "As distrações facilitavam não pensar nisso."

"Posso distrair você", ronronei, querendo deixá-lo feliz e animado de novo. "Posso fazer você não pensar em nada."

"O vazio sumiu. *Você* o ocupou."

Eu me inclinei sobre ele e o beijei. "Também estou bem *aqui*."

Ele ficou de joelhos e me colocou sobre o travesseiro, com a bunda para cima.

"É assim que quero você."

Olhei para ele por cima do ombro. "Você lembra que pediu serviço de quarto, não é?"

"Eles disseram que leva de quarenta e cinco minutos a uma hora."

"Você é o chefe. Não vão demorar tanto."

Então Gideon se posicionou entre minhas pernas. "Mandei levarem uma hora."

Ri. Tinha achado que o almoço seria um intervalo. Aparentemente, o intervalo era a ligação.

Ele agarrou minhas nádegas com as duas mãos e apertou. "Que bunda linda. É o apoio perfeito para fazer isso..."

Segurando meus quadris, ele deslizou para dentro de mim. Um movimento longo e lento. Gemeu de prazer masculino, e eu me contraí até a ponta dos pés.

"Nossa." Deixei a testa cair no colchão e gemi. "Você está tão duro."

Seus lábios tocaram meu ombro. Ele girou os quadris, acariciando-me por dentro, empurrando fundo o suficiente para doer um pouquinho. "Você me excita", ele disse, asperamente. "Não consigo desligar isso. E não quero."

"Não desligue." Arqueei as costas, movimentando-me contra suas investidas comedidas e tranquilas. Era como Gideon estava se sentindo aquele dia. Gentil. Indulgente. Fazendo amor. "Não pare."

Seus braços me envolveram, as palmas das mãos pressionando o colchão. Ele se aninhou contra mim. "Vamos combinar uma coisa, meu anjo. Eu me canso quando você se cansar."

Olhei para mim mesma no espelho, virando de um lado para o outro. "Não é uma boa ideia vestir um biquíni depois de comer tanto."

Puxei para cima o elástico do biquíni tomara que caia verde-esmeralda que Gideon tinha escolhido para mim na loja do saguão e então tentei ajeitar a parte de baixo.

Ele apareceu atrás de mim, sensual e gostoso, num calção de praia preto. Então passou os braços à minha volta, levantando o peso dos meus seios nas palmas. "Você está maravilhosa. Minha vontade é de arrancar isso com os dentes."

"Então arranque." Para que ir à praia? Tínhamos ido no fim de semana.

"Ainda quer fotos nossas aqui?" Seu olhar encontrou o meu no espelho. "Se não, topo jogar você de volta na cama e te tratar do jeito que eu gosto."

Mordi o lábio, refletindo a respeito.

Gideon me puxou para ele. Sem meus sapatos de salto, ele era capaz de apoiar o queixo no alto da minha cabeça. "Na dúvida, é? Tudo bem, a gente vai à praia, só para você não se arrepender. Meia hora... uma hora... depois volta e fica aqui até a hora de ir embora."

Senti o coração derreter. Ele sempre pensava em mim e no que eu precisava. "Te amo tanto."

A expressão que surgiu em seu rosto quase parou meu coração. "Você acredita em mim", sussurrou. "Sempre."

Virando a cabeça, pressionei o rosto contra seu peito. "Sempre."

"É uma bela foto", minha mãe sussurrou, mantendo a voz baixa, porque os rapazes estavam todos dormindo. As luzes do jatinho estavam baixas, e o assento deles estava reclinado. "Só não precisava mostrar tanto sua bunda."

Sorri, o olhar fixo no tablet em sua mão. Havia fotógrafos na equipe do Ventos Cruzados Barra, para cobrir os muitos eventos, convenções e casamentos que aconteciam ali. Gideon tinha contratado um para nos fotografar na praia, pedindo que ficasse à distância, de modo que eu não percebesse.

Nas fotos de nós dois em Westport publicadas anteriormente, Gideon me prendia debaixo dele, as ondas batendo em nossas pernas. Nessas, estávamos tomando sol, ele deitado de costas na areia, eu em cima dele, os braços cruzados sobre seu peito e o queixo nas mãos. Estávamos conversando, meu olhar em seu rosto, enquanto ele me fitava de volta, os dedos em meus cabelos. Sim, o biquíni brasileiro fazia com que minha bunda ficasse quase toda à mostra, mas o que realmente se destacava era a intensidade da concentração de Gideon em mim e a familiaridade tranquila e confortável entre nós.

Minha mãe me fitou. Havia uma tristeza em seus olhos que eu não conseguia entender. "Queria que vocês tivessem uma vida tranquila, normal. Mas o mundo não vai deixar isso acontecer."

A foto se tornara viral logo depois de sua postagem num site. A especulação era intensa. Como eu poderia estar com Gideon no Rio de Janeiro e aceitar numa boa que ele transasse com duas outras mulheres? Será que tínhamos uma vida sexual depravada? Ou será que não era Gideon Cross na foto da casa noturna?

Antes de dormir, Gideon tinha me dito que sua equipe de relações públicas estava trabalhando, atendendo a telefonemas e gerenciando sua mídia social. A partir daquele dia, as respostas oficiais simplesmente confirmariam que eu estivera no Rio com Gideon. Ele dissera que lidaria com o restante pessoalmente, quando chegasse em casa, embora não tivesse dito muito sobre como o faria.

"Você está escondendo alguma coisa", eu dissera em tom acusatório, brincando.

"Por enquanto", ele concordara, com um leve sorriso.

Pousei a mão sobre a da minha mãe. "Vai ficar tudo bem. Não vamos ser tão interessantes para sempre. E vamos passar um mês fora depois do casamento. É quase uma vida inteira sem notícias sobre nós. A mídia vai partir para outra."

"Espero que sim." Ela suspirou. "Você já se casa no sábado. Nem posso acreditar. Tem tanto o que fazer ainda."

Sábado. Só mais uns dias. Não achava ser possível que Gideon e eu nos sentíssemos mais casados do que estávamos, mas ia ser bom fazer nossos votos diante das famílias.

"Por que você não passa na cobertura amanhã?", sugeri. "Quero que conheça, e a gente pode discutir o que ainda precisa ser decidido. Almoçamos em casa e passamos o dia juntas."

Seu rosto se iluminou. "Que ideia maravilhosa! Vou adorar, Eva."

Debruçando-me por cima do descanso de braço, beijei sua bochecha. "Eu também."

"Você não vai tirar nem um cochilo?" Atônita, eu assistia a Gideon se movendo dentro do closet.

Estava só de cueca boxer, o cabelo ainda úmido do banho que tinha tomado no instante em que pisamos em casa. Eu estava na cama, exausta e moída, embora tivesse dormido no avião.

"Vai ser um dia curto", comentou ele, pegando um terno cinza-escuro. "Volto para casa mais cedo."

"Vai pegar um resfriado se não dormir o suficiente. Não quero você doente no casamento ou na lua de mel."

Ele pegou a gravata azul que eu adorava. "Não vou ficar doente."

Olhei para o relógio na mesa de cabeceira. "Não são nem sete! Você nunca sai para o trabalho tão cedo."

"Tenho coisas para fazer." Ele abotoou a camisa depressa. "Para de encher."

"Não estou *enchendo*."

Ele me lançou um olhar divertido. "Já se recuperou da canseira que te dei ontem?"

"Metido!"

Ele sentou e colocou as meias. "Não se preocupe, meu anjo. Quando eu chegar em casa tem mais."

"Eu poderia atirar alguma coisa na sua cara."

Gideon se vestira num instante, e mesmo assim parecia tão perfeito e impecável. Aquilo só me irritou mais.

"Para de fazer cara feia para mim", ele me repreendeu, inclinando-se para beijar o alto da minha cabeça.

"Levo uma eternidade para ficar bem assim, e você não precisa nem se esforçar", resmunguei. "E ainda está usando minha gravata preferida." Ela realçava a cor dos olhos dele e fazia com que não fosse possível prestar atenção em mais nada além dele e de como era lindo.

Gideon sorriu. "Eu sei. Quando eu chegar em casa, vai querer que coma você usando essa gravata?"

Imaginei a cena, e minha cara feia logo desapareceu. Como ia ser se ele simplesmente abrisse a braguilha e me comesse usando um dos seus ternos maravilhosos? Muito quente. Em mais de um sentido.

"A gente sua muito." Fiz beicinho diante da ideia. "Vai estragar."

"Tenho uma dúzia delas." Ele se endireitou. "Você vai ficar em casa hoje?"

"Espera. Você tem uma dúzia de gravatas iguais a essa?"

"É sua preferida", ele respondeu, como se aquilo explicasse tudo. O que provavelmente explicava. "Vai ficar em casa?", repetiu ele.

"Vou, minha mãe vai vir daqui a pouco, e tenho que fazer umas ligações."

Ele saiu em direção à porta. "Tira uma soneca, meu anjo mal-humorado. Sonha comigo."

"Ah, tá", murmurei, abraçando um travesseiro e fechando os olhos.

E sonhei com ele. Claro.

"Já recebemos a maioria das confirmações", minha mãe disse, correndo o dedo sobre o touchpad do laptop para me mostrar uma planilha que me deixou vesga. "Não achei que tanta gente pudesse ir, avisando tão em cima da hora."

"Isso é bom, não?" Honestamente, eu não tinha a menor ideia. Nem sabia exatamente quem tinha sido convidado. Só sabia que seria na noite de domingo, num dos hotéis de Gideon na cidade.

Se não fosse isso, nunca teríamos conseguido um lugar. Scott não chegou a dizer, mas imaginei que outro evento teve que ser adiado. E o número de quartos que reservamos para acomodar a família do meu pai... Não tinha pensado em nada daquilo quando escolhi o aniversário de Gideon como data.

"É ótimo." Minha mãe sorriu para mim, mas era um sorriso tenso. Estava estressada, e eu me sentia mal por isso.

"Vai ser maravilhoso, mãe. Totalmente incrível. E vai estar todo mundo tão feliz que ninguém vai se importar se alguma coisa der errado." Ela se retraiu, e logo me corrigi. "O que não vai acontecer. Os funcionários do hotel vão tomar o maior cuidado para fazer tudo certinho. É o grande dia do chefe deles, afinal."

"É." Ela assentiu com a cabeça, parecendo aliviada. "Tem razão. Vão querer que saia tudo perfeito."

"E vai sair." Como não sairia? Gideon e eu já éramos casados, mas nunca tínhamos comemorado seu aniversário juntos. E eu não podia esperar.

Meu celular tocou, indicando uma nova mensagem. Peguei o aparelho, li e franzi a testa. Então peguei o controle da TV.

"O que foi?", quis saber minha mãe.

"Não sei. Gideon quer que eu veja algo." Senti um nó na barriga, a preocupação afastando a ansiedade que tinha acabado de sentir. Quanto mais teríamos que suportar?

Coloquei no canal que ele mandou e reconheci o cenário de um programa de auditório popular. Para minha surpresa, Gideon tinha acabado de se acomodar em uma cadeira a uma mesa rodeada por cinco apresentadoras, sob o som de aplausos, gritinhos e assobios. Independentemente de sua fidelidade, as mulheres pareciam incapazes de resistir a ele. Seu carisma e sua sensualidade pura eram um milhão de vezes mais potentes em pessoa.

"Meu Deus", minha mãe sussurrou. "O que ele está fazendo?"

Aumentei o volume.

Como era de esperar, depois de parabenizá-lo pelo noivado, as apresentadoras foram direto para o tema da viagem ao Rio e a infame foto do ménage à trois na casa noturna. Claro que fizeram questão de salientar que não podiam mostrar a imagem no ar, porque era picante demais. Mas orientaram os telespectadores a visitar o site do programa, que ficava continuamente piscando numa faixa ao pé da tela.

"Nossa, quanta sutileza...", minha mãe reclamou. "Por que ele está botando lenha nessa história?"

Pedi que ficasse quieta. "Ele tem um plano." Ou pelo menos eu esperava que tivesse.

Segurando com as duas mãos uma caneca de café com o logo do programa, Gideon parecia pensativo, enquanto todas as apresentadoras davam sua opinião, sem deixá-lo falar.

"Será que ainda se devem fazer despedidas de solteiro?", perguntou uma delas.

"Bem, isso é uma das questões que posso esclarecer", Gideon interveio, antes que começassem a debater o ponto. "Como Eva e eu nos casamos no mês passado, já não sou solteiro, então não foi uma despedida."

Atrás deles, num imenso telão, o logotipo do programa deu lugar a uma foto de Gideon me beijando depois de fazermos nossos votos.

Prendi o fôlego. A plateia suspirou ao vivo. "Uau", murmurei. "Ele está tirando a gente do armário."

Mal acompanhei a conversa que se seguiu à revelação, atordoada demais com o que ele estava fazendo. Gideon era um homem muito reservado. Nunca dava entrevistas pessoais, só se concentrava nas Indústrias Cross.

Nossa foto foi substituída por uma sequência de outras, tiradas dentro da mesma casa noturna em que as morenas de pernas compridas tinham subido em cima dele. Quando Gideon se voltou para a plateia e sugeriu que algumas das espectadoras talvez estivessem familiarizadas com o local, houve alguns gritinhos de "sim".

"É claro que", ele continuou, olhando para as apresentadoras, "eu não poderia estar em Nova York e no Brasil ao mesmo tempo. A foto que se tornou viral foi alterada digitalmente para remover o logotipo da casa noturna. Dá para ver que está bordado nas cortinas da sala VIP. É só ter o programa certo e, com dois cliques, você o apaga."

"Mas as meninas estavam lá", uma das apresentadoras argumentou. "O que aconteceu com elas é real."

"Sim. Eu tinha uma vida antes de conhecer minha esposa", respondeu ele, num tom uniforme de quem não estava pedindo desculpas. "Infelizmente, não posso mudar isso."

"E ela também teve uma vida antes de você. Eva é a inspiração de... hum... uma música do Six-Ninths." A mulher apertou os olhos. "'Golden Girl'."

Estava, obviamente, lendo as informações de um teleprompter.

"Sim, é sobre ela", ele confirmou.

Seu tom era neutro. Sua aparência, imperturbável. Era surreal ver nossas vidas usadas para impulsionar a audiência matinal.

Então surgiu uma foto minha com Brett no lançamento do clipe na Times Square, e eles tocaram um trecho da música. "Como você se sente sobre isso?"

Gideon deu um de seus raros sorrisos. "Se fosse compositor, também escreveria músicas sobre ela."

Em seguida, apareceu minha foto com ele, no Brasil, logo seguida por outra, de Westport, e uma série de fotos tiradas nos tapetes vermelhos de vários eventos de caridade. Em todas elas, ele tinha os olhos em mim.

"Nossa, ele é bom nisso", exclamei, para mim mesma. Minha mãe estava ocupada, desligando o laptop. "É sincero, mas, ainda assim, reservado e confiante o suficiente para parecer o lendário Gideon Cross. E deu uma tonelada de fotos para eles trabalharem."

O formato de programa de auditório, com várias apresentadoras mulheres que exploravam temas femininos, também tinha sido uma escolha acertada. Elas não iam deixar barato uma suposta infidelidade nem pegar leve quanto ao assunto. O que limparia o clima de um jeito que uma conversa com um entrevistador masculino jamais seria capaz.

Uma das apresentadoras se inclinou para a frente e perguntou: "E também tem um livro sobre você prestes a ser publicado, não é? Escrito por sua ex-noiva?".

Uma foto de Gideon e Corinne na festa da vodca Kingsman surgiu no telão, arrancando um murmúrio coletivo da plateia. Meus dentes rangeram. Ela estava linda, como sempre, complementando muito bem a beleza sombria de Gideon.

Preferi acreditar que o programa tinha arrumado aquela imagem por conta própria.

"Escrito por um ghost-writer, na verdade", respondeu ele. "Por alguém que não é imparcial. Receio que a sra. Giroux esteja sendo passada para trás e não tenha percebido."

"Não sabia disso. Quem é o ghost-writer?" A apresentadora se voltou para a plateia e explicou rapidamente o que o termo significava.

"Não tenho liberdade para dizer quem está de fato escrevendo o livro." A moça insistiu: "Mas você o conhece? Ou é uma mulher? Essa pessoa não gosta de você?".

"Conheço; e não, a pessoa não gosta de mim."

"É uma ex-namorada? Um antigo parceiro de negócios?"

Uma apresentadora que tinha passado a maior parte do tempo ouvindo mudou o foco da conversa. "Por que você não conta sua história com Corinne, Gideon?"

Ele baixou a caneca da qual tinha acabado de tomar um gole. "A sra. Giroux e eu namoramos na época da faculdade. Ficamos noivos um tempo, mas o relacionamento não estava indo a lugar nenhum. Éramos imaturos e, pra falar a verdade, não sabíamos o que queríamos."

"É só isso?"

"Ser jovem e confuso não é muito interessante ou lascivo, não é? Continuamos amigos depois que ela se casou. Lamento que sinta a necessidade de comercializar esse tempo especial em nossas vidas agora que estou casado. Tenho certeza de que isso parece tão estranho para Jean-François como para mim."

"É o marido dela, certo? Jean-François Giroux. Você o conhece?"

Corinne e Jean-François apareceram no telão usando roupas de gala, em algum evento. Eram um casal atraente, embora o contraste entre os dois homens não fosse lisonjeiro para o francês. Ele não era páreo para Gideon, mas, até aí, quem era?

Gideon assentiu. "Temos negócios juntos."

"Você falou sobre isso com ele?"

"Não. Em geral não falo sobre isso com ninguém." Aquele sorriso leve apareceu em seus lábios de novo. "Sou recém-casado. Tenho outras coisas em minha mente."

Bati palmas. "Ê! Isso foi ideia minha. Falei pra ele lembrar as pessoas de que Corinne é casada e os dois se conhecem." E Gideon ainda tinha comprometido Deanna. Excelente jogada.

"Você sabia que ele ia fazer isso?", perguntou minha mãe, parecendo horrorizada.

Olhei para ela, franzindo a testa ao notar como estava pálida. Considerando o bronzeado que tinha pegado nos dois últimos fins de semana, aquilo era preocupante. "Não. Não tinha ideia. Falamos sobre a história um tempo atrás. Você está bem?"

Ela apertou as têmporas com a ponta dos dedos. "Estou com dor de cabeça."

"Aguenta até isso acabar e já pego um remédio." Olhei de volta para a TV, mas estava na hora dos comerciais. Corri para o armário do banheiro e voltei sacudindo um frasco de comprimidos, surpresa ao encontrar minha mãe arrumando as coisas. "Você vai embora? E o almoço?"

"Estou cansada, Eva. Vou para casa deitar."

"Tira uma soneca aqui, no quarto de hóspedes." Achei que ela ia gostar da sugestão. Afinal, Gideon tinha copiado ali, com precisão, o quarto do meu apartamento. Um esforço equivocado, ainda que carinhoso, de me dar um refúgio seguro na casa dele, num momento do nosso relacionamento em que eu não sabia se deveria lutar por nós ou simplesmente fugir.

Ela balançou a cabeça e passou a alça da bolsa do laptop por cima do ombro. "Vou ficar bem. Já repassamos as coisas mais importantes. Ligo mais tarde."

Então deu dois beijos sem tocar minhas bochechas e saiu.

Afundando de volta no sofá, coloquei o remédio na mesa de centro e assisti ao restante da entrevista de Gideon.

12

"Sr. Cross." Scott levantou-se atrás de sua mesa. "Vai passar o dia no escritório?"

Fiz que não com a cabeça e abri a porta da sala, indicando a Angus que entrasse antes de mim. "Só vim cuidar de uma coisa. Amanhã estarei aqui."

Tinha limpado a agenda, redistribuindo as reuniões e os compromissos para outros dias da semana. Não tinha planejado passar no Crossfire, mas a informação que Angus parecia ter reunido era importante demais para correr o risco de ser divulgada em qualquer outro lugar.

Fechei a porta devagar e acionei o botão para tornar o vidro opaco, então segui Angus até a área de estar e me deixei cair numa poltrona.

"Dias intensos, hein, rapaz?", ele comentou, os lábios se retorcendo com a ironia.

"Nunca há um momento de tédio." Expirei bruscamente, lutando contra a fadiga. "Descobriu alguma coisa?"

Angus se inclinou para a frente. "Pouco mais: uma certidão de casamento com uma cidade natal fictícia e uma certidão de óbito de Jackson Tramell na qual Lauren Kittrie aparece como sua esposa. Ele morreu menos de um ano depois de se casar."

Eu me detive à informação mais importante. "Lauren mentiu sobre o lugar onde nasceu?"

Ele assentiu. "Bem fácil de fazer."

"Mas por quê?" Estudando-o, vi a tensão em sua mandíbula. "Tem mais alguma coisa."

"A causa da morte aparece como indeterminada", Angus disse, calmamente. "Jackson levou um tiro na têmpora direita."

Minha coluna enrijeceu. "Eles não chegaram a uma conclusão se foi suicídio ou assassinato?"

"É. Não foi possível determinar."

Mais perguntas sem respostas, e o maior problema era que não tínhamos ideia se Lauren tinha qualquer relevância na história. Podíamos estar correndo atrás do próprio rabo.

"Merda." Esfreguei o rosto com as mãos. "Só quero uma foto, pelo amor de Deus."

"Faz muito tempo, Gideon. Um quarto de século. Talvez alguém da cidade em que ela nasceu se lembre dela, mas como vamos saber quem?"

Baixando a mão, olhei para ele. Conhecia as inflexões de sua voz e o que significavam. "Você acha que alguém apareceu antes e escondeu tudo."

"É possível. Também é possível que o relatório da polícia sobre a morte de Jackson tenha sumido com o passar dos anos."

"Você não acredita nisso."

Ele confirmou minha declaração com um aceno de cabeça. "Arrumei uma mulher para se fazer de fiscal do imposto de renda e procurar por Lauren Kittrie Tramell. Ela falou com Monica Dieck, que disse que faz muitos anos que não vê a ex-cunhada e que, até onde sabe, Lauren morreu."

Balancei a cabeça, tentando entender aquilo tudo sem chegar a lugar nenhum.

"Monica ficou com medo. Quando ouviu o nome de Lauren, ficou branca feito um fantasma."

Levantei e comecei a andar de um lado para o outro. "O que significa isso? Não estamos chegando mais perto da verdade."

"Tem uma pessoa que pode ter as respostas."

Parei abruptamente. "A mãe de Eva."

Ele assentiu. "Você pode perguntar a ela."

"Minha nossa." Olhei para ele. "Só quero saber se Eva está em segurança. Nada disso pode representar um perigo para ela."

As feições de Angus se suavizaram. "Pelo que conhecemos da mãe de Eva, proteger a filha sempre foi uma prioridade. Não consigo imaginar aquela mulher a colocando em risco."

"Essa superproteção é exatamente a minha preocupação. Ela rastreou os movimentos de Eva por sabe-se lá quanto tempo. Eu achava que era por causa de Nathan Barker. Mas talvez fosse só parcialmente. Talvez tenha mais coisa."

"Raúl e eu já estamos revendo os protocolos."

Passei a mão pelo cabelo. Os dois cumpriam sua função de segurança, estavam lidando com o problema de Anne e tentando encontrar qualquer registro que seu irmão tenha mantido, além de tentar identificar o fotógrafo que havia tirado minha foto e desvendar o mistério da mãe de Eva. Mesmo com as equipes auxiliares, eu sabia que estavam sobrecarregados.

Minha equipe de segurança estava habituada a gerenciar só os meus casos. Com Eva na minha vida, suas funções tinham dobrado. Angus e Raúl estavam acostumados a turnos rotativos, mas os dois vinham trabalhando direto. Tinham a liberdade de contratar todo o apoio de que necessitassem, mas o que precisávamos mesmo era de outro chefe de segurança — talvez mais dois. Especialistas que cuidariam exclusivamente de Eva e em quem eu poderia confiar, como confiava neles.

Ia ter que arrumar tempo para aquilo. Quando Eva e eu voltássemos da lua de mel, queria tudo no lugar.

"Obrigado, Angus." Exalei asperamente. "Vamos para a cobertura. Quero ficar com Eva agora. Vou saber os próximos passos depois que dormir um pouco."

"Por que não me contou?"

Olhei para Eva enquanto tirava as roupas. "Achei que fosse gostar da surpresa."

"Eu gostei. Mas ainda assim. Que *loucura*."

Dava para ver que ela estava feliz com a entrevista. A forma como me agarrou quando cheguei em casa tinha sido uma boa indicação. Também estava falando depressa e saltitando de um lado para o outro. Não era muito diferente de Lucky, que corria para debaixo da cama e rolava para fora, latindo alegremente.

Saí do closet de cueca, fui até a cama e desabei. Eu estava cansado. Demais até para dar em cima da minha linda esposa, maravilhosa em um macaquinho curto. Mas, se ela sugerisse, sem dúvida seria capaz de comparecer.

Eva sentou no seu lado da cama, então se abaixou para ajudar Lucky, que tentava subir, mas não conseguia. Segundos depois ele estava sobre o meu peito, reclamando enquanto eu o impedia de deixar meu queixo todo babado. "Ei, eu entendo. Gosto de você também, mas não fico lambendo sua cara."

Ele latiu. Eva riu e se deitou no travesseiro.

Foi então que me dei conta. Estava em casa. De certa forma, nunca tinha sentido aquilo antes, naquele apartamento. Nada parecera minha casa desde que meu pai tinha morrido. Agora eu tinha aquilo de novo, e melhor do que nunca.

Empurrando Lucky para minha barriga, girei na direção de Eva. "Como foi com a sua mãe?"

"Bem, acho. Tudo pronto para domingo."

"Como assim 'acho'?"

Eva deu de ombros. "Ela teve uma dor de cabeça durante sua entrevista. Acho que ficou um pouco assustada."

Eu a examinei. "Com o quê?"

"Com você falando sobre coisas pessoais na televisão. Não sei. Às vezes não a entendo."

Eu me lembrei de Eva ter me contado sobre como tinha discutido o livro de Corinne com Monica e a possibilidade de usar a mídia em nosso favor. Ela havia alertado a filha contra a ideia, disse para valorizar nossa privacidade. Na época, eu concordei e — tirando a entrevista daquele dia — continuaria concordando. Mas, à luz do pouco que sabia sobre a identidade de Monica, parecia provável que ela estivesse preocupada com a própria privacidade. Uma coisa era aparecer em breves menções nos jornais da sociedade local. Outra bem diferente era ganhar a atenção do mundo.

Eva tinha o mesmo rosto da mãe e alguns de seus maneirismos. Também tinha o nome Tramell, o que era curioso. Teria sido mais fácil se esconder dando a ela o sobrenome de Victor. Poderia haver alguém procurando por Monica. Se soubessem pelo menos o tanto que eu sabia, bastava ver o rosto de Eva na TV para saber onde ela estava.

Meu coração começou a disparar. Minha esposa estava em perigo? Não tinha ideia do que Monica poderia estar se escondendo.

"Ah!" Eva deu um pulo. "Eu não contei... Tenho um vestido!"

"Meu Deus. Você quase me deu um ataque cardíaco." Lucky aproveitou o susto e subiu em cima de mim, lambendo-me loucamente.

"Desculpa." Ela pegou o cachorro e me resgatou, colocando-o em seu colo, sentando-se de pernas cruzadas ao meu lado. "Liguei para meu pai hoje. Minha avó tinha perguntado para ele se eu ia gostar de usar o vestido de noiva dela. Ele me mandou uma foto, mas o vestido passou tanto tempo guardado que não dava para ter uma ideia. Então ele me mandou uma foto do dia do casamento dela, e o vestido parece perfeito! É exatamente o que eu não sabia que queria!"

Esfreguei o peito e sorri, ironicamente. Como eu poderia não me encantar com o fato de ela estar tão animada para se casar comigo de novo? "Que bom, meu anjo."

Seus olhos brilhavam de excitação. "Foi minha bisavó quem o costurou para ela, com a ajuda das irmãs. É uma relíquia de família. Não é incrível?"

"É."

"Então! E somos mais ou menos da mesma altura. Minha bunda e meus peitos vieram desse lado da família, então pode ser que nem precise fazer alterações."

"Adoro sua bunda e seus peitos."

"Safado." Ela balançou a cabeça. "Acho que vai ser bom para a família do meu pai me ver nele. Estava preocupada que ficassem pouco à vontade, mas, agora que vou usar o vestido, eles vão se sentir incluídos. Não acha?"

"Acho." Chamei-a com o indicador. "Vem aqui."

Ela ficou me olhando. "Você está com uma cara estranha."

"Eu?"

"Ainda está pensando na minha bunda e nos meus peitos?"

"Sempre. Mas, agora, um beijo resolve."

"Hum." Inclinando-se, ela ofereceu a boca.

Segurando sua cabeça, tive aquilo que queria.

"*É impressionante, filho.*"

Estou olhando para o Crossfire, da rua, mas o som da voz do meu pai me faz virar a cabeça. "Pai."

Ele está vestido como eu, em um terno escuro de três peças. A gravata é vinho, e ele leva um lenço dobrado no bolso do paletó. Temos a mesma altura, o que me assusta um pouco. Por quê? A resposta paira na minha mente, mas não consigo entender.

Seu braço envolve meus ombros. "Você construiu um império. Estou orgulhoso."

Inspiro fundo. Não tinha percebido o quanto precisava ouvi-lo dizer aquilo. "Obrigado."

Ele se vira, fixando o rosto no meu. "E você se casou. Parabéns."

"Você deveria vir à cobertura comigo conhecer Eva." Estou ansioso. Não quero que diga não. Tem tantas coisas que quero contar a ele, mas nunca temos tempo. Só uns minutos aqui e ali, conversas incompletas que nunca se aprofundam. Com minha mulher lá, eu teria coragem para dizer o que precisava. "Você vai adorar Eva. Ela é incrível."

Meu pai sorri. "Ela é bonita. Queria um neto. E uma neta."

"Ei." Dou risada. "Sem pressa."

"A vida não para, filho. Antes que você perceba, acabou. Não desperdice."

Engulo em seco. "Você poderia ter tido mais tempo."

Não é o que quero dizer. Quero perguntar a ele por que desistiu, por que foi embora. Mas tenho medo da resposta.

"Nem com todo o tempo do mundo teria construído algo assim." Ele olha de volta para o Crossfire. Do chão, parece alcançar o infinito, uma ilusão de óptica criada pela pirâmide no topo. "Vai dar trabalho manter isso em pé. Um casamento também. Em algum momento, você vai ter que escolher quem vem primeiro."

Penso no assunto. É verdade? Faço que não com a cabeça. "Vamos manter tudo em pé juntos."

Ele bate a mão no meu ombro e o chão reverbera aos meus pés. Começa fraquinho, mas depois vai aumentando até que começa a chover vidro em torno de nós. Horrorizado, vejo a ponta lá no alto explodir e o fogo irradiar para baixo, as janelas estourando sob a pressão.

Acordei com um arquejo, respirando com dificuldade. Empurrei o peso sobre meu peito e senti uma bola quente de pelos. Piscando, vi Lucky em cima de mim, tremendo com meus gemidos.

"Nossa." Sentei e ajeitei o cabelo para trás.

Eva dormia ao meu lado, toda enrolada, com as mãos sob o queixo. Pelas janelas atrás dela, vi que o sol desaparecia depressa. Uma olhada rápida no relógio me disse que eram só cinco da tarde. Meu alarme estava programado para despertar dali a quinze minutos, por isso peguei o celular para desligá-lo.

Lucky enfiou a cabeça debaixo do meu antebraço. Ergui-o para encará-lo. "Você fez de novo."

Tinha me acordado de um pesadelo. Quem poderia dizer se estava fazendo aquilo conscientemente ou não? Fiquei grato, de qualquer forma. Fiz um carinho nele e o coloquei para fora da cama.

"Você vai levantar?", perguntou Eva.

"Tenho consulta com o dr. Petersen."

"Ah, é. Tinha esquecido."

Eu tinha pensado em desmarcar, mas Eva e eu logo teríamos nossa lua de mel, então eu ficaria um mês sem vê-lo. Achei que poderia aguentar até lá.

Coloquei Lucky no chão e fui ao banheiro.

"Ei", ela me chamou. "Convidei Chris para jantar hoje à noite."

Meu passo vacilou, depois parou. Voltei e encarei minha esposa.

"Não olhe para mim assim." Ela se sentou, esfregando os olhos. "Ele está solitário, Gideon. Está sozinho, sem a família. É um momento difícil. Pensei em fazer algo simples para o jantar, e poderíamos ver um filme. Pra afastar a cabeça dele do divórcio por um tempo."

Suspirei. Aquela era minha mulher. Sempre defendendo os outros. Como poderia culpá-la por ser a pessoa por quem tinha me apaixonado? "Tudo bem."

Eva sorriu. Para vê-la assim, qualquer coisa valia a pena.

"Acabei de assistir à sua entrevista", comentou o dr. Petersen enquanto se acomodava em sua poltrona. "Minha esposa me contou hoje mais cedo, e vi pela internet. Muito bem. Gostei."

Ajeitando as calças, afundei no sofá. "Um mal necessário, mas concordo que correu tudo bem."

"Como está Eva?"

"Quer saber como ela reagiu ao ver a foto?"

O dr. Petersen sorriu. "Posso imaginar. Como ela está agora?"

"Bem." A lembrança de ouvi-la passando mal ainda me abalava. "Estamos bem."

O que não mudava o fato de que eu fervia de raiva cada vez que pensava no assunto. A foto fora tirada havia meses. Por que segurá-la para soltar agora? Teria sido notícia em maio.

A única resposta que eu podia imaginar era que queriam machucar Eva. Talvez criar um problema entre nós. Alguém queria humilhar a gente.

E essa pessoa ia pagar. Quando eu terminasse, quem quer que tivesse feito aquilo ia saber o que era o inferno. Ia sofrer, da mesma forma que Eva e eu tínhamos sofrido.

"Tanto você quanto Eva dizem que as coisas estão indo bem. O que isso significa?"

Soltei os ombros para aliviar a tensão. "Que o que temos é... sólido. Agora há uma estabilidade que não existia antes."

Ele apoiou o tablet no braço da poltrona e encontrou meu olhar. "Dê um exemplo."

"A foto. Em outro momento do nosso relacionamento, uma notícia dessas teria acabado com tudo."

"Dessa vez foi diferente."

"Muito. Eva e eu discutimos minha despedida de solteiro no Rio antes da viagem. Ela é muito ciumenta. Sempre foi, e não me importo. Na verdade, gosto. Mas não quero que se torture por isso."

"O ciúme está enraizado na insegurança."

"Vamos mudar a palavra, então. Ela é territorial. Nunca vou tocar outra mulher na vida, e Eva sabe disso. Mas tem uma imaginação ativa. E aquela foto era tudo o que mais temia tornado realidade."

O dr. Peterson me esperava falar, mas, por um segundo, não consegui. Tive que tirar a imagem — e a raiva que ela gerava — da cabeça antes de continuar.

"Eva estava a milhares de quilômetros de distância quando a coisa explodiu na internet, e eu não tinha como provar nada. Só tinha minha palavra, e ela acreditou em mim. Sem perguntas. Sem dúvidas. Expliquei o melhor que pude, e ela aceitou como verdade."

"Isso surpreende você."

"É..." Fiz uma pausa. "Sabe, agora que estou falando nisso, acho que, na verdade, não me surpreendeu."

"Não?"

"Nós dois passamos por maus bocados, mas não metemos os pés pelas mãos. Foi como se soubéssemos como consertar as coisas. E tínhamos certeza de que ia dar certo. Não havia dúvida quanto a isso."

Ele sorriu, gentilmente. "Você está sendo muito sincero. Na entrevista e agora."

Dei de ombros. "Incrível o que um homem faz quando confrontado com a perda da mulher sem a qual não pode viver."

"Você ficou zangado com o ultimato. Ressentido. Ainda se sente assim?"

"Não." A resposta veio sem hesitação, embora nunca fosse me esquecer do que sentira quando ela forçara a separação. "Eva quer que eu fale, então vou falar. Não importa com o que eu a bombardeie, meu estado de espírito quando estou falando, quão horrível ela se sente quando ouve... Eva é capaz de lidar com isso. E me ama mais."

Ri alto, surpreendido por uma súbita onda de alegria.

O dr. Petersen arregalou os olhos, com um leve sorriso nos lábios. "Nunca vi você rir assim antes."

Balancei a cabeça, perplexo. "Não se acostume com isso."

"Vamos ver. Falar mais. Rir mais. As duas coisas estão conectadas, sabia?"

"Depende de quem está falando."

Seus olhos pareciam calorosos e compassivos. "Você parou de falar quando sua mãe parou de ouvir."

Meu sorriso desapareceu.

"Dizem que ações falam mais alto que palavras", ele continuou, "mas ainda precisamos de palavras. Precisamos falar e precisamos ser ouvidos."

Olhei para ele, a pulsação acelerando, inexplicavelmente.

"Sua esposa ouve você, Gideon. Ela acredita em você." Ele se inclinou para a frente. "*Eu* ouço você, acredito em você. Agora que voltou a falar está obtendo uma resposta diferente da que se condicionou a esperar. Com isso, algo se abre, não é?"

"Você quer dizer que eu me abro."

Ele assentiu. "É. Para o amor e a aceitação. Para a amizade. Confiança. Todo um novo mundo, na verdade."

Ergui o braço e esfreguei a nuca. "E o que eu faço com isso?"

"Rir mais é um bom começo." O dr. Petersen se recostou com um sorriso e pegou o tablet de novo. "O resto, a gente descobre no caminho."

Entrei no saguão da cobertura sob os sons de Nina Simone e Lucky, animados. O cachorro latiu do outro lado da porta da frente, as garras arranhando-a loucamente. Sorrindo, girei a maçaneta e me agachei, então peguei o pequeno corpo quando se lançou na minha direção, contorcendo-se.

"Me ouviu chegando, foi?" Em pé, aninhei-o junto ao peito e deixei que lambesse meu queixo enquanto coçava suas costas.

Entrei na sala a tempo de ver meu padrasto se levantando de onde estava sentado, no chão. Ele me cumprimentou com um sorriso caloroso e olhos ainda mais calorosos, e então mudou a expressão para algo... menos caloroso.

"Oi", ele me cumprimentou, aproximando-se. Estava de calça jeans e camisa polo, mas tinha tirado os sapatos, revelando meias brancas com riscas vermelhas nos dedos. O cabelo ondulado, da cor de uma moeda de cobre velha, estava mais comprido do que nunca, e uma barba de alguns dias sombreava seu queixo.

Não me movi. Meu pensamento estava disperso. Por um instante, Chris tinha me olhado como o dr. Petersen fazia. Como Angus fazia.

Como meu pai, nos meus sonhos.

Incapaz de encará-lo, levei um segundo para colocar Lucky no chão e inspirar fundo. Quando levantei, encontrei-o estendendo a mão para mim.

Sentindo uma pontada familiar de consciência, olhei por cima do ombro de Chris e vi Eva parada na porta da cozinha. Seu olhar encontrou o meu, suave, tenro e cheio de amor.

Algo a seu respeito tinha mudado radicalmente. A saudação descontraída me fez lembrar como eram as coisas entre nós anos antes. Teve uma época em que Chris não era tão formal comigo. Uma época em que me olhava com carinho. Ele tinha parado porque eu tinha pedido. Chris não era o meu pai. Nunca seria. Eu sabia que era só a bagagem que decorria do amor dele pela minha mãe. Não precisava que fingisse que ligava para mim.

Ao que parecia, ele tinha fingido não se importar.

Peguei sua mão, em seguida o puxei para um abraço rápido, batendo com firmeza e carinho em seus ombros antes de soltá-lo. Ele me segurou por um tempo mais, e eu gelei, meu olhar voando para Eva.

Ela fez um gesto de quem serve uma bebida imaginária e se retirou para me servir uma de verdade.

Chris me soltou, recuando e limpando a garganta. Atrás da armação dourada, seus olhos pareciam brilhantes e úmidos. "Não foi trabalhar de terno hoje?", perguntou, a voz rouca, olhando para a calça jeans e a camiseta que eu estava usando. "Você trabalha muito. Especialmente com esse cachorro e essa mulher em casa esperando por você."

Sua esposa ou você, Gideon. Ela acredita em você. Eu ouço você, acredito em você.

Meu padrasto acreditava em mim também. E aquilo estava lhe custando caro. Podia ver a dor com a qual estava lidando, eu a reconhecia de quando a tinha sentido. Ficar separado de Eva tinha sido quase uma morte em vida, e nosso relacionamento ainda estava no começo. Chris estava casado com minha mãe por mais de duas décadas.

"Estava na terapia", disse a ele. As palavras comuns soaram estranhas aos meus ouvidos, como algo que uma pessoa mentalmente instável e que fala demais diria.

Ele engoliu em seco. "Você está em tratamento. Que bom, Gideon. Fico feliz em ouvir isso."

Eva apareceu com uma taça de vinho na mão. Ela a passou para mim, inclinando o queixo para me dar um beijo. Mantive os lábios nos dela por um longo e delicioso instante.

"Está com fome?", perguntou, quando a deixei se afastar.

"Faminto."

"Então vamos comer."

Dei uma conferida em minha mulher enquanto a seguia até a cozinha, admirando a forma como a calça capri abraçava sua bunda sensual. Estava descalça, o cabelo loiro balançando suavemente sobre os ombros. Tirando o gloss em seus lábios, estava sem maquiagem, e mesmo assim era de tirar o fôlego.

Ela tinha arrumado o jantar na bancada da cozinha, colocando Chris e eu de um lado nas banquetas, enquanto comia em pé, na nossa frente. Estava tão casual e descontraída quanto a atmosfera que tinha criado.

Três velas perfumadas enchiam o ar de algo cítrico e picante. O jantar era uma salada com cebolas roxas, pimentões vermelhos e amarelos, vinagrete picante e tiras de filé com gorgonzola. Numa cesta forrada com guardanapo, havia um pão de alho quente e fresquinho. Ao lado, vinho tinto descansava no decanter antes de ser servido.

Observei-a balançando com a música enquanto comia e conversava com Chris sobre a casa de praia da Carolina do Norte. Lembrei-me por um momento de como a cobertura era antes de Eva começar a mudança. Era onde eu morava, mas não poderia chamar aquilo de casa. De alguma forma, deveria saber que ela iria para lá quando comprei o apartamento. Ele estava esperando por Eva, precisando dela para ganhar vida. Como eu.

"Sua irmã vai comigo ao jantar amanhã, Gideon", anunciou Chris. "Está muito animada."

Eva franziu a testa. "Que jantar?"

Ele arqueou as sobrancelhas. "Seu marido vai ser homenageado por sua generosidade."

"Ah, é?" Seus olhos se arregalaram, e ela deu um pulinho. "Vai ter um discurso?"

Divertido, comentei: "É, em geral, esperam um discurso".

"Eba!" Ela saltitou e bateu palmas como uma líder de torcida. "Adoro ouvir você falar."

Diante daquele brilho nos olhos da minha esposa que dizia "Me leva para a cama", achei que poderia até me divertir fazendo um discurso.

"E mal posso esperar para ver Ireland", acrescentou. "É um evento de gala?"

"É."

"Eba de novo! Você fica lindo dando discurso de smoking." Ela esfregou as mãos.

Chris riu. "Está na cara que sua esposa é sua maior fã."

Eva piscou para ele. "Pode crer."

Saboreei o vinho antes de engolir. "Nossa agenda social deveria estar sincronizada com seu celular, meu anjo."

O sorriso dela virou uma cara feia. "Acho que não está."

"Vou dar uma olhada nisso."

Recostando-se na banqueta, Chris levou a taça para junto do peito e suspirou. "Estava maravilhoso, Eva. Obrigado."

Ela foi modesta. "Era só uma salada. Mas que bom que você gostou."

Meu olhar foi dela para meu padrasto. Pensei se deveria falar alguma coisa, cozinhando a ideia na cabeça por um tempo. Estava tudo bem antes. Mudanças às vezes estragavam as coisas.

"Devíamos fazer isso mais vezes." As palavras saíram antes que eu percebesse.

Chris me fitou, depois baixou os olhos para o copo. Limpou a garganta antes de falar. "Seria muito bom, Gideon." Então voltou a olhar para mim. "É só chamar."

Assenti. Deslizando da banqueta, peguei seu prato e o meu e levei até a pia.

Eva se juntou a mim, entregando-me seu prato. Nossos olhares se encontraram, e ela sorriu. Então se virou para Chris. "Vamos abrir outra garrafa."

"Estamos duas semanas adiantados no cronograma. Se não acontecer nenhum imprevisto, vamos concluir antes do planejado."

"Excelente." Levantei e apertei a mão do gerente de projeto. "Ótimo trabalho, Leo."

Abrir o mais novo resort Crosswinds antes da hora traria benefícios incontáveis, sem falar que eu poderia combinar as inspeções finais com um pouco de diversão com Eva.

"Obrigado, sr. Cross." Ele recolheu os documentos e se endireitou. Leo Aigner era um homem corpulento, com cabelos loiros ralos e um grande sorriso. Trabalhava duro, atinha-se rigidamente aos prazos e os acelerava sempre que podia. "Parabéns, aliás. Fiquei sabendo que o senhor se casou há pouco tempo."

"É verdade. Obrigado."

Caminhei com Leo até a porta da minha sala e, assim que ele saiu, conferi o relógio. Eva iria ao Crossfire ao meio-dia, para almoçar com Mark e Steven. Queria falar com ela. Precisava da sua opinião antes de seguir em frente com uma ideia que estava o dia inteiro na minha cabeça.

"Sr. Cross." Scott apareceu na porta, interceptando-me no caminho até a mesa.

Virei na direção dele, com um olhar interrogativo.

"Faz meia hora que Deanna Johnson está esperando na recepção. Quer que eu avise a Cheryl?"

Pensei em Eva. "Pode mandar a sra. Johnson subir."

Enquanto a esperava, mandei uma mensagem para Eva. **Reserve um tempinho para mim antes de sair do Crossfire. Preciso perguntar uma coisa.**

Reunião privada?, ela escreveu de volta. **Está pensando na minha bunda e nos meus seios de novo?**

Sempre, respondi.

Deanna me encontrou sorrindo para o celular. Olhei para cima quando ela entrou, e a sensação boa sumiu no mesmo instante. Vestia um terninho branco e usava uma gargantilha de ouro grossa em volta do pescoço. Estava na cara que tinha tomado cuidado com a aparência. O cabelo escuro caía em ondas emoldurando o rosto e os ombros, e a maquiagem estava carregada.

Ela caminhou na direção da minha mesa.

"Sra. Johnson." Coloquei o telefone na mesa e me recostei na cadeira antes de ela se sentar. "Não tenho muito tempo."

Ela comprimiu os lábios, em seguida jogou a bolsa na cadeira mais próxima e continuou em pé. "Você me prometeu exclusividade das fotos do seu casamento!"

"É verdade." E, como lembrava o que havia extraído dela em troca, apertei o botão que fechava a porta do escritório.

Deanna apoiou as mãos na minha mesa e se inclinou sobre ela. "Eu lhe dei todas as informações sobre a fita de sexo da Eva com Brett Kline. Cumpri minha parte do acordo."

"Ao mesmo tempo que convencia Corinne a lhe dar o que precisava para escrever um livro sobre mim."

Algo cruzou seu olhar.

"Achou que eu estava blefando na entrevista?", perguntei, calmamente, inclinando-me para trás e tamborilando os dedos. "Que não sabia que a ghost-writer era você?"

"Isso não tem nada a ver com o nosso acordo!"

"Ah, não?"

Deanna se afastou da mesa em uma violenta explosão. "Você é um presunçoso filho da puta. Não dá a mínima para ninguém além de você mesmo."

"Se acha isso, por que confiar que eu manteria minha parte do trato?"

"Burrice total. Achei que estivesse sendo sincero quando pediu desculpas."

"E estava. Sinto muito por ter transado com você."

Deanna ficou vermelha de fúria e vergonha. "Odeio você", sibilou.

"Eu sei. Está no seu direito, mas sugiro que pense duas vezes antes de seguir em frente com uma vingança contra mim e minha esposa." Fiquei de pé. "Você vai sair pela porta e vou esquecer que você existe — de novo. Não me queria pensando em você, Deanna. Não vai gostar de para onde esses pensamentos levariam."

"Eu poderia ter feito uma fortuna com aquela fita!", acusou ela. "E eles iam me pagar uma boa grana para escrever o livro. As fotos do seu casamento teriam me rendido uma nota também. E agora fico com o quê? Você levou tudo de mim. Você *me deve*."

Arqueei uma sobrancelha. "Então eles não querem mais que você escreva o livro? Que interessante."

Ela se endireitou, recompondo-se. "Corinne não sabia. Sobre nós."

"Vamos ser claros. Nunca houve um *nós*." Meu celular tocou. Era uma mensagem de Raúl, avisando que estava quase no Crossfire com Eva. Caminhei até o cabide. "Você queria transar, e eu transei com você. Se *me* queria, bem... Não posso me responsabilizar por suas expectativas."

"Você não se responsabiliza por nada! Só usa as pessoas."

"Você me usou também. Por sexo. Para tentar enriquecer." Vesti o paletó. "Quanto ao que devo a você por suas perdas financeiras, minha mulher sugeriu que lhe oferecesse um emprego."

Seus olhos escuros se arregalaram. "Está brincando!"

"Foi minha reação também." Peguei o celular de novo e o coloquei no bolso do paletó. "Mas ela estava falando sério, então faço a oferta. Se estiver interessada, Scott pode colocar você em contato com alguém dos recursos humanos."

Dirigi-me para a porta.

"Você sabe o caminho da saída."

Descer até a portaria era totalmente desnecessário. Eva já tinha planos para o almoço, e as poucas palavras que eu precisava trocar com ela não chegavam a configurar uma conversa importante.

Mas queria vê-la. Tocá-la só por um momento. Lembrar que o homem que eu era quando comia mulheres como Deanna já não existia. O cheiro de sexo nunca mais me reviraria o estômago e me faria esfregar a pele no chuveiro até ficar quase em carne viva.

Estava passando pelas catracas no saguão quando Raúl escoltou Eva pela porta giratória e se retirou para seu posto do lado de fora do prédio. Ela usava um macacão vinho com saltos altíssimos, tão delicados que eu não conseguia entender como se equilibrava. Seus ombros bronzeados estavam à mostra com as alças finas da sua blusa, e argolas douradas pendiam de suas orelhas. Como seu rosto estava parcialmente coberto por óculos de sol, minha atenção se concentrou na boca carnuda que havia envolvido meu pau poucas horas antes. Trazia na mão uma carteira clara e cruzou o piso de mármore com um balanço naturalmente sedutor dos quadris.

As pessoas viravam o rosto para vê-la passar. Alguns dos olhares se demoravam na sua bunda.

O que pensariam se soubessem que, no fundo, ainda tinha minha porra? Que seus mamilos estavam sensíveis pela sucção da minha boca, e os lábios grossos de sua boceta perfeita estavam inchados com a fricção do meu pau neles?

Eu sabia no que aquilo me fazia pensar. *Minha. Toda minha.*

Como se sentisse o calor de meu desejo silencioso, Eva virou a cabeça bruscamente e me pegou vindo em sua direção. Seus lábios se entreabriram. Vi seu tórax subir e descer numa ingestão rápida de ar.

Eu te entendo, meu anjo. Parece um soco no estômago, toda vez.

"Garotão."

Segurando sua cintura fina com ambas as mãos, puxei-a para mim e dei um beijo em sua testa, inspirando seu perfume. "Meu anjo."

"Que surpresa agradável", ela murmurou, inclinando-se para junto de mim. "Está de saída?"

"Só queria ver você."

Então se afastou, os olhos brilhando de prazer. "Está doente por mim, hein?"

"É altamente contagioso. Peguei de você."

"Ah, é?" Sua risada me atravessou como uma onda quente de amor.

"Aí está, o homem em pessoa", disse Steven Ellison, aproximando-se de nós. "Parabéns, pombinhos."

"Steven." Eva se virou e abriu os braços para o ruivo musculoso.

Ele a pegou num abraço e a ergueu do chão. "O casamento lhe caiu bem." Então a soltou para apertar minha mão. "A você também."

"É uma sensação boa", respondi.

Steven sorriu. "Estou ansioso. Faz anos que Mark me enrola."

"Disso você não pode reclamar mais", disse Mark, juntando-se a nós. Ele apertou minha mão também. "Sr. Cross. Parabéns."

"Obrigado."

"Vai almoçar com a gente?", perguntou Steven.

"Não estava planejando, não."

"Você é bem-vindo. Quanto mais gente, melhor. Vamos ao Bryant Park Grill."

Olhei para Eva. Ela ergueu os óculos escuros e me olhou com expectativa. Em seguida, fez um pequeno aceno de encorajamento.

"Tenho muita coisa para colocar em dia", falei, o que não era mentira. Estava dois dias atrasado. Considerando que precisava me preparar para a ausência durante a lua de mel, tinha planejado comer no escritório e trabalhar.

"Você é o chefe", disse Eva. "Pode dar umas escapadas sempre que quiser."

"Você é uma má influência, sra. Cross."

Ela passou o braço no meu e me puxou para a porta. "Você adora quando faço isso."

Eu a segurei, olhando para Mark.

"Sei que você está ocupado", ele disse. "Mas seria bom se pudesse vir. Tem uma coisa que quero falar com vocês dois."

Concordei, com um aceno de cabeça. Saímos para a rua, e o calor do dia nos atingiu em cheio, assim como os sons da cidade. Raúl esperava na calçada junto da limusine, e seu olhar capturou o meu antes de abrir a porta para Eva. Um brilho me fez virar a cabeça, chamando minha atenção para a objetiva focada em nós, de um fotógrafo em um carro estacionado do outro lado da rua.

Dei um beijo na têmpora de Eva antes de ela entrar pela porta traseira. Eva me olhou, encantada e surpresa. Não expliquei. Ela tinha pedido mais fotos nossas para combater o lançamento do livro de Corinne. Não era difícil demonstrar meu afeto, independentemente de aquela biografia maldita ver a luz do dia.

Foi uma viagem rápida até Bryant Park. Em poucos instantes, estávamos na calçada, e eu voltei no tempo, lembrando-me da briga com Eva naquele mesmo lugar. Ela tinha visto uma foto minha com Madalena, uma mulher que eu considerava uma amiga de longa data, embora houvesse rumores de um caso. E eu tinha visto uma foto dela com Cary, um homem que Eva amava como um irmão, mas que, de acordo com os boatos, era o amante com quem dividia um apartamento.

Nós dois ficamos loucos de ciúme, e a relação ainda muito recente foi prejudicada por nossos muitos segredos. Eu já estava obcecado por Eva, e meu mundo girava no eixo para acomodá-la. Mesmo em sua fúria, ela me olhou com amor e me acusou de não o reconhecer quando o via. Mas eu sabia. Eu via. E estava aterrorizado. Mas, pela primeira vez na vida, aquilo me dera esperança.

Ao nos aproximarmos da entrada coberta de hera do restaurante, Eva me olhou, e vi que também estava rememorando aquilo. Havíamos voltado ao mesmo lugar quando Brett Kline tentara reconquistá-la. Eva já era minha de novo, estávamos casados. Éramos mais fortes que antes, mas agora... Agora nada poderia nos atingir. Estávamos profundamente ancorados.

"Eu te amo", ela disse, enquanto seguíamos Mark e Steven pela porta. Fomos inundados pelo ruído de um restaurante popular. O barulho de talheres de prata na porcelana, o zumbido de várias conversas, a música ambiente quase imperceptível e a agitação de uma cozinha movimentada.

Minha boca se curvou. "Eu sei."

Fomos levados a uma mesa imediatamente, e um garçom veio anotar o pedido de bebidas.

"Champanhe?", Steven perguntou.

Mark balançou a cabeça. "Qual é? Você sabe que tenho que voltar para o trabalho."

Segurei a mão de Eva debaixo da mesa. "Quando ele estiver trabalhando para mim, você oferece de novo. Vamos ter motivos para comemorar."

Steven sorriu. "Pode deixar."

Pedimos as bebidas — água natural e com gás e um refrigerante —, e o garçom foi buscá-las.

"Então, o negócio é o seguinte", Mark começou, endireitando-se na cadeira. "Parte da razão da saída de Eva foi a proposta da LanCorp..."

Ela se antecipou a ele, a boca curvada num sorriso de gato que comeu o canário. "Ryan Landon ofereceu um emprego a você."

Seus olhos se arregalaram. "Como você sabe?"

Eva olhou para mim e depois de volta para ele. "Você não vai aceitar, vai?"

"Não." Mark se recostou na cadeira e nos examinou. "Eu ficaria no mesmo cargo. Nada como a promoção que vou ter nas Indústrias Cross. Só que, mais do que isso, eu me lembrei de você me explicando a rixa com Landon. Dei uma pesquisada nisso. Sabendo da história, a coisa toda era estranha — ele se recusando a trabalhar com a gente e logo depois tentando me roubar."

"Talvez ele só quisesse você, sem a agência", argumentou Eva.

Steven assentiu. "Foi o que eu falei."

Como imaginei que faria, pensei, já que acreditava em seu parceiro. Mas Mark parecia mais antenado. Eva se virou para mim e vi claramente o "Eu te disse" em seu olhar. Apertei sua mão.

"Você não acredita nisso", Mark respondeu, provando que nós dois estávamos certos.

"Não", ela concordou. "Não acredito. Vou ser sincera, eu joguei a isca. Disse a eles que Gideon e eu gostávamos muito de você e que estávamos ansiosos para trabalharmos juntos de novo. Queria ver se morderiam. Achei que, se fosse uma oferta irrecusável, estaria fazendo um favor a você. Caso contrário, não haveria problema nenhum."

Ele franziu a testa. "Mas por que você fez isso? Não me quer nas Indústrias Cross?"

"Claro que queremos, Mark", interrompi. "Eva foi honesta com eles."

"Era um teste", complementou ela. "Pensei em avisar você, mas não queria que se sentisse mal caso oferecesse algo que pudesse considerar seriamente."

"E então, o que vocês vão fazer agora?", perguntou Steven.

"Agora?" Eva deu de ombros. "Gideon e eu estamos planejando uma cerimônia de renovação de votos e depois vamos sair numa longa lua de mel. Ryan Landon não é um problema que vai desaparecer tão cedo. Vai continuar por aí, fazendo o que sempre faz. Não vou subestimar o cara. E Mark vai começar num superemprego nas Indústrias Cross."

Eva olhou para mim. Eu sabia. Como todas as minhas outras batalhas, Landon não ia ser algo de que eu cuidaria sozinho. Minha esposa estaria lá, fazendo o que pudesse, lutando ao meu lado.

O sorriso de Mark brilhou, revelando dentes brancos emoldurados pelo cavanhaque. "Parece bom para mim."

"Quer brincar de secretária assanhada de novo?", Eva sussurrou.

Ao entrar na minha sala, ela manteve uma mão na minha e com a outra mão segurou meu bíceps. Olhei para ela, apreciando a oferta, e vi o riso caloroso em seus olhos.

"Tenho que trabalhar em algum momento hoje", respondi.

Eva deu uma piscadinha e me soltou, sentando-se, obediente, em uma das cadeiras diante da minha mesa. "Como posso ajudar, sr. Cross?"

Sorri ao pendurar meu paletó no cabide. "O que acha de eu convidar Chris para padrinho?"

Virei em tempo de ver sua surpresa.

Eva piscou para mim. "Sério?"

"Diga o que está pensando."

Recostando-se na cadeira, ela cruzou as pernas. "Quero ouvir o que você está pensando primeiro."

Sentei na cadeira ao lado dela, em vez de na minha, atrás da mesa. Eva era minha companheira, minha melhor amiga. Íamos lidar com aquilo, como tudo mais, lado a lado.

"Depois do Rio, pensei em convidar Arnoldo. Não sem antes conversar com você."

"Por mim, tudo bem", ela disse, e vi que era sincero. "É uma decisão que tem que tomar pensando em você, não em mim."

"Ele entende o que a gente tem junto, e isso é bom para nós dois."

Ela sorriu. "Fico feliz."

"Eu também." Esfreguei a mandíbula. "Mas depois de ontem à noite..."

"Qual parte de ontem à noite?"

"O jantar com Chris. Aquilo me fez pensar. As coisas mudaram. E tem algo que o dr. Petersen disse. Eu só..."

Eva estendeu a mão e pegou a minha.

Estava procurando as palavras certas. "Quando você estiver caminhando até o altar, quero do meu lado alguém que saiba de tudo. Não quero qualquer falsidade. Não para algo tão importante. Quando estivermos de frente um para o outro, renovando nossos votos, preciso que seja... real."

"Ah, Gideon." Ela deslizou da cadeira, agachando-se junto ao meu joelho. Seus olhos estavam úmidos e reluzentes, como um céu tempestuoso logo após uma chuva renovadora. "Você é tão lindo", ela sussurrou. "Nem tem ideia de como é romântico."

Segurei seu rosto, os polegares roçando as lágrimas que deslizavam por suas bochechas. "Não chore. Não aguento ver isso."

Ela pegou meus pulsos e se ergueu, pressionando a boca contra a minha. "Estou muito feliz", ela murmurou, os lábios sussurrando as palavras contra minha pele. "Às vezes, parece mentira. Como se eu estivesse sonhando e, a qualquer momento, fosse acordar no chão do saguão, te olhando pela primeira vez e imaginando tudo isso, de tanto que quero você."

Puxei-a para meu colo, abraçando-a e enterrando o rosto em seu pescoço. Eva sempre era capaz de dizer o que eu não conseguia.

Suas mãos correram por meu cabelo e deslizaram por minhas costas. "Chris vai adorar."

De olhos fechados, eu a segurei com mais força. "Foi você quem fez isso."

Ela tinha tornado tudo possível. Tinha *me* tornado possível.

Eva riu, suavemente, afastando-se para tocar meu rosto com os dedos delicados. "Foi tudo você, garotão. Sou só a moça de sorte que assiste a tudo da primeira fila."

De repente, casamento não parecia ser o suficiente para proteger o que

Eva significava para mim. Por que não havia algo que estabelecesse um vínculo mais forte do que um pedaço de papel que me dava o direito de chamá-la de esposa? Votos eram uma promessa, mas o que eu precisava era de uma garantia de que Eva estivesse presente todos os dias da minha vida. Queria que meu coração batesse ao ritmo do dela e parasse com o dela. Inextricavelmente entrelaçados, de modo que nunca vivesse um momento sem ela.

Eva me beijou de novo, suavemente. Com gentileza. Os lábios tenros. "Te amo."

Nunca me cansaria de ouvir aquilo. Nunca deixaria de precisar ouvir aquilo. Eram palavras que tinham que ser ditas e ouvidas, como o dr. Petersen tinha falado. "Te amo."

Mais lágrimas. "Deus. Estou um caco." Ela me beijou de novo. "E você tem que trabalhar. Mas não pode ficar até tarde. Vou me divertir, ajudando você a vestir o smoking... e a sair dele."

Quando se afastou de mim e se levantou, eu a deixei ir, mas não consegui desgrudar os olhos dela.

Eva atravessou a sala e desapareceu no banheiro. Fiquei sentado ali, ainda na dúvida se teria forças para me levantar. Ela deixava meus joelhos bambos, fazia meu pulso acelerar rápido e ficar forte demais.

"Gideon." Minha mãe invadiu a sala, com Scott correndo logo atrás. "Preciso falar com você."

Levantei e acenei para meu assistente. Ele recuou, fechando a porta. O calor de Eva desapareceu, deixando-me vazio e com frio diante de minha mãe.

Estava com uma calça jeans escura, que a envolvia como uma segunda pele, e uma camisa por dentro dela. Os longos cabelos pretos estavam presos num rabo de cavalo, e seu rosto estava limpo. A maioria das pessoas que a viam simplesmente enxergava uma mulher deslumbrante, que parecia mais jovem do que era. Eu sabia que estava tão cansada quanto Chris. Sem maquiagem, sem joias. Não era ela.

"Que surpresa", eu disse, contornando a mesa até minha cadeira. "O que a traz a Nova York?"

"Acabei de encontrar Corinne." Ela marchou até minha mesa e permaneceu em pé, exatamente como Deanna algumas horas antes. "Está arrasada com sua entrevista de ontem. Completamente destruída. Você tem que conversar com ela."

Olhei para minha mãe, incapaz de compreender como sua cabeça funcionava. "Por que eu faria isso?"

"Pelo amor de Deus", ela retrucou, olhando para mim como se eu tivesse enlouquecido. "Você precisa se desculpar. Disse coisas muito dolorosas..."

"Falei a verdade, que provavelmente é mais do que pode ser dito desse livro que ela vai publicar."

"Ela não sabia que você tinha uma história com aquela mulher... a ghost-writer. Assim que descobriu, falou para o editor que não poderia trabalhar com ela."

"Não estou nem aí para quem vai escrever o livro. Um autor diferente não muda o fato de que Corinne está violando minha privacidade e expondo para o mundo algo que pode ferir minha esposa."

Seu queixo se ergueu. "Não vou nem falar da *sua esposa*, Gideon. Estou chateada... não... furiosa que você tenha se casado sem a família e os amigos. Isso não lhe diz nada? O fato de ter feito algo tão importante sem a bênção das pessoas que ama?"

"Está insinuando que ninguém teria aprovado?" Cruzei os braços. "Isso certamente não é verdade, mas, mesmo que fosse, não se escolhe a pessoa com quem vai passar o restante da vida baseado na opinião da maioria. Eva e eu nos casamos em segredo porque foi uma coisa íntima e pessoal, que não precisava ser compartilhada."

"Mas você compartilhou a notícia com o mundo! Antes de avisar sua família! Como pôde ser tão insensível? Você precisa dar um jeito nisso", ela afirmou, com veemência. "Tem que se responsabilizar pela dor que provoca nos outros. Não criei você dessa maneira. Não consigo nem dizer como estou decepcionada."

Percebi um movimento atrás dela e vi Eva aparecendo na porta do banheiro, o rosto tomado pela raiva, as mãos cerradas ao longo do corpo. Sacudi bruscamente a cabeça, enviando um aviso com os olhos semicerrados. Ela estava lutando aquela batalha por mim havia muito tempo. Era minha vez, e eu finalmente estava pronto.

Apertei o botão para tornar o vidro opaco. "Não me venha com sermões sobre causar dor ou decepcionar, *mãe*."

Foi como se ela tivesse levado um tapa. "Não fale assim comigo."

"Você sabia o que estavam fazendo comigo. E não fez nada."

"Não vou tocar nesse assunto de novo." Ela cortou o ar com a mão.

"E quando você tocou nele?", rebati. "Eu contei, mas em nenhum momento você quis discutir a questão."

"Não ponha a culpa em mim!"

"Eu fui estuprado."

As palavras saíram e pairaram no ar, cruas e afiadas como uma lâmina.

Minha mãe deu um passo para trás.

Eva agarrou o batente da porta com força.

Respirando fundo para recuperar um pouco do controle, extraí forças da presença dela. "Eu fui estuprado", disse de novo, mais calmo dessa vez. Mais firme. "Por quase um ano, todas as semanas. Um homem que você levou para sua casa me acariciou. Me sodomizou. De novo e de novo."

"Não." Ela inspirou bruscamente, o peito arfando. "Não diga essas coisas terríveis."

"Aconteceu. Repetidas vezes. Com você a apenas alguns cômodos de distância. Ele aparecia quase ofegante de excitação. Olhava para mim com aquele brilho doente nos olhos. E você não via. Se recusava a ver."

"É mentira!"

A fúria queimava dentro de mim, deixando-me inquieto, precisando me mover. Mas me mantive firme, o olhar se dirigindo a Eva. Ela assentiu para mim.

"Qual parte é mentira, mãe? Que fui estuprado? Ou que você preferiu ignorar?"

"Pare de falar isso!", ela retrucou, endireitando-se. "Levei você ao médico. Tentei achar uma prova..."

"Minha palavra não bastava?"

"Você era uma criança perturbada! Mentia sobre tudo. Qualquer coisa. As mais óbvias."

"Mentir me dava uma sensação de controle! Eu não tinha poder sobre nada na vida, exceto sobre as palavras que saíam da minha boca."

"E eu tinha que adivinhar o que era verdade e o que era mentira?" Ela se inclinou para a frente, tomando a ofensiva. "Você foi examinado por dois médicos. Não deixava ninguém chegar perto."

"Você acha que eu deixaria outro homem me tocar? Tem noção de como era traumático para mim?"

"Você deixou o dr. Lucas..."

"Ah, sim. O dr. Lucas." Sorri friamente. "Quem o indicou, mãe? O homem que estava me molestando? Ou seu médico, que era orientador dele? De qualquer maneira, ele conduziu você direitinho para o cunhado, sabendo que o respeitado dr. Lucas diria qualquer coisa para proteger a reputação da família."

Minha mãe recuou, tropeçando na cadeira atrás dela.

"Ele me sedou", continuei. Ainda me lembrava da picada da agulha. Da maca fria. Da vergonha enquanto mexia em uma parte do meu corpo que me fazia estremecer de repulsa. "Me examinou. E depois mentiu."

"Como eu ia saber?", ela sussurrou, os olhos impressionantes de tão azuis em seu rosto pálido.

"Você sabia", afirmei, categoricamente. "Eu me recordo do seu rosto depois, quando me disse que Hugh não ia voltar e era para eu nunca mais tocar no assunto. Você mal conseguia me encarar, mas eu vi nos seus olhos."

Voltei-me para Eva. Estava chorando, os braços apertados em torno de si mesma. Meus olhos ardiam, mas era ela quem chorava por mim.

"Achou que Chris fosse te abandonar?", perguntei em voz alta. "Achou que tudo aquilo era demais para sua nova família aceitar? Passei anos pensando que você tinha contado pra ele... Ouvi você falar do dr. Lucas... mas Chris não sabia. Agora me explica por que uma esposa esconderia uma coisa dessas do marido."

Minha mãe não falou, apenas balançou a cabeça repetidas vezes, como se aquela negação silenciosa respondesse tudo.

Bati com o punho na mesa, sacudindo tudo em cima dela. "Fala alguma coisa!"

"Você está errado. *Errado*. Distorceu tudo na sua cabeça. Você não..." Ela balançou a cabeça de novo. "Não foi assim que aconteceu. Você está confuso..."

Eva fitou as costas de minha mãe com uma raiva patente e enfurecida. O ódio comprimia sua boca e seu queixo. Foi então que percebi que podia deixá-la carregar aquele fardo para mim. Tinha que tirar aquilo das costas. Não precisava mais dele. Não queria mais.

De outra forma, eu tinha feito o mesmo por ela com Nathan. Minha ação afastara as sombras dos seus olhos. Elas viviam em mim agora, como deveriam. Eva já fora assombrada por tempo suficiente.

Meu peito se expandiu em uma inspiração lenta e profunda. Quando coloquei o ar para fora, toda a raiva e todo o desgosto saíram com ele. Fiquei ali por um bom tempo, absorvendo a leveza vertiginosa que sentia. Havia uma tristeza, uma angústia profunda, ardendo no meu peito. E resignação. Uma aceitação reveladora e terrível. Mas que pesava muito menos do que a esperança desesperada que eu nutrira: a de que, um dia, minha mãe me amasse o bastante para aceitar a verdade.

Aquela esperança estava morta.

Limpei a garganta. "Vamos acabar com isso. Não vou conversar com Corinne. E não vou pedir desculpas por dizer a verdade. Pra mim chega."

Minha mãe não se moveu por um longo tempo.

Por fim, afastou-se de mim sem uma palavra e caminhou até a porta. Logo sumiu do outro lado do vidro fosco.

Olhei para Eva. Ela correu na minha direção, e eu corri na sua, contornando a mesa para encontrá-la no meio do caminho. Abraçou-me com tanta força que eu mal podia respirar.

Mas não precisava de ar. Tinha Eva.

13

"Tem certeza de que está bem?", perguntei, ajeitando a gravata de Gideon. Ele pegou meus pulsos e os apertou com firmeza.

O familiar toque autoritário estimulou uma resposta condicionada. Trouxe meus pés de volta ao chão. Intensificou minha consciência de Gideon, de mim. De nós. Minha respiração acelerou.

"Para de perguntar isso." Sua voz era suave. "Estou bem."

"Quando uma mulher diz que está bem, é porque está longe disso."

"Não sou uma mulher."

"Dã."

A sugestão de um sorriso suavizou sua boca. "Quando um homem diz que está bem, é porque está." Ele deu um beijo rápido e firme na minha testa e me soltou. Então, foi até a gaveta das abotoaduras e avaliou suas opções, pensativo.

Gideon ficava alto e esguio nas calças feitas sob medida e na camisa social branca. Estava de meias pretas, mas os sapatos e o paletó ainda esperavam o momento de adornar seu corpo.

Tinha alguma coisa no fato de vê-lo parcialmente vestido que me deixava descontroladamente excitada. Era uma intimidade só minha, e eu adorava aquilo.

Lembrei o que o dr. Petersen tinha dito. Talvez devesse passar algumas noites dormindo separada dele. Não para sempre, mas por enquanto. Ainda assim, tínhamos momentos preciosos juntos, e aquilo me sustentava.

"Um homem. Que tal *meu* homem?", rebati, fazendo força para não me distrair com o quão gostoso ele estava. O problema era sua distância. Não estava encontrando aquela concentração exclusiva em mim a que estava acostumada. Sua mente estava em outro lugar, e me preocupava que fosse um lugar sombrio aonde ele não deveria ir sozinho. "O único que me interessa."

"Meu anjo. Há meses você vem me dizendo para colocar tudo para fora com minha mãe. Eu consegui. Acabou, ficou para trás."

"Mas como você está se sentindo sobre isso? Deve doer, Gideon. Por favor, não esconda de mim se for o caso."

Seus dedos tamborilaram no topo da cômoda embutida, o olhar ainda focado nas abotoaduras. "Dói, tá legal? Mas eu sabia que ia ser assim. É por isso que adiei por tanto tempo. Mas é melhor. Eu me sinto... Resolvido, porra."

Franzi os lábios. Queria que ele olhasse para mim ao dizer aquelas coisas, então desatei o robe e deixei a seda deslizar por meus ombros. Virei-me para pendurá-lo na porta do armário, passando por cima de Lucky, que estava dormindo no meio do caminho. Arqueei as costas para alcançar o gancho, dando a Gideon uma vista privilegiada da bunda que ele tanto amava.

Como não podia deixar de ser, meu marido havia me presenteado com um vestido novo para a ocasião, um longo cinza maravilhoso, com um corpete e uma saia em camadas leves, que ondulavam feito fumaça quando eu me movia.

Por causa do decote — que eu sabia, por experiência, que despertaria o homem das cavernas dentro dele —, tive que escolher um sutiã adequado. Com a calcinha combinando, os olhos esfumaçados e os lábios pintados, eu exalava sexo de luxo.

Quando me voltei para Gideon de novo, ele estava do jeito que eu queria — paralisado, com os olhos em mim.

"Preciso que me prometa uma coisa, garotão."

Ela me avaliou da cabeça aos pés, com um olhar escaldante. "Neste momento, posso prometer qualquer coisa."

"Só neste momento?" Fiz beicinho.

Ele murmurou alguma coisa e se aproximou, segurando meu rosto. Enfim estava comigo. Cem por cento. "E no próximo, e no próximo..." Seu olhar acariciou meu rosto. "Do que você precisa, meu anjo?"

Segurei-o pelos quadris, procurando seus olhos. "De você. Só você. Feliz, inteiro e loucamente apaixonado por mim." O elegante arco de suas sobrancelhas se ergueu ligeiramente, como se "feliz" parecesse algo difícil. "Você está tão triste. Está me matando."

Ele deixou escapar um suspiro suave, e assisti à tensão sair junto. "Não sei por que não estava mais bem preparado. Ela é incapaz de aceitar o que aconteceu. Se não pôde fazer isso para salvar o casamento, com certeza não vai fazer por mim."

"Tem alguma coisa faltando nela, Gideon. Algo fundamental. Não tem a ver com você."

Sua boca se contorceu com ironia. "Entre ela e meu pai... Não são os melhores genes, né?"

Deslizando os dedos pelo cós da calça, puxei-o para mais perto. "Escuta, garotão. Tanto seu pai quanto sua mãe fraquejaram sob pressão e se colocaram em primeiro lugar. Eles não são capazes de enfrentar a realidade. Mas adivinha só? Você não tem nenhuma das falhas deles. Nenhuma."

"Eva..."

"Você, Gideon Geoffrey Cross, é a soma do que há de melhor neles. Individualmente, os dois não valem muito. Mas juntos... Cara, marcaram um golaço."

Balançando a cabeça, ele afirmou: "Não precisa fazer isso, Eva".

"Não estou de sacanagem. Você não tem nenhum problema com a realidade. Você encara de frente e a derruba no chão."

Ele deixou escapar uma risada.

"E tem o direito de estar magoado e chateado. Também estou. Eles não merecem você. Isso não os desvaloriza, só te valoriza. Não teria me casado com você se não fosse um homem bom, alguém que respeito e admiro. Você me inspira, sabia disso?"

Sua mão deslizou pelos meus cabelos até minha nuca. "Meu anjo." Sua testa tocou a minha.

Acariciei suas costas, sentindo o músculo rígido e quente sob a camisa. "Sofra, se for preciso, mas não se feche e culpe a si mesmo. Não vou deixar."

"Não, não vai." Ele empurrou minha cabeça para trás e beijou a ponta do meu nariz. "Obrigado."

"Não precisa agradecer."

"Você tinha razão. Eu precisava confrontar minha mãe. Nunca teria feito isso se não fosse você."

"Você não sabe disso."

Gideon me olhou com tanto amor que perdi o fôlego. "Sei, sim."

Seu celular tocou, anunciando uma mensagem. Ele me deu um beijo na testa e foi até a cômoda, para ver o que era. "Raúl está a caminho com Cary."

"É melhor eu me vestir, então. Preciso que você feche meu vestido."

"É sempre um prazer."

Tirei o vestido do cabide, entrei nele e deslizei os braços sob as alças cobertas de contas. Gideon fechou depressa os colchetes que ficavam logo acima da cintura. Mordendo o lábio inferior, fiquei olhando pelo espelho de corpo inteiro o corpete me abraçar e se fechar como eu imaginava que fecharia. O decote ia até o meio do caminho entre meus seios e o umbigo.

Era escandalosamente sensual, o corte revelador que mulheres com menos peito sustentariam facilmente. Em mim, era lascivo, embora o restante do vestido cobrisse tudo, tirando as costas e os braços. Tinha decidido não usar joias, para suavizar ao máximo o efeito. Ainda assim, era um belo vestido, e combinava conosco, um casal jovem. Ia funcionar.

O olhar de Gideon encontrou o meu no espelho. Lancei-lhe meu melhor olhar inocente e fiquei esperando para ver quanto dos meus atributos ele toparia exibir.

Uma leve linha em seu cenho anunciou a tempestade. Logo ela evoluiu para uma cara feia completa. Ele puxou as alças nas minhas costas.

"Algum problema?", perguntei, docemente.

Envolvendo-me com as duas mãos, Gideon deslizou os dedos pelo meu decote e tentou separar meus seios, para disfarçá-los.

Suspirando, reclinei-me contra ele.

Segurando meus ombros, ele me afastou de novo para ver o resultado do ajuste. "Não era assim na foto."

Fingindo, deliberadamente, não entender seu ponto, argumentei: "Ainda não botei o sapato. Não vai ficar arrastando no chão".

"Não estou preocupado com o pé", ele afirmou, com firmeza. "Temos que colocar alguma coisa aí no meio."

"Por quê?"

"Você sabe muito bem." Ele foi até a cômoda e abriu uma gaveta. Um instante depois, voltou e jogou um lenço branco na minha direção. "Pronto."

Eu ri. "Só pode ser brincadeira."

Mas não era. Envolvendo-me com os braços, ele enfiou o lenço no corpete, prendendo-o no decote.

"Não", disse a ele, irritada. "Está ridículo."

Quando suas mãos se afastaram, dei-lhe um segundo para ver quão horrível eu estava. "Esquece. Vou colocar outra coisa."

"É", ele concordou, balançando a cabeça e enfiando as mãos nos bolsos.

Tirei o lenço.

"Tipo isso", ele murmurou.

Suas mãos faiscavam quando as levou ao meu pescoço e o envolveu com uma gargantilha de diamantes deslumbrante. Com pelo menos cinco centímetros de largura, ela abraçava meu pescoço e brilhava como se iluminada por dentro.

"Gideon." Toquei-a com os dedos trêmulos, enquanto atava o fecho. "É... linda."

Seus braços envolviam minha cintura e seus lábios tocaram minha têmpora. "*Você* é linda. O colar é só bonito."

Virei-me em seus braços e o fitei. "Obrigada."

Seu sorriso rápido me fez tropeçar no carpete.

Sorrindo de volta eu disse: "Achei que você estivesse falando sério dos meus seios".

"Meu anjo, levo seus seios *muito* a sério. Portanto, esta noite, quando alguém babar em cima deles, vai perceber que você é muito cara e que provavelmente não daria conta."

Bati em seu ombro. "Seu bobo."

Ele agarrou minha mão e me puxou até a cômoda. Enfiou a mão na gaveta aberta e tirou um bracelete de diamantes. Assisti, atordoada, à medida que ele o colocava em meu pulso. A isso, seguiu-se uma caixinha de veludo, que ele abriu para revelar brincos de diamantes em formato de gota. "Estes é melhor você mesma colocar."

Eu o encarei, boquiaberta.

Gideon apenas sorriu. "Você não tem preço. Só o colar não ia transmitir a mensagem."

Continuei olhando para ele, sem conseguir encontrar as palavras.

Meu silêncio produziu uma sombra de malícia em seu sorriso leve. "Quando chegarmos em casa, vou transar com você usando só os diamantes, e nada mais."

A imagem erótica que surgiu em minha mente me causou arrepios.

Segurando meus ombros, Gideon me virou e bateu na minha bunda. "Você está linda. De todos os ângulos. Agora, para de me distrair e me deixa terminar de me arrumar."

Peguei meus sapatos e saí do closet, mais deslumbrada com Gideon do que com as joias que ele tinha me dado.

"Uau. Você está com cara de milionária." Cary se afastou do meu abraço para conferir o meu visual. "Na verdade, acho que você está de fato *vestindo* um milhão de dólares. Jesus. Fiquei tão cego por esse brilho todo que nem tinha percebido que os meninos estavam tomando um ar aqui fora."

"Essa é a intenção de Gideon", eu disse, secamente, dando uma volta para a saia do vestido envolver minhas pernas. "E você, claro, está lindo."

Ele me lançou seu famoso sorriso de predador. "Eu sei."

Tive que rir. Para mim, a maioria dos homens ficava bem de smoking. Cary, no entanto, ficava incrível. Muito elegante. Como Rock Hudson ou Cary Grant. A combinação de beleza e charme travesso o deixava irresistível. Tinha engordado um pouco. Não o suficiente para mudar o tamanho da roupa, mas o bastante para encher o rosto de leve. Parecia bem e saudável, o que era mais raro do que deveria.

Gideon, por outro lado, era mais... James Bond. Mortalmente sexy, com uma sofisticada nuance de perigo. Apareceu na sala, e eu só tinha olhos para ele, aprisionada pela elegância graciosa de seu corpo esculpido, o passo tranquilo e confiante que sugeria como era incrível na cama.

Meu. Todo meu.

"Coloquei Lucky na gaiola", ele avisou, juntando-se a nós. "Todos prontos?"

Cary assentiu, animado. "Vamos que vamos."

Pegamos o elevador até a garagem, onde Angus nos esperava com a limusine. Entrei primeiro e escolhi o banco comprido, sabendo que Cary ia sentar ao meu lado e Gideon ocuparia o lugar de sempre, na traseira.

Eu passava tão pouco tempo com Cary ultimamente. Ele tinha ficado atolado com a Fashion Week e, como eu não dormia mais no apartamento, nem sequer tínhamos a chance de bater um papo rápido à noite ou no café da manhã.

Ele olhou para Gideon e gesticulou na direção do bar, antes de sairmos. "Posso?"

"Fique à vontade."

"Querem alguma coisa?"

Pensei um pouco. "Kingsman com suco de cranberry, por favor."

Gideon me lançou um olhar envolvente. "Eu também."

Cary nos serviu, em seguida se recostou com uma cerveja e deu um longo gole direto do gargalo. "Então", começou ele, "semana que vem vou a Londres, para uma sessão de fotos."

"Sério?" Inclinei-me para a frente. "Isso é maravilhoso, Cary! Seu primeiro trabalho internacional."

"É." Ele sorriu para a cerveja, então olhou para mim. "Estou muito feliz."

"Uau. Foi tudo tão rápido." Poucos meses antes, ainda estávamos em San Diego. "Você vai causar um rebuliço no mundo."

Abri um sorriso. Estava mesmo muito feliz por meu amigo. Mas já podia visualizar o dia, num futuro não tão distante, em que estaríamos os dois ocupados e viajando tanto que mal nos veríamos. Meus olhos arderam só de pensar. Estávamos fechando um capítulo de nossa vida, e eu lamentava um pouco naquele final, mesmo sabendo que o melhor ainda estava por vir, para nós dois.

Cary ergueu a garrafa num brinde silencioso. "Esse é o plano."

"Como está Tatiana?"

Seu sorriso ficou mais tenso, seus olhos, duros. "Está namorando. Ela é rápida quando vê algo de que gosta, sempre foi assim."

"Você está bem com isso?"

"Não." Ele começou a descascar o rótulo da garrafa de cerveja. "Um cara regando o lugar onde meu bebê está. É nojento." Ele olhou para Gideon. "Dá pra imaginar?"

"Prefiro não imaginar", ele respondeu, naquele tom que gritava *perigo*.

"É muito escroto. Mas não posso impedir e não vou voltar com ela, então... É a vida."

Peguei sua mão e a apertei. "É difícil. Sinto muito."

"Estamos sendo civilizados", comentou, dando de ombros. "Ela é menos megera quando está sendo comida com regularidade."

"Então vocês se falam com frequência?"

"Falo com ela todos os dias, para ver se tem tudo de que precisa. Disse que topava qualquer coisa — desde que não envolvesse meu pau, claro." Ele soltou a respiração. "É deprimente. Sem o sexo, a gente não tem nada a dizer um para o outro. Então falamos de trabalho. Pelo menos temos isso em comum."

"Você contou de Londres?"

"Claro que não." Cary apertou minha mão. "Precisava contar para minha melhor amiga antes. Amanhã eu falo."

Pensei em ficar quieta, mas não resisti. "E Trey? Alguma novidade?"

"Não muito. Mando uma mensagem ou uma foto de dois em dois dias. Só palhaçada. Coisas que mandaria para você."

"Nada de foto do seu pau, então?", provoquei.

"Não. Estou tentando pegar leve com ele. Trey acha que sou hiperssexualizado — embora não se incomodasse nem um pouco quando dormia comigo... mas fazer o quê? De vez em quando, mando alguma coisa, ele responde, mas é só isso."

Torci o nariz e olhei para Gideon, que digitava algo em seu telefone.

Cary deu outro gole, a garganta fazendo um esforço como se engolisse um caroço. "Não é um relacionamento. Nem mesmo amizade neste momento. Até onde sei, ele pode estar saindo com outra pessoa também, e eu é que fiquei de fora."

"Olhando pelo lado bom, o celibato cai bem em você."

Ele bufou. "Porque engordei? Acontece. Você come, porque quer as endorfinas que não está recebendo pela falta de orgasmos, e faz menos exercícios, porque não está se exercitando na cama."

"Cary." Eu ri.

"Olhe só para você, menina. Está toda malhada e sarada por causa daquele triatleta do sexo ali."

Gideon levantou os olhos do telefone. "Hein?"

"Foi isso mesmo que você ouviu, cara", Cary exclamou, piscando para mim.

Depois de esperar numa fila de limusines deixando passageiros, finalmente encostamos junto ao tapete vermelho que se estendia até a entrada de uma construção antiga com fachada de tijolos, sede de um clube exclusivo. Atrás das cordas de veludo ao longo do tapete, havia tantos paparazzi que pareciam folhas secas num chão de outono.

Inclinei-me para a frente, olhei através das portas de vidro abertas e vi mais fotógrafos à direita da entrada, enquanto um painel com logotipos, para as fotos dos patrocinadores do evento, cobria a parede à esquerda.

Angus abriu a porta do carro, e pude sentir a expectativa momentânea dos paparazzi por quem ia passar. No momento em que Gideon saiu, os flashes em rápida sucessão pareceram a maior tempestade de raios de todos os tempos.

Sr. Cross! Gideon! Olhe para cá!

Ele estendeu a mão para mim, os rubis em sua aliança refletindo as luzes. Segurando a saia com uma das mãos, apertei sua mão com a outra e o segui. No momento em que saí da limusine, fiquei cega, mas mantive os olhos abertos e um sorriso ensaiado colado nos lábios, apesar dos pontos brancos atrapalhando minha visão.

Endireitei a coluna, a mão de Gideon pousou na base das minhas costas e o que se seguiu foi o próprio caos. De alguma forma, o pandemônio só piorou quando Cary apareceu. Os gritos se tornaram ensurdecedores. Avistei Raúl junto à entrada, o olhar severo estudando o corpo a corpo. Ele ergueu o braço e falou em seu microfone de pulso, comunicando-se com alguém sob seu comando. Quando me olhou, meu sorriso se tornou genuíno. Ele me deu um aceno rápido.

Lá dentro, fomos recebidos por dois cerimonialistas, que mantinham a fila da necessária foto dos patrocinadores andando depressa. Em seguida, fomos conduzidos a um elevador até o salão de baile.

Adentramos um vasto ambiente lotado com a elite de Nova York, uma seleção glamorosa de homens poderosos e mulheres esbeltas sob o efeito lisonjeiro da iluminação fraca dos lustres e de uma profusão de velas. A atmosfera era fortemente perfumada pelos enormes arranjos florais em cada mesa de jantar e animada por uma orquestra de metais tocando temas instrumentais animados por cima do burburinho.

Gideon me conduziu por entre as pessoas em torno das mesas, parando muitas vezes para os que entravam em nosso caminho com saudações e parabéns. Meu marido mergulhava sem esforço ou dificuldade em sua persona pública. Lindíssimo, completamente à vontade, intrinsecamente autoritário, friamente indiferente.

Eu, no entanto, estava dura e nervosa, embora torcesse para que meu sorriso ensaiado escondesse o nervosismo. Gideon e eu não tínhamos um bom histórico em eventos como aquele. Acabávamos brigando e indo embora separados. As coisas eram diferentes agora, mas ainda assim...

Sua mão subiu pelas minhas costas e segurou minha nuca, massageando os músculos tensos gentilmente. Ele continuava a conversar com os dois cavalheiros que tinham nos parado, discutindo as flutuações do mercado, mas meu instinto dizia que estava focado em mim. Eu estava à sua direita, e ele deu um pequeno passo para trás, de modo que o lado direito de seu corpo tocasse minhas costas do ombro ao joelho.

Cary apareceu e me passou uma taça de champanhe gelada. "Estou vendo Monica e Stanton", disse. "Vou avisar que chegamos."

Acompanhei meu amigo com o olhar até onde minha mãe estava, junto ao marido, mantendo um sorriso brilhante e bonito enquanto conversavam com outro casal. Stanton estava elegante em seu smoking, e minha mãe reluzia como uma pérola num vestido justo de seda marfim.

"Eva!"

Virei-me ao ouvir o som da voz de Ireland, e meus olhos se arregalaram ao depararem com ela contornando a mesa mais próxima. Por um momento, meu cérebro parou de processar todo o resto, exceto sua visão. Era alta e esbelta, os longos cabelos negros arrumados em um penteado chique. A fenda lateral no sofisticado vestido de veludo preto exibia pernas de um quilômetro, enquanto o corpete de um ombro envolvia seios perfeitos para seu corpo esguio.

Ireland Vidal era uma menina belíssima, os olhos dotados do mesmo azul intenso da mãe e de Gideon. Tinha apenas dezessete anos. Ver a mulher que se tornaria era de tirar o fôlego. Cary não era o único que ia causar um rebuliço no mundo.

Ela foi direito até mim, dando-me um abraço apertado. "Agora somos irmãs!"

Sorri e retribuí o abraço, tomando cuidado para não derramar champanhe em seu vestido. Olhei para Chris, atrás dela, e ele sorriu para mim. Sua expressão ao voltar os olhos para Ireland era ao mesmo tempo terna e orgulhosa. Que Deus ajude os rapazes que puserem os olhos nela. Com Chris, Christopher e Gideon cuidando da moça, os pretendentes teriam de driblar alguns homens formidáveis em seu caminho.

Ireland me afastou e conferiu meu visual. "Uau. Que colar incrível! E seus peitos! Também quero."

Eu ri. "Você é perfeita do jeito que é. A mulher mais bonita da festa."

"De jeito nenhum. Mas obrigada." Seu rosto se iluminou quando Gideon pediu licença da conversa e se virou para ela. "Oi!"

Num instante, estava em seus braços, apertando-o com a mesma força com que me abraçara. Gideon gelou por um momento. Então a abraçou de volta, o rosto se suavizando de um jeito que fez meu coração dar um pulinho.

Eu tinha falado brevemente com Ireland ao telefone depois da entrevista de Gideon, para pedir desculpas pelo segredo do nosso casamento e explicar o motivo. Queria que fôssemos mais próximas, mas estava fazendo minhas investidas aos poucos. Seria fácil demais me tornar a ponte entre ela e Gideon, e não queria que aquilo acontecesse. Eles precisavam ter sua própria conexão, independente de qualquer outra pessoa.

Minha cunhada em breve ia estudar na Universidade Columbia, como os irmãos. Estaria por perto, e nos veríamos com mais frequência. Até lá, ia continuar incentivando Gideon a se aproximar dela.

"Chris." Fui até ele e lhe dei um abraço, feliz com o entusiasmo com que meu sogro o retribuiu. Ele tinha cuidado da aparência desde que jantara em nossa casa: o cabelo estava recém-cortado e a barba tinha sido feita.

Christopher Vidal era um homem quieto e bonito, com um olhar suave. Irradiava na voz e na maneira como olhava para as pessoas uma bondade inata. Foi minha impressão na primeira vez em que o vi, e nada em sua pessoa alterou aquilo.

"Gideon. Eva." Magdalene Perez se juntou a nós, linda e sedutora num elegante vestido esmeralda, de braço dado com o namorado.

Era bom ver que ela tinha deixado para trás o interesse não correspondido por Gideon que tantos problemas causou para nós quando nosso relacionamento estava apenas começando. Ela tinha sido péssima na época, participando das maquinações do irmão dele. Agora que estava feliz com seu artista, parecia serena e encantadora, e aos poucos ia se tornando mais próxima.

Apertei a mão de Gage Flynn, enquanto Gideon beijava o rosto de Magdalene, e nos cumprimentamos calorosamente. Ainda não conhecia Gage direito, mas ele era claramente louco por Magdalene. Tinha certeza de que Gideon ia conferir seu histórico, confirmando que o cara era bom o suficiente para sua amiga de longa data.

Estávamos recebendo os parabéns quando minha mãe e Stanton se aproximaram, seguidos por Martin e Lacey, que eu não via desde o fim de semana em Westport. Acompanhei com um sorriso Cary e Ireland rindo de alguma coisa.

"Que menina linda", comentou minha mãe, dando um gole no champanhe e fitando a irmã de Gideon.

"Não é?"

"E Cary parece bem."

"Falei a mesma coisa."

Ela me olhou com um sorriso. "Ofereci o apartamento a ele, se quisesse, ou nossa ajuda para encontrar outro menor."

"Ah." Olhei para ele, que concordava com algo que Chris havia dito. "O que ele falou?"

"Que você ofereceu a ele um apartamento adjacente à cobertura de Gideon." Ela se virou na minha direção. "Vocês têm que decidir o que funciona melhor para todo mundo, mas queria dar a ele a opção de ficar onde está. É sempre bom ter opções."

Suspirei, depois assenti.

Ela pegou minha mão. "Agora, você e Gideon estão lidando com sua imagem pública do seu jeito, mas você tem que saber que blogs horríveis de fofoca estão dizendo que você e Cary são amantes."

De repente, o frenesi no tapete vermelho fez sentido. Nós três chegando juntos.

"Gideon negou ter traído você", ela continuou, baixinho, "mas, agora, ficou conhecido por ter... digamos assim... um apetite sexual diferente. Você pode imaginar como os boatos vão se intensificar se você três forem morar juntos."

"Ai." Sim, eu podia. O mundo tinha visto em detalhes gráficos que meu marido topava ménage à trois. Talvez não com outro homem, mas mesmo assim. Aqueles dias tinham ficado para trás, mas as pessoas não sabiam daquilo... e não iam querer acreditar. Era interessante demais.

"Antes que você diga que não se importa, meu bem, saiba que tem muita gente que discorda disso. Se alguém com quem Gideon quiser fazer negócios achar que ele é moralmente corrupto, isso pode custar uma fortuna."

Era difícil pensar que alguém faria aquilo no século XXI, mas achei melhor não comentar que a preocupação da minha mãe sempre girava em torno do dinheiro. Tudo se resumia àquilo, de uma forma ou de outra. "Tem razão", murmurei.

À medida que foi chegando a hora do jantar, os convidados se sentaram. Gideon e eu estávamos na primeira mesa, claro, já que ele ia discursar. Ireland e Chris também, assim como Cary. Minha mãe, Stanton, Martin e Lacey estavam na mesa à nossa direita; Magdalene e Gage, mais ao fundo.

Gideon puxou a cadeira para mim. Posicionei-me para sentar, mas parei, assustada ao notar um casal a algumas mesas de distância. Endireitando-me, olhei para Gideon. "Os Lucas estão aqui."

Ele ergueu a cabeça, procurando com o olhar. No momento em que os viu, eu soube, pela forma como sua mandíbula se enrijeceu. "Estão mesmo. Sente, meu anjo."

Sentei, e ele empurrou minha cadeira, tomando o assento ao meu lado. Em seguida, pegou o telefone e digitou uma mensagem rápida.

Inclinando-me na direção dele, sussurrei: "Nunca vi os dois juntos antes".

Seu celular tocou, indicando que recebera uma resposta, e ele olhou para mim. "Não saem como um casal com frequência".

"Está escrevendo para Arash?"

"Angus."

"Sobre os Lucas?"

"Eles que se danem." Gideon guardou o telefone no bolso do paletó e se inclinou na minha direção, passando um dos braços ao longo das costas da minha cadeira e o outro sobre a mesa, prendendo-me. Então pousou os lábios em meu ouvido. "Da próxima vez que viermos a um evento destes, quero você de minissaia e sem nada por baixo."

Ainda bem que os outros não estavam olhando nem podiam ouvir — e que a orquestra tocava um pouco mais alto, de modo a indicar aos convidados que deveriam ocupar seus assentos. "Seu tarado."

Sua voz se tornou um ronronar sedutor. "Vou deslizar a mão entre suas coxas e enfiar os dedos nessa sua boceta gostosa."

"Gideon!" Escandalizada, olhei para ele e o encontrei me encarando com um sorriso selvagem e olhos lascivos.

"O jantar todo, meu anjo", murmurou, esfregando o nariz na minha têmpora. "Vou enfiar o dedo em você bem devagar e gostoso, brincando com essa bocetinha perfeita e apertada até você gozar para mim. De novo e de novo..."

"Minha nossa." Sua voz baixa e áspera era puro sexo e pecado. Tremi só com o som, mas as coisas que dizia me faziam derreter na cadeira. "O que deu em você?"

Gideon deu um beijo rápido em meu rosto e se ajeitou. "Você estava toda tensa. Agora não está mais."

Se estivéssemos sozinhos, teria batido nele. E foi o que eu disse.

"Você me ama", ele disparou de volta, virando-se para fitar o salão, enquanto os garçons começavam a trazer a salada.

"Ah, é?"

Ele se concentrou em mim novamente. "É. Loucamente."

Não adiantava discutir. Ele tinha razão.

Estavam servindo a sobremesa, um bolo de chocolate que parecia delicioso, quando uma senhora num vestido azul-marinho conservador se aproximou de nossa mesa e se agachou entre mim e Gideon.

"Vamos começar em cerca de quinze minutos", ela avisou. "Glen vai falar por alguns minutos, aí é sua vez."

Ele assentiu. "Sem problemas. Estou pronto."

Ela sorriu, e eu sabia que estava um pouco nervosa de ficar tão perto dele. Podia ser sua mãe, no mínimo, mas mulheres de todas as idades apreciavam um homem maravilhoso como aquele.

"Eva." Ireland se aproximou. "Quer passar no banheiro antes?"

"Claro."

Gideon e Chris se levantaram e puxaram nossas cadeiras. Como depois de comer e beber já não tinha mais nada do batom, dei um beijo no queixo do meu marido.

"Mal posso esperar para ouvir você falar", disse, o sorriso largo de antecipação.

Ele balançou a cabeça. "Você se excita com cada coisa..."

"Você me ama."

"Amo. Loucamente."

Seguindo Ireland, contornei as mesas, passando diretamente pelos Lucas. Eles nos observaram, parecendo à vontade, o dr. Terrence Lucas com o braço nos ombros da esposa. Anne sustentou meu olhar e abriu um sorriso afiado que fez meus pelos se arrepiarem.

Ergui a mão e passei o dedo médio sobre a testa de maneira sutil e óbvia ao mesmo tempo.

Algumas mesas mais adiante, Ireland parou abruptamente na minha frente, e bati em suas costas.

"Desculpa", falei. Mas como ela não se movia, inclinei-me para ver o que estava bloqueando o caminho. "O que foi?"

Ela se virou para olhar para mim, os olhos cheios de água. "É Rick", disse, com a voz vacilante.

"Quem?" Meu cérebro se esforçava para acompanhar. Parecia tão magoada. E perdida. As coisas de repente fizeram sentido. "Seu namorado?"

Ela virou a cabeça para a frente de novo, e tentei acompanhar seu olhar, vasculhando as mesas em busca de... alguém.

"Onde? Como ele é?"

"Bem ali." Ela fez um movimento brusco com o queixo, e vi as lágrimas escorrendo por seu rosto. "Com a loira de vestido vermelho."

Onde? Havia diversas possibilidades, então me detive no casal mais jovem. Um olhar para ele e identifiquei o tipo. O mesmo pelo qual eu sempre me atraía. Confiante, sexualmente experiente, cara de bom moço. Pensar em quantos sujeitos como aquele eu tinha deixado me usar me deu ânsia.

Em seguida, fiquei uma fera. Rick dava à menina ao seu lado um sorriso arrogante e sensual. Certamente não eram só amigos. Não trocando aqueles olhares.

Peguei Ireland pelo cotovelo e a guiei em frente. "Continue andando."

Chegamos ao banheiro feminino. O silêncio repentino ao entrar tornou seu choro audível. Puxei-a para o canto, feliz por estarmos sozinhas, e passei a ela alguns lenços da caixinha sobre a bancada.

"Ele disse que tinha que trabalhar hoje", explicou ela. "Por isso aceitei vir com meu pai."

"Esse é o cara que não fala de você para os pais por causa do pai de Gideon?"

Ela assentiu. "Estão lá fora. Sentados com ele."

Lembrei-me da conversa que tivéramos durante o lançamento do clipe da música do Six-Ninths. Os avós de Rick tinham perdido uma parte da fortuna no esquema de pirâmide de Geoffrey Cross. Eles achavam "conveniente" que Gideon fosse um dos homens mais ricos do mundo, embora fosse evidente para qualquer um que ele tinha construído seu império com o próprio trabalho e capital.

Só que Rick provavelmente estava só dando desculpas para manter dois relacionamentos. Afinal de contas, seus pais estavam ali, e Gideon era a atração principal da noite. O que me fazia questionar se a animosidade que lhe descrevera era conversa fiada.

"Ele me disse que terminou com ela há meses!", Ireland exclamou.

"A loira?"

Fungando, ela assentiu de novo. "A gente saiu junto ontem. Ele não disse nada sobre conseguir uma folga."

"Você falou que vinha?"

"Não. Não falo sobre Gideon. Não com ele, pelo menos."

Será que Rick era só um garoto burro que se aproveitava de todas as meninas bonitas que deixavam? Ou estava saindo com a irmã de Gideon numa espécie de vingança pervertida? De qualquer forma, o cara era um babaca.

"Não chore por esse idiota, Ireland." Peguei mais lenços. "Não dê a ele essa satisfação."

"Só quero ir para casa."

Fiz que não com a cabeça. "Isso não vai ajudar. Sério. Vai doer um tempo. Mas você pode revidar, se quiser. Talvez se sinta melhor."

Ela olhou para mim, as lágrimas ainda escorrendo. "Como assim?"

"Você está sentada do lado de um dos modelos mais gostosos de Nova York. É só dizer uma palavra e Cary vai ser seu par esta noite, e um par muito atencioso e louquíssimo por você." Quanto mais pensava na ideia, mais eu gostava dela. "De braço dado com ele, você pode esbarrar em Rick e opa... 'Olha só, como vai? Que bom ver você por aqui.' O que ele vai poder dizer? Está com a loira. E você paga na mesma moeda."

Ireland começou a tremer. "Talvez eu devesse só falar com ele..."

Magdalene entrou no banheiro feminino e ficou quieta um instante, avaliando a situação. "Ireland. O que houve?"

Fiquei de boca fechada, já que Ireland precisava decidir o que contar.

Ela sacudiu a cabeça. "Não é nada. Estou bem."

"Certo." Magdalene olhou para mim. "Não vou me meter, mas fique sabendo que eu jamais contaria nada para seus irmãos, se não quiser."

Depois de uma pausa, Ireland falou, em meio às lágrimas: "É um cara com quem estou saindo faz uns meses... ele está lá fora com outra pessoa. A antiga namorada".

Pessoalmente, suspeitava que Rick jamais tivesse terminado com a garota, para começo de conversa, e que estivesse saindo com Ireland em paralelo, mas eu podia ser um tanto cínica.

"Ah." O rosto de Magdalene se suavizou em simpatia. "Homens podem ser tão idiotas. Olha, se você quiser escapar sem que ele perceba, peço um carro para você." Ela abriu a bolsa e tirou um celular. "Por minha conta. O que acha?"

"Espera aí", interrompi. Então contei meu plano.

Magdalene ergueu as sobrancelhas. "Excelente! Por que se lamentar se você pode se vingar?"

"Não sei..." Ireland olhou para o espelho e soltou um palavrão. Ela pegou mais lenços e consertou a maquiagem dos olhos. "Estou horrível."

"Você está um milhão de vezes mais bonita que aquela menina", afirmei.

Ela soltou uma risada chorosa. "Odeio aquela vaca."

"Aposto que já babou pelas propagandas da Grey Isles com Cary", comentou Magdalene.

Aquilo bastou. Embora Ireland ainda não estivesse pronta para dispensar Rick por completo, certamente podia fazer inveja na acompanhante dele.

O resto viria com o tempo. Ou pelo menos eu esperava que sim.

Mas, até aí, algumas lições tinham que ser aprendidas do jeito mais difícil.

Voltamos para a mesa bem em tempo de ver um homem, que imaginei se tratar de Glen, subindo os degraus até o palco e caminhando em direção ao púlpito. Ajoelhei junto de Cary e pousei a mão em seu braço.

Ele olhou para mim. "O que foi?"

Expliquei o que queria que fizesse e por quê.

Seu sorriso brilhou sob a luz fraca. "Claro que sim, gata."

"Você é o melhor."

"É o que dizem."

Revirando os olhos, levantei e voltei para a cadeira, que Gideon puxou para mim. Notei, com olhos gulosos, que meu bolo ainda estava lá.

"Eles queriam levar", Gideon murmurou. "Mas guardei pra você."

"Obrigada, amor. Você é tão bom para mim."

Ele pousou a mão na minha coxa por baixo da mesa e a apertou de leve.

Olhei para meu marido enquanto comia, admirando sua calma e ouvindo Glen discursar sobre a importância do trabalho que sua organização fazia na cidade. Toda vez que pensava em falar publicamente em nome da Crossroads, sentia um frio na barriga. Mas, um dia, pegaria o jeito. Ia aprender a ser um recurso valioso para meu marido e as Indústrias Cross.

Tínhamos tempo, e eu tinha o amor de Gideon. O resto se resolveria.

"É um prazer homenagear um homem que realmente não precisa de mais apresentações..."

Baixando o garfo, recostei-me e ouvi Glen exaltar as muitas realizações do meu marido e seu compromisso generoso com as causas que beneficiavam vítimas de abuso sexual. Não me escapou o fato de que Chris estivesse observando Gideon com um novo entendimento em seus olhos. E com orgulho. O olhar que lançou na direção dele não foi diferente do que o tinha visto lançar para Ireland.

Quando Gideon se levantou agilmente, o salão explodiu em aplausos. Fiquei de pé, junto com Chris, Cary e Ireland. Os demais seguiram o exemplo, e ele foi ovacionado. Antes de se afastar, no entanto, olhou para mim, e seus dedos roçaram as pontas do meu cabelo.

Vê-lo atravessar o palco já era um prazer em si. Seu passo era suave e sem pressa, mas imponente. Graciosamente poderoso, movia-se tão bem que era uma alegria admirá-lo.

Gideon pousou a placa que recebeu em cima do púlpito, as mãos bronzeadas em notável contraste com o branco dos punhos da camisa. Então começou a falar, com sua dinâmica e suave voz de barítono, transformando cada palavra em uma carícia. Não havia um único ruído no salão, todos pareciam fascinados por sua bela e sombria aparência e sua fala apaixonada.

Acabou rápido demais. No momento em que pegou a placa de novo, fiquei em pé, batendo palmas com tanta força que minhas mãos doíam. Eles o conduziram ao canto do palco, onde um fotógrafo o esperava ao lado de Glen. Gideon falou com eles, em seguida olhou para mim, chamando-me com uma das mãos estendida.

Ele me encontrou no primeiro degrau, oferecendo o braço para me ajudar a subir com aqueles saltos e com o vestido longo.

"Estou morrendo de tesão", eu disse, baixinho.

Ele riu. "Safada."

Dançamos por uma hora depois que o jantar acabou.

Por que não dançava com meu marido com mais frequência? Gideon era tão hábil e sexual na pista quanto na cama, o corpo se movendo com uma força fluida, sua condução segura e assertiva.

Ele estava intimamente familiarizado com a forma como nos movíamos juntos e usava isso a seu favor, aproveitando todas as oportunidades para deslizar o corpo contra o meu. Eu estava muito excitada, e ele sabia, o olhar quente e consciente em meu rosto.

Quando consegui desviar a atenção dele, vi Cary dançando com Ireland. Ele tinha me esnobado quando o chamei para fazer aulas de dança comigo, mas acabou aceitando e logo se tornou o preferido do professor. Era um dançarino nato e conduzia Ireland facilmente, apesar de sua inexperiência.

Exibido, Cary reivindicava um amplo espaço do salão, o que fazia deles o foco de muita atenção. Cary só tinha olhos para ela, desempenhando com perfeição o papel de par completamente deslumbrado. Mesmo com o coração partido, Ireland não podia deixar de se encantar com a atenção inabalável. Eu a vi rindo várias vezes, as bochechas coradas pelo esforço.

Não presenciei o momento "Que bom ver você por aqui!" com Rick, mas acompanhei o resultado. Ele estava dançando com a namorada, incapaz de competir com Cary em habilidade ou aparência. E eles já não trocavam sorrisos e olhares sensuais, já que vez ou outra se voltavam para Cary e Ireland, que pareciam estar se divertindo muito mais.

Terrence e Anne Lucas também dançavam, mas foram sábios o suficiente para ficar do outro lado da pista.

"Vamos para casa colocar um pouco de suor nesses diamantes", Gideon murmurou, ao final da música, à medida que diminuímos o passo.

Sorri. "Sim, por favor."

Voltamos para nossa mesa para pegar a placa e minha bolsa.

"Vamos sair com vocês", disse Stanton, com minha mãe ao lado.

"E Cary?", perguntei.

"Vai com Martin para casa", minha mãe respondeu. "Estão se divertindo tanto."

Com tanta gente que ainda não tinha falado com Gideon e Stanton durante a noite, levamos tanto tempo para sair quanto tínhamos levado para entrar. Eu só conseguia agradecer os parabéns, mas minha mãe de vez em quando falava com autoridade, acrescentando comentários breves, mas incisivos, às discussões de Stanton. Sentia um pouco de inveja, mas era inspirador. Teríamos que conversar sobre aquilo em algum momento.

O lado bom de demorarmos tanto no caminho é que dava aos carros tempo de chegar. Quando finalmente estávamos no térreo, Raúl nos informou que a limusine estava a apenas uma quadra de distância. Clancy me lançou um sorriso rápido antes de avisar à minha mãe e a Stanton que seu carro chegaria naquele instante.

Os paparazzi esperavam lá fora. Não tantos quanto antes, mas ainda mais de dez.

"Vamos nos encontrar amanhã", disse minha mãe, dando-me um abraço no átrio de entrada.

"Legal." Eu me afastei. "Eu bem que podia passar um dia num spa."

"Ótima ideia." Seu sorriso era reluzente. "Deixe comigo."

Abracei Stanton; Gideon apertou sua mão. Pisamos do lado de fora e ouvimos os flashes das câmeras dispararem à nossa volta. A cidade nos acolheu com os sons do tráfego do fim de noite e um calor suave. A umidade se dissipava aos poucos, à medida que o verão dava lugar ao outono, e eu ansiava por passar mais tempo ao ar livre. O outono em Nova York tinha um encanto único, algo que eu só aproveitara anteriormente em visitas curtas.

"*Abaixem!*"

Mal tinha registrado o grito quando Gideon pulou em cima de mim. O barulho explodiu ao meu redor, reverberando contra as paredes e zumbindo em meus ouvidos. Ensurdecedor de tão perto... Meu Deus. Colado na gente.

Caímos sobre a calçada acarpetada. Gideon rolou, cobrindo-me com seu corpo. Alguém se jogou em cima dele. Outro barulho. E mais outro. Outro...

Esmagada. Pesado demais. Preciso respirar. Meus pulmões não conseguiam puxar o ar. Minha cabeça latejava. *Oxigênio. Meu Deus.*

Fiz força. Agarrei-me ao tapete vermelho. Gideon me apertou mais. Sua voz era severa ao meu ouvido, as palavras abafadas pelo zumbido frenético em minha cabeça.

Ar. Não consigo respirar... O mundo ficou escuro.

14

"Meu Deus. Eva." Corri as mãos por seu corpo inerte de maneira frenética, em busca de lesões. O motorista pisou no acelerador com força, e a limusine disparou, num solavanco que me jogou contra o banco.

Ela estava deitada em meu colo, sem reagir ao meu exame desesperado. Não havia sangue no vestido nem na pele. Senti sua pulsação, firme e rápida. Seu peito subia e descia a cada respiração.

O alívio foi tanto que fiquei tonto. Puxei-a para junto de mim, num abraço apertado. "Graças a Deus."

Raúl berrava ordens para o microfone em seu pulso. No momento em que se calou, perguntei: "Que merda aconteceu?".

Ele baixou o braço. "Um dos fotógrafos estava armado e disparou. Clancy o pegou."

"Alguém se machucou?"

"Monica Stanton."

"O quê?" Meu coração, que já começava a se acalmar, disparou de novo. Olhei para Eva, que acordava lentamente, as pálpebras tremulando. "Meu Deus. Como ela está?", perguntei.

Raúl exalou asperamente. "Estou esperando a confirmação. Não parece bem. Você segurou a sra. Cross, e a sra. Stanton entrou na frente."

Eva.

Apertei-a com força, correndo a mão por seu cabelo, enquanto acelerávamos pela cidade.

"O que aconteceu?"

A pergunta suave de Eva assim que contornamos a esquina que levava à garagem do prédio fez meu estômago revirar. Raúl me olhou, com o rosto sombrio. Poucos momentos antes, havia recebido uma ligação, e seu olhar encontrara o meu, confirmando meu pior medo com um aceno de cabeça e um "Sinto muito" silencioso, articulado com os lábios.

A mãe de Eva estava morta.

Como ia dizer aquilo a ela? E como a manteria segura até saber o que estava acontecendo?

Meu telefone, no bolso do paletó, tocava constantemente. Ligações. Mensagens. Precisava ver o que era, mas Eva vinha em primeiro lugar.

Entramos na garagem, passando pela guarita de vidro do vigia. Meu pé batia inquieto no piso. Eu queria sair do carro. Precisava levar Eva para a segurança de casa.

"Gideon?" Ela agarrou meu paletó. "O que aconteceu? Ouvi tiros..."

"Alarme falso", respondi, com a voz rouca, apertando-a mais forte. "O escapamento de algum carro estourou."

"Sério?" Ela piscou para mim, fazendo uma careta à medida que eu a puxava mais para perto. "Ai."

"Desculpa." Eu a tinha derrubado com força, incapaz de conter a queda sem que ela ficasse exposta ao perigo. Tinha sido uma reação instintiva e abrupta à urgência na voz de Raúl. "Exagerei na dose."

"Foi só isso?" Ela tentou se sentar. "Achei ter ouvido vários tiros."

"Algumas pessoas se assustaram e derrubaram as câmeras dos fotógrafos. Deve ter sido isso."

O carro parou; Raúl saltou e estendeu a mão para ajudar Eva. Ela saiu devagar, comigo logo atrás. Peguei-a em meus braços no instante em que fiquei de pé.

Caminhei até o elevador e esperei Raúl digitar o código. Um dos seguranças da equipe dele estava atrás de nós, olhando na outra direção, a mão dentro do paletó segurando uma arma.

Ele daria conta se houvesse outro atirador de tocaia?

"Ei, posso andar sozinha", reclamou Eva, ainda atordoada, com os braços ao redor dos meus ombros. "E você precisa atender o telefone. Esse negócio não para de tocar."

"Daqui a pouco." Entrei no elevador. "Você desmaiou. Fiquei assustado."

"Não conseguia respirar."

Beijando sua testa, desculpei-me de novo. Não me senti seguro até estarmos na sala de estar. Então olhei para Raúl. "Já volto."

Levei Eva direto para o quarto e a deitei sobre o edredom. Lucky latia em sua gaiola, arranhando a porta.

"Que maluquice." Eva sacudiu a cabeça. "Cadê minha bolsa? Quero ligar para minha mãe. Clancy também se assustou?"

Senti a barriga revirar. Tinha prometido nunca mais mentir para Eva e sabia que aquilo ia machucá-la profundamente. Ia *nos* machucar. Mas... Como poderia ter contado a ela? E, se tivesse contado, como conseguiria mantê-la em casa segura? Eva ia querer sair para ver a verdade com os próprios olhos.

Os latidos chorosos de Lucky só aumentavam minha ansiedade.

"Acho que sua bolsa ficou no carro." Afastei o cabelo de sua testa, lutando contra o tremor que tentava invadir meu corpo. "Vou pedir para alguém ir buscar."

"Tá. Posso usar seu telefone?"

"Primeiro vamos cuidar de você. Está machucada? Dói em algum lugar?" Lancei um olhar irritado na direção de Lucky, mas aquilo só fez com que batesse as patas contra as barras de metal com mais fúria.

Ela levou a mão ao quadril e estremeceu. "Acho que sim."

"Certo. Vamos cuidar disso."

Fui ao banheiro e peguei o telefone para desligá-lo. A tela exibia uma lista infinita de mensagens e ligações perdidas. Observei-a ficar preta, enfiei o aparelho no bolso da calça e abri as torneiras da banheira. Qualquer um que quisesse falar comigo poderia chegar até mim por Raúl ou Angus.

Assim que joguei um punhado de sais de banho na água fumegante, percebi que aquilo era um risco, já que era raro eu não me juntar a Eva na banheira. Ainda assim, a água quente a acalmava. Eu suspeitava que ela cochilasse durante o dia para compensar as horas que nossa vida sexual roubava de suas noites, mas Eva estava com o sono atrasado depois do fim de semana.

Se conseguisse relaxá-la e colocá-la na cama, talvez ela dormisse. Isso me daria um tempo para descobrir o que tinha acontecido e que risco ainda corríamos, e falar com o dr. Petersen...

Merda. E com Victor. Tinha que ligar para o pai de Eva e colocá-lo num voo para Nova York o mais rápido possível. E Cary. Também precisaria dele. Quando estivesse a par de tudo e tivesse preparado um sistema de apoio, então poderia contar a Eva. Só algumas horas. Era tudo de que eu precisava.

Lutei para ignorar o medo doentio de que Eva não me perdoasse por aquilo.

Quando voltei para o quarto, ela estava soltando Lucky. O entusiasmo dele a fez rir, e o som alegre que eu tanto amava me feriu como uma faca no peito.

Eva beijou a cabeça de Lucky e me encarou com olhos brilhantes. "Você devia levar o coitadinho para fazer xixi. Está preso há um tempo já."

"Pode deixar."

Ela fez carinho em Lucky antes de passá-lo para mim. "Estou ouvindo a banheira enchendo."

"Um banho quente pode fazer bem."

"Preliminares?", ela provocou. O olhar dela... Foi de matar. Quase contei, mas não consegui fazer as palavras passarem pelo nó na minha garganta.

Virei para o corredor e fui até a sala de estar, onde ficava o tapete de grama falsa de Lucky. Coloquei o cachorro sobre ele e passei as mãos pelo cabelo.

Pense, droga. Nossa, preciso de uma bebida.

Isso. Uma bebida

Fui para a cozinha e tentei pensar em algo forte que Eva bebesse. Um digestivo? Lembrei-me de desligar o telefone da casa, mas alguém já tinha pensado naquilo. Olhei ao redor e vi a cafeteira.

Algo quente. Relaxante. Sem cafeína.

Chá. Fui até a despensa e, empurrando tudo para o lado, procurei por uma caixa de chá que Angus deixava na cobertura. Ele dizia que acalmava os ânimos. Encontrei a caixa e enchi uma caneca com água quente. Coloquei dois saquinhos de chá dentro, uma dose generosa de rum e mel. Mexi, sujando a bancada. Mais rum.

Deixei os saquinhos na pia e voltei para Eva.

Quando não a encontrei no quarto, entrei em pânico. Então ouvi sua voz no closet e soltei o ar, aliviado. Coloquei a caneca perto da banheira, fechei a torneira e fui até ela. Encontrei-a sentada no banco, tirando os sapatos.

"O vestido estragou, acho", disse, erguendo-se sobre os pés descalços e mostrando um rasgão do lado esquerdo.

"Eu compro outro."

Ela me deu um sorriso enorme. "Você me mima demais."

Era pura tortura. Cada segundo. Cada mentira que eu dizia. Cada verdade que guardava.

O amor em seus olhos me esfolava vivo. Sua total confiança em mim. Suor escorria pelas minhas costas. Tirei o paletó e o joguei num canto, então puxei a gravata-borboleta e o colarinho até que pudesse respirar.

"Me ajuda aqui." Ela se virou de costas para mim.

Abri o vestido e o deslizei pelos ombros, deixando-o cair em um montinho no chão. Então desabotoei o sutiã e a ouvi suspirar de prazer com o alívio da pressão.

Olhei para ela e amaldiçoei silenciosamente o hematoma já escurecendo em seu quadril e as escoriações no braço, nos pontos em que o tapete vermelho a tinha arranhado.

Eva bocejou. "Nossa. Estou cansada."

Graças a Deus. "Você devia dormir."

Ela me lançou um olhar ardente por cima do ombro. "Não estou *tão* cansada assim."

Nada podia doer tanto quanto aquilo. Eu não podia tocá-la ou fazer amor com ela... Não com aquela mentira entre nós.

Engoli em seco. "Tudo bem, então. Tenho que resolver umas coisas do trabalho antes. E pegar sua bolsa. Fiz um chá para você. Está do lado da banheira. Relaxe um pouco que eu já volto."

"Está tudo bem?"

Incapaz de mentir ainda mais, disse uma verdade irrelevante. "Estou muito atrasado com o trabalho. Tenho algumas coisas urgentes para resolver."

"Desculpa. Sei que é por minha causa." Ela beijou meu queixo. "Eu te amo, garotão."

Eva pegou o robe no cabide, vestiu e saiu. Fiquei ali, cercado pelo cheiro dela, as mãos ainda formigando com a sensação da sua pele, o coração batendo com medo e ódio por mim mesmo.

Lucky entrou tão depressa que bateu contra a porta antes de se deitar aos meus pés. Peguei-o no colo e fiz carinho nele.

Daquele pesadelo ele não tinha como me acordar.

Raúl esperava no escritório da cobertura, falando rispidamente ao telefone. Entrei e fechei a porta atrás de mim.

Ele desligou e se levantou. "A polícia está no local. O atirador está sob custódia."

"E Monica?"

"Estão esperando o legista."

Não dava nem para imaginar. Fui até a mesa e me deixei cair na cadeira. Meu olhar recaiu sobre as fotos de Eva na parede.

"Os detetives virão até aqui quando chegar a hora de prestar depoimento."

Assenti e rezei para que só aparecessem no dia seguinte.

"Tirei o telefone da cozinha do gancho", ele avisou, com calma.

"Percebi. Obrigado."

Alguém bateu à porta. Tenso, imaginei que veria Eva entrando em seguida. Mas era Angus, e expirei aliviado.

"Vou voltar para lá", disse Raúl. "Mantenho vocês informados."

"Preciso da bolsa de Eva. Está no carro. E Cary. Traga ele aqui."

Raúl assentiu e saiu.

Angus se acomodou no assento agora desocupado. "Sinto muito, rapaz."

"Eu também."

"Eu deveria ter estado lá."

"Outra pessoa que amo correndo perigo?" Levantei, inquieto demais para me manter sentado. "Ainda bem que você estava na casa dos Lucas."

Angus me fitou por um momento, então baixou os olhos para as mãos.

Levei um segundo para perceber o que tinha dito. Outro para me dar conta de que nunca tinha dito a ele que o amava. Esperava que já soubesse, no entanto.

Respirando fundo, Angus ergueu o queixo e me olhou de novo. "Como está Eva?"

"Tenho que ir lá dar uma olhada nela. Está tomando banho."

"Pobre moça."

"Ela ainda não sabe." Esfreguei a nuca. "Não contei."

"Gideon." Seus olhos se arregalaram com o mesmo desânimo que eu sentia. "Você não pode..."

"E de que ia adiantar?", retruquei. "Não sabemos de nada. A mãe dela morreu. Não posso deixar que ela volte lá e veja... aquilo. Por que torturar Eva ou colocar sua segurança em risco? Meu Deus, poderia ter sido ela! Ainda pode ser, se não tomarmos cuidado."

Angus me observou andar de um lado para o outro, com olhos de quem tinha visto — e ainda via — demais.

"Vou fazer umas ligações." Peguei o telefone. "Preciso tomar as rédeas da situação antes de contar a ela. Tentar amortecer o golpe o máximo possível. Eva já passou por tanta coisa..." Minha voz falhou. Meus olhos ardiam.

"O que posso fazer para ajudar?", Angus perguntou, em voz baixa.

Eu me recompus. "Preciso de um jato disponível para o pai de Eva. Vou ligar para ele agora."

"Pode deixar." Ele se levantou.

"Espera uns minutos para eu dar a notícia. Mande uma mensagem para ele quando estiver tudo preparado."

"Considere feito."

"Obrigado."

"Gideon... Você precisa saber que minha pesquisa na residência dos Lucas foi bem-sucedida." Ele enfiou a mão no bolso e tirou um pen drive do tamanho de uma moeda de dez centavos. "Estava guardado num cofre, debaixo de uma caixa de joias. Ela vasculhou todas as anotações dele."

Olhei para Angus fixamente. Anne e Hugh eram a menor das minhas preocupações naquele momento.

"É tudo mentira", ele continuou. "Ele não falou nada do que aconteceu. Mas, quando chegar a hora, você talvez se interesse pelo que disse sobre Christopher."

Angus colocou o pen drive na mesa e saiu da sala.

Fiquei olhando para aquilo. Então abri uma gaveta e coloquei o pen drive lá dentro.

Liguei o telefone e vi que havia torpedos e mensagens de voz de Cary, Magdalene, Clancy, Ireland, Chris...

Desanimado, busquei o contato do escritório do dr. Petersen e liguei. Após ouvir a gravação automática, disquei o número do atendimento de emergência e expliquei ao operador que se tratava mesmo de uma emergência — havia acontecido uma morte, e ele precisava me ligar de volta o mais rápido possível.

Toda a interação foi fria e calculada, sobretudo para algo tão desesperadamente pessoal. O processo sombrio parecia um terrível insulto à mulher vibrante e bonita, esposa e mãe, que não estava mais entre nós. Ainda assim, vi-me desejando que a próxima ligação que eu tinha que fazer também envolvesse tão pouca emoção.

Enquanto o telefone tocava do outro lado, afundei na cadeira. A última vez que falara com Victor fora quando ligara do Rio de Janeiro para explicar que a foto com as duas mulheres era de antes de eu conhecer a filha dele. Victor recebera a informação com uma reserva gélida, deixando bem claro que eu não era bom o suficiente para Eva, sem dizê-lo propriamente. Eu não discordava daquilo. Agora, eu tinha que dizer a ele que a outra mulher que amara fora tirada dele de novo — e para sempre.

Eva acreditava que o pai ainda era apaixonado pela ex-mulher. Se fosse o caso, a notícia o deixaria arrasado. Ainda podia sentir o gosto da bile no fundo da garganta e o pânico gelado que apagou minha mente nos primeiros momentos após o tiroteio. Sem Eva, não haveria nada para mim.

"Reyes", Victor atendeu, parecendo calmo e desperto. Havia barulho no fundo, do trânsito talvez. E uma música soando baixinho. Olhei para o relógio e pensei que talvez estivesse de plantão.

"É Cross. Preciso dar uma notícia. Está sozinho?"

"Posso ficar. O que foi?", ele perguntou, captando a gravidade do meu tom. "Aconteceu alguma coisa com Eva?"

"Não, não é Eva."

Fala logo. Rápido e direto. É assim que eu gostaria de ser informado de que minha vida acabou.

"Monica foi assassinada. Sinto muito."

Houve uma pausa terrível. "O que você acabou de dizer?"

Minha cabeça bateu contra o encosto da cadeira. Ele tinha ouvido na primeira vez, dava para saber pela sua voz. Mas não podia acreditar. "Sinto muito, Victor. Não sabemos muito mais do que isso no momento."

Ouvi uma porta de carro se abrir e se fechar do outro lado da linha. Em seguida, uma transmissão do rádio da polícia, e, por fim, um silêncio pesado que se estendeu por longos minutos. Ainda assim, eu sabia que ele estava lá.

"Foi há uma hora", expliquei, calmamente, tentando preencher o silêncio. "Estávamos todos saindo de um evento. Um homem armado no meio da multidão atirou."

"Por quê?"

"Não sei. Mas ele foi detido. Devemos ter mais detalhes em breve."

Sua voz então pareceu mais firme. "Cadê minha filha?"

"Está em casa, comigo. Não vai sair até eu estar certo de que é seguro. Estou preparando um voo para você vir para cá. Eva vai precisar de você, Victor."

"Me deixa falar com ela."

"Está descansando. Você vai receber uma mensagem com a informação do voo assim que estiver confirmado. Vai ser um dos meus jatos. Amanhã de manhã você fala com ela, quando estiver aqui."

Victor exalou bruscamente. "Certo. Vou me arrumar."

"Até daqui a pouco."

Desliguei e pensei no outro homem que era uma figura paterna para Eva. Não dava para imaginar o que Stanton estava passando naquele instante; era de enlouquecer. Compadeci-me dele, e me entristecia profundamente o fato de que qualquer coisa que dissesse seria inadequada.

Ainda assim, digitei uma mensagem rápida. **Se eu puder ajudar de alguma forma, por favor, me avise.**

Saí do escritório e fui até o banheiro da suíte. Parei por um instante na porta, tudo dentro de mim doendo diante da visão de Eva deitada na água fumegante, com os olhos fechados. Seu cabelo estava preso no alto, desarrumado. Os diamantes brilhavam na bancada. Lucky arranhava minhas canelas.

"Oi", ela murmurou, mantendo os olhos fechados. "Cuidou de tudo?"

"Ainda não. Agora, preciso cuidar de você." Fui até ela e vi que o chá ainda estava pela metade. "Você devia terminar o chá."

Seus olhos se abriram lentamente, sonhadores e gentis. "Está forte. Fiquei meio tonta."

"Ótimo. Beba tudo."

Eva fez o que pedi. Não por obediência, mas daquele jeito com que uma mulher que está com segundas intenções finge seguir uma ordem: porque convém a ela.

"Não vai entrar?", perguntou, lambendo os lábios.

Balancei a cabeça. Ela fez beicinho.

"Então acabei." Levantou-se da banheira, a água escorrendo pelas curvas coradas. Em seguida, lançou-me um sorriso sedutor, sabendo o que estava fazendo comigo. "Não vai mudar de ideia?"

Engoli em seco, por cima do nó na garganta. "Não posso."

Com passos lentos, peguei uma toalha e entreguei a ela. Em seguida, afastei-me, atormentado pela visão de seu corpo, e peguei alguns itens de primeiros socorros, deixando as pomadas e os curativos na bancada.

Eva se aproximou, recostando-se contra a lateral do meu corpo. "Está tudo bem? Ainda pensando na sua mãe?"

"O quê? Não", resmunguei, a cabeça baixa. "Quando você desmaiou... Caralho. Nunca fiquei tão assustado."

"Gideon." Ela deslizou o corpo junto ao meu, abraçando-me. "Estou bem."

Suspirando, apertei-a rapidamente e soltei. Doía demais segurá-la, sabendo o que estava ocultando. "Me deixa dar uma olhada para ter certeza."

Lucky sentado, a cabeça de lado, olhando para mim curioso enquanto inspecionava o braço de Eva. Limpei a ferida e passei a pomada para aliviar a dor. Por fim, protegi com gaze. O hematoma escuro no quadril recebeu uma dose generosa de arnica, meus dedos girando bem de leve sobre a pele roxa até o gel ter sido absorvido por completo.

Meu toque e dedicação a deixaram excitada, apesar dos meus esforços contrários. Fechei os olhos com força e fiquei de pé. "Já para a cama, sra. Cross."

"Hum... Certo, para a cama." As mãos dela foram até meus ombros, seus dedos correndo pelas pontas abertas da gravata-borboleta. "Gosto do seu colarinho aberto assim. Muito sexy."

"Meu anjo... Você está acabando comigo." Peguei suas mãos. "Ainda tenho que resolver algumas coisas."

"Tá. Vou me comportar. Por enquanto."

Peguei sua mão e a levei para o quarto. Eva protestou quando peguei uma camiseta das Indústrias Cross e a vesti por cima da cabeça.

"E os diamantes?", perguntou.

Ela talvez nunca mais os usasse de novo. Onde estava o dr. Petersen? Precisava da ajuda dele para dizer as coisas certas do jeito certo quando chegasse a hora.

Meus dedos roçaram sua bochecha, o único toque que eu me permitiria. "Você vai ficar mais confortável sem eles."

Coloquei-a na cama, tirando seu cabelo do rosto. Eva ia dormir acreditando que a mãe ainda estava no mundo e que o marido nunca mentiria para ela.

"Te amo." Dei um beijo em sua testa, desejando que as palavras ecoassem em seus sonhos.

Era muito possível que Eva não acreditasse nelas depois que acordasse.

Fechei a porta do quarto para deixar Eva descansar e fui até a cozinha em busca de uma bebida, algo forte, para aliviar o frio na minha barriga.

Encontrei Cary na sala, sentado no sofá com a cabeça entre as mãos. Angus estava à cabeceira da mesa de jantar, falando baixinho ao telefone.

"Quer uma bebida?", perguntei para Cary ao passar por ele.

Ele ergueu a cabeça e pude ver as lágrimas. A devastação. "E Eva?"

"Está tentando dormir. É melhor que descanse." Entrei na cozinha, peguei dois copos e uma garrafa de uísque e servi duas doses generosas. Quando Cary se juntou a mim, passei um copo para ele.

Virei a minha dose de uma vez só. Fechei os olhos e fiquei sentindo a ardência. "Você vai ficar no quarto de hóspedes." Minha voz soou áspera com o calor da bebida. "Ela vai precisar de você amanhã de manhã."

"Vamos precisar um do outro."

Servi outro copo para mim. "Victor está vindo."

"Merda." Cary limpou os olhos úmidos. "O Stanton, cara... Ele envelheceu bem na minha frente. Como se trinta anos tivessem passado." Ele levou o copo aos lábios, a mão tremendo violentamente.

Meu telefone tocou no bolso. Atendi, mesmo não reconhecendo o número. "Cross."

"Gideon. É o dr. Petersen. Recebi sua mensagem."

"Só um minuto." Apertei o telefone contra o peito e olhei para Cary. "Tenho que atender."

Ele me dispensou, o olhar fixo no líquido âmbar em seu copo.

Fui até o quarto, entreabri a porta e fiquei aliviado de ver que Eva estava dormindo com o cachorro enrolado ao seu lado. Fui para o escritório e me tranquei lá. "Desculpe. Precisava de privacidade."

"Sem problemas. O que houve, Gideon?"

Desabei na cadeira, deixando a cabeça cair na mão livre. "A mãe de Eva. Houve um incidente esta noite. Ela morreu."

"Monica..." Ele respirou fundo. "O que aconteceu?"

Lembrei que Monica tinha sido paciente do dr. Petersen. Expliquei da mesma forma que tinha feito com Victor. "Preciso que você venha à minha casa. Preciso de ajuda. Não sei como dizer a Eva."

"Como...? Espera um pouco, Gideon. Está tarde, e acho que não entendi direito. Você não falou que ela estava com você quando aconteceu?"

"Estava bem do meu lado, mas eu me joguei por cima dela, para proteger seu corpo. Ela ficou sem ar e desmaiou. Quando acordou, eu disse que tinha sido um alarme falso."

"Ah, Gideon." O terapeuta suspirou profundamente. "Não foi boa ideia."

"Foi a decisão certa. Não tinha nada que ela pudesse fazer."

"Você não pode proteger Eva de tudo, e mentir nunca é a solução."

"Posso proteger minha mulher das balas!" Fiquei de pé, furioso que sua reação e a de Angus refletissem meus piores medos sobre como Eva reagiria à escolha que eu tinha feito. "Até eu saber qual é a ameaça, não vou deixar que Eva saia por aí. E é exatamente isso que ela ia fazer se soubesse da morte da mãe!"

"A escolha tem que ser dela."

"Ela escolheria errado."

"Independente disso, é uma decisão que Eva tem o direito de tomar sozinha."

Balancei a cabeça, embora soubesse que ele não podia me ver. "A segurança de Eva não é negociável. Ela se preocupa com todo mundo. É meu trabalho me preocupar com ela."

"Você poderia contar a ela suas preocupações", argumentou o dr. Petersen, com a voz baixa e calma. "Explicar o que está sentindo."

"Eva não ia colocar a segurança dela em primeiro lugar. Ia querer ficar com Stanton."

"Ficar junto das pessoas que compartilham nosso sofrimento pode…"

"Ele está de pé numa calçada, diante do corpo da mãe dela!"

As palavras e a imagem que evocavam eram vis. Meu estômago se revirou, rejeitando a bebida. Eu precisava que alguém compreendesse toda a extensão do horror e o motivo pelo qual eu tinha tomado aquela decisão. Precisava de alguém que me oferecesse alguma esperança de que Eva me entenderia.

"Não me diga o que seria melhor", continuei, friamente. "Não vou deixar Eva ir até lá. Ela ficaria traumatizada se visse… aquilo."

O dr. Petersen ficou quieto. Por fim, acrescentou: "Quanto mais você esperar, mais difícil vai ser para os dois".

"Vou contar quando ela acordar. Você vai vir e me ajudar a fazer isso."

"Gideon…"

"Já falei com o pai dela, na Califórnia. Ele vem para Nova York. E Cary está aqui." Eu andava de um lado para o outro no escritório. "Eles vão ter um tempo para assimilar tudo e, quando Eva os encontrar, vão poder dar o apoio de que ela precisa. Você também pode ajudar."

"Está ignorando o fato de que a maior fonte de força e conforto da Eva é *você*, Gideon. Ocultar uma informação dessa magnitude, ser desonesto sobre isso, é arriscar toda a base da qual ela depende tanto."

"Você acha que não sei disso?!" Parei no meio da passada, bem na frente da colagem de fotos de Eva. "Eu… Meu Deus. Estou morrendo de medo de que ela nunca me perdoe."

O silêncio do dr. Petersen fez com que as palavras pairassem no ar, zombando da minha impotência.

Desviei o olhar das imagens de Eva. "Mas eu faria tudo de novo. A situação, o risco..."

"Está bem. Você vai precisar explicar para ela assim que acordar. Seja franco sobre o que está sentindo e se concentre nisso, e não na sua lógica ou no seu raciocínio. Ela pode não concordar, mas entender o impulso emocional por trás das suas ações vai ajudar."

"Você entende?", desafiei.

"Entendo. O que não quer dizer que não recomendaria que tivesse agido diferente. Mas entendo, sim. Vou passar outro número para que você possa me contatar direto."

Peguei uma caneta na mesa e anotei o telefone.

"Converse com Eva. Depois, se ainda achar que precisa de mim, me chame. Não posso prometer atender na mesma hora, mas retorno assim que puder."

"Obrigado." Desliguei e sentei à mesa. Não havia mais nada a fazer além de esperar. Esperar Eva acordar. Esperar a polícia. Esperar as pessoas que ligariam e apareceriam na cobertura, amigos e parentes que seriam tão ineficazes quanto eu.

Liguei o computador e mandei um e-mail para Scott, pedindo para esvaziar minha agenda pelo restante da semana e entrar em contato com a cerimonialista do casamento. Dar a notícia a ela e outras pessoas talvez fosse desnecessário, considerando que os paparazzi estavam lá na hora do tiroteio. Não é possível ter privacidade nem no luto.

A ideia do que já devia ter sido postado na internet fez com que eu me sentisse furioso e impotente. Fotos chocantes da cena do crime. Teorias da conspiração e especulações desenfreadas. O mundo inteiro estaria vigiando nossas janelas pelos próximos meses.

Afastei os pensamentos.

Obriguei-me a pensar nas coisas que iam aliviar o estresse de Eva. Já tinha planos de conversar com Victor sobre a família dele, que chegaria na sexta-feira.

Antes de perceber, estava com o celular na mão. Verifiquei as chamadas não atendidas e passei pelas mensagens. Não havia nada de minha mãe, embora imaginasse que Chris ou Ireland já tivesse contado a ela. Seu silêncio não me surpreendeu tanto quanto a mensagem de Christopher.

Diga a Eva que sinto muito, por favor.

Olhei para as palavras por um bom tempo, tocando na tela para mantê-la acesa quando começou a se apagar. Foi o "por favor" que me surpreendeu. Uma expressão tão corriqueira, mas que Christopher não usava comigo.

Pensei nas pessoas para quem tinha ligado. Cary, que era como um irmão para ela. Victor, seu pai. Para quem ela ligaria se estivesse no meu lugar? Para Chris? Certamente não para meu irmão.

Por quê? Todos aqueles anos, eu tinha me perguntado aquilo. Christopher poderia ter significado muito mais para mim, um vínculo na nova família que minha mãe tinha criado.

Abri a gaveta e fitei o pen drive que Angus tinha recuperado na casa dos Lucas. Poderia conter a resposta?

Faria diferença agora?

O momento que eu temia tinha chegado rápido demais. Estava deitado na cama, com os olhos fechados, quando senti o colchão mexer. Eva se virou, e fiquei ouvindo-a suspirar de leve, acomodando-se na nova posição. Ia dormir de novo se eu deixasse. Poderia lhe dar mais algumas horas de paz.

Mas o voo de Victor tinha acabado de pousar em Nova York. A polícia poderia chegar a qualquer momento. A realidade ia se intrometer, não importava o quanto eu quisesse impedir, o que significava que o tempo que tinha para dar a notícia estava diminuindo.

Sentei e passei a mão no rosto, sentindo a aspereza do início de barba que sombreava meu queixo. Toquei seu ombro, despertando-a tão gentilmente quanto pude.

"Ei." Eva rolou na minha direção, os olhos sonolentos. "Ainda está de roupa. Trabalhou a noite toda?"

Levantei e acendi a luz, incapaz de tocar no assunto na cama. "Eva. A gente precisa conversar."

Ela piscou e se ergueu nos cotovelos. "O que foi?"

"Lava o rosto enquanto faço um café. Me espera aqui no quarto."

Ela franziu a testa. "Você está tão sério."

"É sério. Você precisa estar acordada."

"Tudo bem." Eva afastou o edredom e saiu da cama.

Peguei Lucky e fechei a porta do quarto atrás de mim, soltando-o no banheiro antes de preparar o café. Era outro dia, e eu continuava enrolando. Passar mais aqueles minutos fingindo parecia piorar muito a mentira.

Quando voltei para o quarto, encontrei Eva vestindo a calça do pijama. Tinha prendido o cabelo num rabo de cavalo curto e havia uma manchinha de pasta de dente na camiseta. Naquele momento, eu a amava mais do que tudo.

Ela pegou a caneca da minha mão e inspirou o aroma, fechando os olhos de prazer. Era algo tão rotineiro nela que meu peito doeu.

Deixei meu café de lado, o estômago de repente revirado demais para ingerir qualquer coisa. "Senta naquela cadeira, meu anjo."

"Você está começando a me assustar."

"Eu sei. Desculpa." Toquei seu rosto. "Não queria arrastar tanto isto. Se você sentar, eu explico."

Eva se acomodou na cadeira de leitura sob as janelas em arco. A escuridão do céu dava lugar a um azul acinzentado. Acendi a luz ao seu lado, em seguida, peguei outra cadeira e coloquei na frente dela. Sentei, segurei suas mãos e apertei seus dedos de leve.

Respirei fundo. "Menti para você. Posso me defender quando terminar, mas..."

Eva franziu os olhos. "Fala logo, garotão."

"O que você ouviu foram mesmo tiros. Um dos fotógrafos disparou contra a gente ontem à noite. Sua mãe foi atingida." Fiz uma pausa, esforçando-me para dizer as palavras. "Ela não sobreviveu."

Eva me encarou, os olhos grandes e escuros no rosto subitamente pálido. Sua mão tremia violentamente quando baixou a caneca na mesa de cabeceira. "O quê?"

"Ela foi baleada, Eva." Apertei suas mãos abruptamente frias, sentindo seu pânico. "E morreu. Sinto muito."

Sua respiração acelerou.

"Não tenho respostas agora. Eles prenderam o atirador, e Raúl me disse que os detetives Graves e Michna estão investigando o caso."

"Eles são do setor de homicídios", observou ela, com a voz indiferente.

"É." Foram eles que investigaram a morte de Nathan Barker. Eu os conhecia melhor do que desejava.

"Por que alguém ia querer matar a minha mãe?"

"Não sei, Eva. Pode ter sido aleatório. Ou ele pode ter errado o alvo. A gente pode ligar para Graves ou Michna — você ainda tem o cartão deles, não tem? Talvez eles não falem muita coisa, mas imagino que venham colher nossos depoimentos."

"Por quê? Não sei de nada."

O medo contra o qual eu lutara a noite inteira me dominou. Tinha imaginado raiva e lágrimas. Uma explosão violenta de emoção. Mas ela parecia desorientada. Quase sem vida.

"Meu anjo." Soltei uma de suas mãos e segurei seu rosto. "Cary está aqui, no quarto de hóspedes. Seu pai está a caminho do aeroporto. Daqui a pouco vai chegar."

"Meu pai." Uma lágrima solitária deslizou por sua face. "Ele sabe?"

"Sabe. Eu avisei. E Cary também sabe. Ele estava lá."

"Preciso falar com Cary. Ela era como uma mãe para ele."

"Eva." Deslizei até a beirada da cadeira e segurei seus ombros. "Você não precisa se preocupar com mais ninguém agora."

"Por que não me contou?" Ela me olhava, sem expressão. "Por que mentiu para mim?"

Fiz menção de explicar, mas parei. Por fim, respondi: "Para proteger você".

Seu olhar deixou meu rosto, afastando-se para o lado. "Acho que sabia que algo de ruim tinha acontecido. Por isso que não estou surpresa. Quando saímos... ela já tinha...?"

"Já, Eva. Não vou mentir de novo... Quando tirei você de lá, não sabia que alguém havia sido atingido. O mais importante era levar você para algum lugar seguro. Depois disso..."

"Deixa pra lá."

Meus pulmões pareciam tremer no peito com a respiração. "Você não poderia ter feito nada."

"Agora não importa mais."

"Você está em estado de choque, Eva. Olhe para mim." Ela não o fez, e eu a peguei no colo. Seu corpo estava todo frio. Abracei-a, tentando aquecê-la. Eva estremeceu.

Fui até a cama e puxei o edredom. Sentei-me na beirada do colchão e nos cobri, envolvendo-a até os ombros. Então a embalei e beijei sua testa.

"Sinto muito, meu anjo. Não sei o que fazer. Me diga o que fazer."

Ela não respondeu e não chorou.

"Você dormiu?" Chris perguntou, suavemente. "Talvez devesse deitar um pouquinho."

Sentado à mesa do escritório da cobertura, ergui o olhar, surpreso de ver meu padrasto em pé na minha frente. Não o tinha ouvido entrar. Estava com a cabeça longe, fitando o mundo lá fora pela janela.

Victor e Cary estavam na sala de estar com Eva. Os dois homens mal conseguiam falar, atordoados pela dor. Angus estava em algum lugar do prédio, trabalhando com a equipe da portaria para gerenciar a multidão de fotógrafos e repórteres acampados na entrada principal.

"Você falou com Eva?" Esfreguei os olhos, que ardiam. "Cary e o pai dela estão arrasados, e ela..."

Como Eva estava? Não tinha a menor ideia. Ela parecia... alheia. Como se não estivesse nem um pouco conectada com a angústia e a raiva impotente transbordando de duas pessoas que amava profundamente.

"Ela está anestesiada." Ele se sentou. "Em algum momento, a ficha vai cair. Por enquanto, está lidando com a situação do jeito que sabe."

"'Em algum momento' é vago demais! Só preciso saber quando... como... o que fazer."

"É por isso que você tem que cuidar de si mesmo, Gideon." Seu olhar gentil avaliou meu rosto. "Para ser forte quando ela precisar."

"Ela não quer que eu a conforte. Está muito ocupada se preocupando com outras pessoas."

"É uma distração, tenho certeza", ele argumentou, calmamente. "Algo em que se concentrar além da própria perda. Se quer meu conselho, tem que se concentrar em *você*. É óbvio que passou a noite acordado."

Deixei escapar uma risada de desdém. "O que me entregou? O smoking?"

"Os olhos vermelhos, a barba por fazer. Você não parece o marido com o qual Eva conta para segurar as pontas e fazer tudo o que estiver ao seu alcance."

"Droga." Fiquei em pé. "É que... me parece errado agir como se nada tivesse acontecido."

"Não foi o que eu quis dizer. Mas a vida tem que continuar. E para Eva... isso vai acontecer ao seu lado. Portanto, seja *você*. Neste momento, parece tão instável quanto eles lá fora."

Era como eu me sentia. O fato de Eva não estar buscando conforto em mim... era meu maior medo.

Mas sabia que Chris tinha razão. Se eu não demonstrasse que podia apoiá-la, como poderia esperar que se apoiasse em mim?

Ele se levantou. "Vou fazer café enquanto você toma um banho. Trouxe comida, aliás. Bolos e sanduíches de uma padaria que seu irmão recomendou. Daqui a pouco é hora do almoço."

Não conseguia pensar em comida, mas tinha sido gentil da parte dele. "Obrigado."

Chris caminhou comigo até a porta. "Tenho ficado na cidade esses dias, como você sabe. Christopher vai tomar conta das coisas no trabalho pelos próximos dias, para que eu possa ajudar você por aqui. Se precisar de alguma coisa, não importa a que horas seja, me liga."

Parei. Sentia um aperto forte no peito. Lutava para respirar.

"Gideon." Chris colocou a mão no meu ombro. "Vocês vão superar isso. Você tem sua família e seus amigos..."

"Que família?"

Ele deixou o braço cair.

"Desculpe...", eu disse, odiando que ele tivesse se afastado. Odiando ter colocado aquela expressão de mágoa em seu rosto. "Fico feliz que você esteja aqui. Não esperava, mas fico feliz..."

Chris me puxou para um abraço apertado. "Então aprenda a esperar por isso", disse, rispidamente. "Porque não vou recuar desta vez, Gideon. Somos uma família. Talvez agora a gente possa começar a pensar no que isso significa para todo mundo. Você e eu. Sua mãe, Christopher e Ireland."

Com a cabeça apoiada no ombro dele, lutei para manter um pingo de compostura. Estava cansado. Estragado. Meu cérebro não funcionava direito. Talvez fosse por isso que me sentia... Merda. Não sabia o que sentia.

Victor e Cary estavam desolados. Stanton... Não podia sequer começar a imaginar sua devastação. O que eu sentia não importava muito, comparado a eles.

Estressado, com a mente caótica, falei sem pensar: "Christopher vai precisar de um transplante de personalidade para ser uma família para mim".

Chris ficou rígido e se afastou. "Sei que você e Christopher não se dão bem, mas..."

"Não por culpa minha. Vamos ser claros quanto a isso." Tentei lutar contra a pergunta, impedi-la de sair. "Ele já disse a você por que me odeia?"

Pelo amor de Deus. *Por quê?* Por que eu tinha que perguntar aquilo? Não deveria fazer diferença. Não depois de todos aqueles anos.

Chris se afastou, balançando a cabeça. "Ele não odeia você, Gideon."

Endireitei o corpo, fazendo força para não tremer — se de exaustão ou emoção, não poderia dizer. O passado era passado. Eu o tinha deixado para trás, enfiado numa caixa. Tinha Eva agora...

Merda. Esperava ainda ter Eva.

Ela nunca tentou me forçar a me dar com Christopher, como fez com o restante da minha família. Para ela, meu irmão tinha ido longe demais, usado Magdalene com muita insensibilidade, o que Cary tinha capturado em vídeo. Talvez Eva não se importasse se eu não conseguisse resolver as coisas com Christopher...

Mas talvez ela ficasse orgulhosa por me ver tentar.

E, se ficasse, se aquilo provasse que eu era outro, que tinha mudado como ela precisava... *Filho da puta*. Não contar a ela sobre a morte de Monica no instante em que fiquei sabendo foi anular todo o progresso que eu tinha feito. Se consertar as coisas com minha família agora a ajudasse, de alguma forma, a me perdoar pela mentira, então valeria a pena o esforço.

Forcei minhas mãos a relaxar. Quando falei, minha voz era baixa e uniforme. "Preciso mostrar uma coisa a você."

Fiz um gesto para meu padrasto se sentar à mesa. Quando ele aproximou a cadeira do computador, movi o mouse para religar o monitor. As anotações manuscritas de Hugh encheram a tela.

Os olhos de Chris dispararam de um lado a outro, lendo depressa. No instante em que entendeu o que estava olhando, sua coluna enrijeceu.

"Não sei quanto disso é verdade", adverti. "As anotações de Hugh sobre suas sessões comigo são todas mentirosas. Parece que ele estava construindo um perfil meu para usar como defesa, caso fosse processado."

"Era o que a gente devia ter feito." As palavras foram curtas e ditas entre os dentes. "Como você conseguiu isso?"

"Não importa. O que importa é que ele tem anotações de quatro sessões diferentes com Christopher. Uma delas supostamente foi em conjunto comigo. Ou é invenção ou eu esqueci."

"O que você acha que é?"

"Realmente não sei. Tem uns... pedaços da minha infância de que não me lembro." Lembrava as coisas mais em sonhos do que acordado.

Chris girou a cadeira para me olhar. "Você acha que ele abusou do seu irmão?"

Levei um instante para afastar as memórias e responder: "Não sei... você teria que perguntar a Christopher... mas eu duvido".

"Por quê?"

"As datas e os horários nas anotações de Hugh indicam que as sessões de Christopher aconteceram depois das minhas. Se os horários estiverem corretos — o que seria lógico, se ele estivesse tentando se acobertar —, então ele não conseguiria." Cruzei os braços. Tentar explicar trazia toda a amargura de volta. E o nojo, tanto de Hugh quanto de mim. "Ele era bem doente, mas... escuta, não tem jeito bonito de dizer isso. Hugh não seria capaz de fazer mais nada depois que abusava de mim."

"Meu Deus... Gideon."

Desviei a atenção do choque e da fúria fervendo em seus olhos. "Hugh disse a Christopher que estava me vendo porque você e mamãe tinham medo de que eu o matasse."

Pensar nas outras pessoas no apartamento era a única coisa que me impedia de socar uma parede. Eu bem que tinha distribuído meus socos por aí quando era menino.

Diante da lembrança do que eu era capaz naquela época, dava para entender a facilidade com que a lavagem cerebral de Hugh poderia ter se enraizado na mente de uma criança cujo irmão mais velho frequentemente tinha acessos de raiva e destruição.

"Christopher não acreditou nisso", ele afirmou.

Meus ombros se ergueram num gesto cansado. "Ele me disse uma vez, há pouco tempo, que eu o queria morto desde o dia em que nasceu. Na hora, não entendi do que estava falando, mas agora..."

"Me deixa ler", Chris disse, triste, voltando-se para o monitor. "Vá tomar um banho. Quando você sair, a gente bebe aquele café. Ou algo mais forte."

Comecei a caminhar para fora do escritório, mas parei antes de abrir a porta. Voltei-me na direção dele e observei sua tensão ao se concentrar nas palavras diante de si. "Você não conheceu Hugh como eu", eu disse. "A forma como era capaz de distorcer as coisas... de fazer você acreditar nelas..."

Chris ergueu o rosto e sustentou meu olhar. "Você não precisa me convencer, Gideon. Sua palavra basta."

Desviei os olhos depressa. Será que ele tinha alguma ideia do que aquilo significava para mim? Eu não era capaz de expressar isso, minha garganta estava seca demais.

Com um aceno de cabeça, eu o deixei.

Levei tempo demais para colocar uma simples roupa. Eu a escolhi pensando em Eva. As calças cinza que ela adorava. A camiseta preta de gola V.

Alguém bateu à porta. "Pode entrar."

Angus apareceu. "Os detetives estão subindo."

"Tudo bem."

Caminhei com ele pelo corredor até a sala de estar.

Eva estava sentada no sofá, de calça de moletom, suéter folgado e meias. Descansava no ombro de Victor, o alto da cabeça tocando a bochecha dele. Seus dedos estavam nos cabelos de Cary, sentado numa almofada no chão, junto de seu joelho. Não dava para ficarem mais aconchegados do que aquilo. Um filme passava na televisão, mas nenhum deles estava vendo.

"Eva."

Seu olhar me avaliou lentamente.

Estendi a mão para ela. "A polícia chegou."

Victor se endireitou, fazendo Eva erguer o corpo. Uma batida rápida à porta deixou todo mundo em alerta.

Eu me aproximei do sofá e mantive o braço estendido. Eva se desvencilhou lentamente e se levantou, o rosto ainda muito pálido. Pegou minha mão e soltou um suspiro de alívio. Puxei-a para mais perto, passando o braço em volta de seus ombros e beijando sua testa.

"Te amo", eu disse, baixinho, enquanto a conduzia até a porta.

Seus braços envolveram minha cintura, e ela se recostou em mim. "Eu sei."

Girei a maçaneta. "Bom dia. Entrem, por favor."

Graves entrou primeiro, os olhos azuis penetrantes indo imediatamente para Eva. Michna a seguiu, e sua altura lhe permitiu me encarar por cima da cabeça da parceira.

Ele me cumprimentou com um aceno rápido. "Sr. Cross."

Eva se afastou de mim enquanto eu fechava a porta.

"Lamentamos muito sua perda, sra. Cross", disse Graves, do jeito típico dos policiais, de quem diz as palavras com frequência demais.

"Vocês devem se lembrar do pai de Eva, Victor Reyes", falei. "E o escocês alto ali atrás é Angus McLeod."

Os dois assentiram, mas foi Graves quem assumiu a liderança, como de costume. "Meu nome é Shelley Graves, e este é meu parceiro, o detetive Richard Michna." Ela olhou para Cary, com quem tinha falado apenas algumas horas antes. "Sr. Taylor."

Apontei para a mesa de jantar. "Vamos nos sentar."

Minha esposa alisou o cabelo para trás, com as mãos trêmulas. "Vocês querem um café? Uma água?"

"Um café seria ótimo", respondeu Michna, puxando uma cadeira para si.

"Eu faço", intercedeu Chris, aparecendo do corredor. "Sou o padrasto de Gideon, Chris Vidal."

Os detetives o cumprimentaram, e Chris foi para a cozinha.

Graves sentou ao lado do parceiro, colocando uma bolsa de couro surrada sobre a mesa. O que ela tinha de magra ele tinha de corpulento. O cabelo castanho e encaracolado estava preso num rabo de cavalo sério. Já Michna era grisalho e começava a ficar careca, o que chamava mais atenção para os olhos escuros e as feições duras.

Graves me observou enquanto eu puxava uma cadeira para Eva. Sustentei seu olhar, identificando o conhecimento sombrio que a policial tinha do meu crime. Deixei que ela visse minha determinação. Eu tinha cometido atos imorais para proteger Eva. Assumia a responsabilidade sobre essas decisões, mesmo as que levaria para o túmulo.

Sentei ao lado de Eva, puxando minha cadeira para perto dela e pegando sua mão. Victor sentou do outro lado da filha, e Cary na cadeira seguinte. Angus estava atrás de mim.

"Podem repassar a noite de ontem, começando pelo momento em que chegaram ao evento?", pediu Michna.

Respondi primeiro, dolorosamente consciente da atenção de Eva a cada palavra que saía da minha boca. Ela só perdera os últimos instantes, mas eu sabia que aqueles minutos eram cruciais.

"O senhor não viu o atirador?", insistiu Graves.

"Não. Ouvi Raúl gritar e derrubei Eva no chão. É padrão a equipe de segurança evacuar ao primeiro sinal de problemas. Eles nos levaram na direção oposta, e não olhei para trás. Meu foco era minha esposa, que estava inconsciente na hora."

"E não viu Monica Stanton cair?"

Eva apertou minha mão. Neguei com a cabeça. "Não. Não tinha a menor ideia de que alguém tinha se machucado até depois de ter saído do local."

Michna fitou Eva. "Em que momento a senhora perdeu a consciência, sra. Cross?"

Ela umedeceu os lábios, que começavam a rachar. "Bati na calçada com muita força. Gideon ficou em cima de mim, me mantendo no chão. Eu não conseguia respirar, então outra pessoa caiu em cima de Gideon. Era pesado demais... Acho que ouvi uns dois ou três tiros. Não tenho certeza. Quando acordei, estava na limusine."

"Certo." Michna assentiu. "Obrigado."

Graves abriu o zíper da bolsa e tirou uma pasta de lá. Abriu-a e colocou na mesa à nossa frente uma foto do atirador tirada na delegacia. "Reconhecem este homem?"

Aproximei-me. Louro de olhos verdes. Barba aparada. Aparência normal.

"Sim", respondeu Angus, fazendo-me voltar a cabeça na direção dele. "É o cara que colocamos para correr em Westport, o que estava tirando fotos."

"Vamos precisar tomar seu depoimento, sr. McLeod", avisou Michna.

"Claro." Ele se endireitou, cruzando os braços. "Foi ele quem atirou na sra. Stanton?"

"Foi. O nome dele é Roland Tyler Hall. O senhor já teve algum contato com esse homem, Cross? Lembra de ter falado com ele?"

"Não", respondi, vasculhando a memória e não encontrando nada.

Eva se inclinou para a frente. "Ele estava perseguindo minha mãe?"

A pergunta saiu baixinho, a dor muda realçada por uma fúria gélida. Era a primeira centelha que eu vislumbrava nela desde que recebera a notícia da morte. Nesse momento, lembrei mais uma coisa que estava escondendo da minha esposa: o passado sombrio de sua mãe. Uma história confusa que poderia ser a razão pela qual Monica estava morta.

Graves passou a retirar fotografias da pasta, a começar pelas de Westport. "Não era sua mãe que Hall estava perseguindo."

O quê? Meu pavor foi substituído pela sensação que me atormentara a noite inteira.

Eram tantas imagens que ficava difícil se concentrar em uma só. Inúmeras fotografias nossas tiradas na entrada do Crossfire. Algumas em eventos, parecendo feitas por paparazzi. Outras, flagrados em algum lugar da cidade.

Eva puxou uma e arfou diante da cena: eu a inclinando num beijo apaixonado numa calçada movimentada, na entrada de uma academia.

Nossa primeira foto a se tornar viral. Eu havia respondido a perguntas da imprensa, confirmando que aquela era a mulher da minha vida, e Eva se abrira para mim, sobre Nathan e seu passado.

Havia uma imagem nossa amplamente divulgada, na qual discutíamos no Bryant Park. Em outra foto no parque, tirada em um dia diferente, estávamos abraçados. Nunca tinha visto aquela antes.

"Ele não vendeu tudo isso", comentei.

Graves confirmou com a cabeça. "Hall tirava a maioria para si próprio. Quando faltava dinheiro, vendia algumas. Fazia meses que não trabalhava, estava morando no carro."

Deslizando as fotografias de cima para expor as demais, percebi que muitas das vezes em que Eva e eu tínhamos reparado num fotógrafo, era Hall atrás da câmera.

Recostei-me na cadeira, soltando a mão de Eva para envolvê-la pelos ombros. Ele havia estado tão perto dela, e eu não tinha ideia.

"Me deixa dar uma olhada", pediu Victor.

Empurrei as fotos de cima na direção dele. A visão das imagens que estavam por baixo fez com que me ajeitasse na cadeira. Peguei minha fotografia amplamente divulgada com Magdalene, que desencadeara a briga infame com Eva no Bryant Park. E outra em que eu estava com Corinne, na festa da vodca Kingsman.

Minha respiração acelerou. Soltei Eva e me aproximei da mesa para repassar as fotos com ambas as mãos.

Cary se inclinou para junto de Victor, tentando ver alguma coisa. "O cara só atirava mal? Ou confundiu Monica com Eva?"

"Ele não estava atrás da Eva", afirmei, secamente, absorvendo a ideia terrível. Então peguei a foto da boate, em que estava com as duas mulheres. Tirada em maio, antes de Eva chegar a Nova York.

Graves encontrou meu olhar confuso e confirmou com um aceno. "Hall estava perseguindo *você*."

O que significava que eu era indiretamente responsável pela morte de Monica.

15

Eu me aproximei da mesa e pousei a mão sobre as costas de Gideon, sentindo toda a sua tensão. Sua pele estava quente sob a camiseta, e seus músculos estavam rígidos.

Chris chegou da cozinha com uma bandeja com quatro canecas de café fumegante, um copo com creme e um açucareiro. Ele a colocou perto de Michna, já que o resto da mesa estava coberto de fotografias.

Os detetives agradeceram e pegaram uma caneca cada. Graves tomou seu café puro. Michna pôs uma colher de creme e açúcar.

Eu só tinha visto Michna durante a investigação da morte de Nathan. Já Graves eu conhecia melhor, porque tinha treinado krav maga com ela. Achava que gostava de mim, ou no mínimo simpatizava comigo. Eu tinha certeza de que fora o amor de Gideon por mim que fez com que encerrasse a investigação sobre Nathan, apesar de ainda ter suas dúvidas.

Era reconfortante para mim que estivessem a cargo do caso.

"Quero ter certeza de que entendi tudo", falei, tentando superar a tristeza que enevoara minha mente o dia todo. "Esse homem estava seguindo Gideon?"

Meu pai empurrou as fotos. "Quem era o alvo de Hall, Gideon ou minha filha?"

"Hall acredita que foi traído por Cross", respondeu Graves, "quando ele se casou."

Eu a encarei. Ela não usava joias nem maquiagem, mas ainda assim chamava a atenção. Mesmo depois de encarar o lado mais feio de seu trabalho, Graves ainda tinha sede de justiça — ainda que não fosse feita de acordo com a lei. "Se ele não podia ter Gideon, ninguém mais podia?"

"Não exatamente." Ela olhou para meu marido. "Hall acredita que o destino dele está 'entrelaçado' com o seu por algum tipo de acordo cósmico, e que seu casamento estragou tudo. Matar você era a única maneira de impedir que a vida tomasse um rumo que ele não quer."

"E isso lá faz algum sentido?", questionou Cary, pondo os cotovelos na mesa e segurando a cabeça com as duas mãos.

"A fixação de Hall não é sexual", explicou Michna, parecendo exausto depois de uma noite em claro. Mesmo assim, era um observador arguto e desconcertante. Sua parceira ia direto ao ponto, e ele avaliava as questões secundárias. "Não é nem uma coisa romântica. Ele afirma ser heterossexual."

Graves sacou uma foto do arquivo e pôs sobre as outras. "Vocês conhecem essa mulher."

Anne. Minhas mãos começaram a suar. O corpo de Gideon se retesou.

"Puta que pariu", murmurou Cary, batendo com o punho na mesa e me provocando um sobressalto.

"Cruzei com ela ontem à noite", contou Chris, acomodando-se em uma cadeira ao lado de Gideon. "Ela estava no jantar. Esse cabelo vermelho é inconfundível."

"Quem é ela?", meu pai perguntou, com um tom de voz firme e impassível.

"A dra. Anne Leslie Lucas", respondeu Graves. "É a psiquiatra que estava tratando Hall, mas fazia isso em outro consultório, com o nome Aris Matevosian."

Gideon respirou fundo por entre os dentes cerrados. "Conheço esse nome."

Graves o encarou com seu olhar afiado. "De onde?"

"Só um minuto." Ele se levantou da mesa e saiu pelo corredor.

Observei enquanto ele se afastava, com Lucky em seu encalço. O cachorro tinha ficado ao meu lado a maior parte da manhã, como se soubesse que eu precisava mais dele do que Gideon. Algo tinha mudado. E, como o barômetro emocional de Lucky era mais preciso que o meu, eu devia ficar atenta.

"Alguém pode me explicar quem é a dra. Lucas", pediu meu pai, "e qual é a ligação dela com Hall e Monica?"

"Vamos esperar que Cross volte", disse Michna.

"Eles tiveram um envolvimento sexual um tempo atrás", interrompi, para tirar das costas do meu marido o fardo de contar toda a história. Gideon tinha vergonha do que havia feito, e eu sabia disso.

Abracei os joelhos junto ao peito, tentando me aquecer. Sabia que era preciso escolher as palavras com cuidado. Contar toda a verdade seria difícil, considerando o retrato nada favorável do meu marido que revelaria ao meu pai.

"Ela ficou gamada", continuei, "e quis largar o marido, então Gideon terminou tudo. Anne não conseguiu superar. Apareceu no meu prédio uma vez, e tentou se aproximar de Cary usando uma peruca e fingindo ser outra pessoa."

Graves me lançou um olhar de quem sabia o que estava acontecendo. "Analisamos a queixa que ela prestou. Você e Cross a confrontaram separadamente em duas ocasiões diferentes."

"Eva!" Meu pai olhou feio para mim, com os olhos vermelhos. "Não acredito que fez isso."

"O quê?", rebati. "Ainda não entendi o que tudo isso significa. Ela estava assediando meu melhor amigo e meu marido. Só disse para cair fora."

Gideon voltou e mostrou uma foto que tirou com o celular.

Micha observou a imagem. "Um remédio receitado para Corinne Giroux pela dra. Aris Matevosian. Por que você tem isso?"

"Alguns meses atrás, Corinne ficou bem instável", Gideon disse sem nenhuma emoção na voz, acomodando-se ao meu lado. "Descobri que estava tomando antidepressivos por indicação da terapeuta, e que aquilo estava provocando as alterações de humor. Tirei uma foto da etiqueta do frasco dos remédios para saber com quem entrar em contato se ela continuasse daquele jeito."

Gideon me abraçou e me puxou para junto de si. Assim que encostei nele, senti seu corpo relaxar na cadeira, como se me abraçar lhe trouxesse um grande alívio. Passei o braço por sua cintura e senti seus lábios em minha testa.

Seu peito rugiu sob meu ouvido quando ele voltou a falar com a voz áspera de cansaço. "Então Anne era a terapeuta de Hall. Por que o pseudônimo?"

"Ela achou que estava sendo esperta", Graves falou sem se alterar. "Mas nós somos mais. E temos Hall, que é muito perturbado, mas está cooperando. A primeira coisa que fez foi confessar. Ele também foi inteligente ou paranoico o bastante para gravar secretamente todas as suas sessões com a dra. Lucas. Obtivemos as gravações revistando seu veículo."

"Foi ela que pôs isso na cabeça dele?", perguntei, querendo ter certeza de estar entendendo tudo direitinho.

"Acho que Hall nunca foi muito normal", disse Michna, "mas ele tinha um emprego, uma casa e nenhum interesse por Cross. Anne Lucas plantou essa semente nele."

Graves começou a juntar as fotos com a ajuda do parceiro. "Ele mencionou na terapia que tinha largado os estudos quando o esquema de pirâmide do seu pai arruinou seus avós. Não que ele guardasse algum ressentimento, mas ela o fez pensar que sua vida e a de Cross estivessem ligadas de alguma forma."

"Ela pode ir para a cadeia por isso?" Abracei Gideon com mais força. "Se é um dos motivos por que minha mãe está... morta. Ela não pode sair impune, certo?"

"Nós a prendemos uma hora atrás." Graves me olhou nos olhos, e eu vi a determinação estampada em seu rosto. "Quando o advogado dela chegar, vamos fazer um interrogatório."

"Quem vai determinar a acusação é a promotoria", falou Michna, "mas as gravações de Hall, somadas às imagens das câmeras de segurança mostrando Lucas e Hall entrando e saindo do outro consultório, já nos deram uma causa provável."

"Nos mantenham informados", disse meu pai.

"Claro." Graves pôs tudo de volta na bolsa e olhou para Gideon. "Você viu a dra. Lucas no jantar?"

"Sim", ele respondeu, acariciando meu braço. "Eva me mostrou que ela estava lá."

"Vocês falaram com ela?", perguntou Michna.

"Não." Gideon me olhou com uma expressão de interrogação.

"Mostrei o dedo para ela de longe", confessei quando a lembrança surgiu na minha mente confusa. "Ela estava com um sorrisinho presunçoso na cara. Vai ver era por isso que estava lá. Para ver o que ia acontecer."

"Meu anjo." Gideon me envolveu, levando-me para o calor da sua pele.

"Tudo bem. Já temos o que precisamos por enquanto", Graves disse, bem séria. "Só vamos tomar o depoimento do sr. McLeod sobre o incidente em Westport e vamos embora. Obrigada pela atenção."

Todos nos levantamos da mesa.

"Eva." Graves esperou que eu a olhasse. Por um momento, deixou de ser só uma policial. "Lamento muito pela sua perda."

"Obrigada." Envergonhada, desviei os olhos.

Ela teria se perguntado por que eu não chorava? Eu mesma me perguntava. Por mais maluca que minha mãe me deixasse, eu a amava. Não amava? Que tipo de filha não sentia nada com a morte da mãe?

Angus tomou o lugar de Gideon na cadeira e começou a relatar o que acontecera em Westport.

Meu marido me pegou pela mão e me afastou alguns passos. "Preciso de um tempinho com você."

Assenti, franzindo a testa. "Claro."

Ele me puxou na direção do nosso quarto.

"Cross."

Nós dois nos viramos ao ouvir a voz do meu pai. "Sim?"

Ele estava de pé na sala de estar, com uma expressão dura no rosto e um olhar furioso. "Precisamos conversar."

"Concordo", respondeu Gideon, balançando a cabeça. "Só me dê cinco minutos a sós com Eva."

Ele continuou andando, sem dar ao meu pai a chance de protestar. Eu o segui até o quarto, com Lucky logo atrás. Fiquei olhando enquanto Gideon fechava a porta com nós três lá dentro. Em seguida ele me encarou, com uma expressão inquisitiva no rosto.

"Você devia dormir um pouco", eu disse. "Parece bem cansado." Isso me incomodava. Não me lembrava de tê-lo visto tão abatido.

"Você está me vendo?", ele perguntou com a voz rouca. "Está olhando para mim e conseguindo me *ver*?"

Franzi um pouco mais a testa. Olhei-o da cabeça aos pés. Ah. *Ele se vestiu para mim. Pensando em mim.* "Sim."

Gideon estendeu a mão para tocar meu rosto. Seu olhar atormentado se fixou no meu. "Parece que sou invisível para você."

"Estou vendo você."

"Eu..." Sua respiração estava pesada, como se ele tivesse corrido vários quilômetros. "Lamento muito, Eva. Por Anne... Por ontem à noite."

"Eu sei." Claro que sabia.

Ele estava muito chateado. Muito mais que eu. Por quê? Meu autocontrole nunca fora tão bom quanto o dele. A não ser naquele momento. Assim que soube da verdade, senti uma determinação ferrenha dentro de mim. Não entendia o motivo, mas tinha decidido usá-la. Para lidar com a polícia. E com meu pai e com Cary, que precisavam que eu me mantivesse forte.

"Merda." Ele veio até mim e segurou meu rosto entre as mãos. "Grita comigo. Me bate. Pelo amor de Deus..."

"Por quê?"

"*Por quê?*" Ele me olhou como se eu estivesse louca. "Porque é tudo culpa minha! Anne era um problema meu, e não soube como resolver. Eu não..."

"Você não é responsável pelas atitudes dela, Gideon", eu falei, irritada por ele pensar daquele jeito. "Por que acha que é? Não faz sentido."

Ele baixou as mãos para meus ombros e me sacudiu de leve. "*Você* não está fazendo sentido! Por que não está brava por eu não ter contado sobre sua mãe? Você perdeu a cabeça quando contratei Mark sem avisar. Me abandonou..." A voz dele ficou embargada. "Não pode me largar por causa disso, Eva. Vamos dar um jeito... vamos conseguir superar."

"Não vou largar você." Fiz um carinho em seu rosto. "Você precisa dormir, Gideon."

"Minha nossa." Ele me abraçou e colou os lábios no meu. Eu o abracei, acariciando suas costas para acalmá-lo.

"Cadê você?", ele murmurou. "Volta para mim."

Gideon segurou meu rosto e me acariciou de leve com os dedos trêmulos, fazendo-me abrir a boca. Assim que meus lábios se afastaram, a língua dele entrou, lambendo-me desesperadamente. Com um grunhido, ele me apertou com força, enfiando a língua mais fundo na minha boca.

Um ardor despertou dentro de mim. O calor de sua pele febril atravessou minhas roupas, chegando à minha carne. Desesperada por algo que me ancorasse, retribuí o beijo, acariciando sua língua com a minha.

"Eva." Gideon me soltou, passando as mãos em mim, nas minhas costas e nos meus braços.

Fiquei na ponta dos pés, aprofundando o contato das nossas bocas. Enfiei as mãos em sua camisa, e ele sibilou, arqueando-se na minha direção e para longe dos meus dedos. Meu toque o seguiu, acariciando sua pele, em busca de calor.

"Sim", ele murmurou contra minha boca. "Eu te amo, Eva."

Lambi seus lábios e suguei sua língua quando Gideon retribuiu a carícia. O ruído que ele soltou quando me agarrou pela bunda e me puxou para mais perto era de dor e alívio. Eu me pendurei nele, perdendo-me em seu toque. Era daquilo que eu precisava. Não conseguia pensar em mais nada quando ele estava me abraçando.

"Diz que me ama", ele murmurou. "Que vai me perdoar. Na semana que vem... no ano que vem... algum dia..."

"Eu te amo."

Gideon afastou a boca, abraçando-me com tanta força que ficou difícil respirar. Meus pés estavam fora do chão, e minha cabeça estava colada à dele.

"Vou compensar tudo isso", ele prometeu. "Vou dar um jeito."

"Shh..." Estava lá, no fundo da minha mente, a desolação. A dor. Mas eu não sabia se era por causa de Gideon ou da minha mãe.

Fechei os olhos e me concentrei em seu cheiro familiar e delicioso. "Me beija de novo."

Gideon virou a cabeça e encontrou meus lábios. Eu o desejava mais profundamente, com mais força, mas ele negou. Seus beijos costumavam ser apaixonadíssimos, mas aquele era suave. Carinhoso. Soltei um gemido de protesto, puxando-o para mais perto pelos cabelos.

"Meu anjo." Ele passou o nariz no meu. "Seu pai está esperando."

Eu amava meu pai, mas seu sofrimento e sua raiva incontrolável estavam acabando comigo. Não sabia como consolá-lo ou tranquilizá-lo. Havia um vazio dentro de mim, como se não tivesse nada mais a oferecer. Mas todo mundo precisava de mim.

Pondo meus pés de volta no chão, Gideon olhou para mim outra vez. "Me deixa ficar ao seu lado. Não me afasta."

"É o que estou tentando." Virei a cabeça, olhando na direção do banheiro. *Tem uma toalha no chão. Por quê?* "Tem alguma coisa errada."

"Sim, tudo", ele respondeu, tenso. "Fodeu tudo. Não sei o que fazer."

"Não. Dentro de mim."

"Eva. Como você pode dizer uma coisa dessas? Não tem nada de errado com você." Ele segurou meu rosto de novo e me encarou.

"Você se cortou." Levei a mão a uma manchinha de sangue seco em seu queixo. "Isso nunca aconteceu."

"O que está se passando nessa sua cabecinha?" Ele me abraçou. "Não sei o que fazer", ele repetiu. "Não sei o que fazer."

Gideon continuou segurando minha mão quando voltamos para a sala.

Meu pai me olhou e levantou do sofá. Usava uma calça jeans gasta e uma camiseta desbotada da Universidade da Califórnia em San Diego. Seu maxilar quadrado exibia uma barba por fazer.

Gideon tinha feito a barba. Como não sabia daquilo antes de ver que havia se cortado com a lâmina? Como não tinha notado que ele não estava mais de smoking?

Algumas coisas me vinham à mente com uma clareza absurda. Outras se perdiam na névoa que tinha baixado sobre minha cabeça.

Os policiais tinham ido embora. Cary estava aninhado ao braço do sofá, cochilando, com a boca meio aberta. Ouvi seu ressonar baixinho.

"Podemos ir até o escritório", disse Gideon, soltando minha mão e apontando para o corredor.

Meu pai fez um aceno rápido e contornou a mesinha de centro. "Vamos lá."

Gideon começou a andar. Fui atrás.

"Eva." A voz do meu pai me fez deter o passo e me virar para trás. "Preciso falar com Cross a sós."

"Por quê?"

"Tenho coisas para dizer a ele que você não precisa ouvir."

Sacudi a cabeça de leve. "Não."

Ele soltou um ruído de frustração. "Não vamos discutir por causa disso."

"Pai, não sou mais criança. Se quer falar com meu marido sobre alguma coisa que me diz respeito, quero estar presente."

"Eu não me oponho", disse Gideon, voltando para o meu lado.

Meu pai cerrou os dentes e olhou para nós dois. "Certo."

Fomos todos para o escritório de Gideon. Chris estava sentado à mesa. Ele se levantou quando entramos. "Quando você acabar aí", ele falou ao telefone. "Explico pessoalmente. Certo. Até mais, filho."

"Preciso do meu escritório um minutinho", Gideon avisou quando ele desligou.

"Claro." O olhar preocupado de Chris passou por nós três. "Vou preparar alguma coisa para o almoço. Precisamos comer."

Chris saiu da sala, e meu olhar se voltou para meu pai, que estava observando a enorme colagem de fotos na parede. A imagem do meio era minha, dormindo. Era uma foto íntima, do tipo que alguém tira para se lembrar do que fez com a amante antes que ela dormisse.

Olhei para as outras fotos, em especial a que agora eu sabia que tinha sido tirada por Hall em um evento. Desviei o olhar, sentindo um frio na espinha.

Era medo? Hall tinha tirado minha mãe de mim, mas quem ele realmente queria atingir era Gideon. Eu poderia estar de luto pelo meu marido agora. Senti um aperto no coração ao pensar naquilo e me inclinei para a frente.

"Meu anjo." Ele chegou até mim em um instante e me fez sentar em uma das cadeiras diante da mesa.

"Que foi?" Meu pai também se aproximou, com os olhos arregalados. Eu não era capaz de reconhecer meus próprios sentimentos, mas compreendi os dele. Estava assustado por minha causa, mais ansioso do que o necessário.

"Eu estou bem", garanti a eles, segurando a mão de Gideon e a apertando com força.

"Você precisa comer", meu marido comentou.

"Vocês também", rebati. "Quanto antes terminarem, mais depressa faremos isso."

Só de pensar em comida tinha ficado enjoada, mas não ia mencionar aquilo. Eles já estavam preocupados demais comigo.

Meu pai se endireitou. "Conversei com minha família", ele disse. "Eles ainda querem vir, para ficar ao meu lado e ao lado de Eva."

Gideon se encostou na beirada da mesa, passando as mãos pelos cabelos. "Certo. Vou reprogramar o voo para que venham para cá."

"Obrigado", meu pai falou, ressentido.

"Não é nada."

"Então por que está preocupado?", perguntei a Gideon, vendo sua testa franzida.

"É que... Está uma loucura lá na rua agora. Poderíamos fazer sua família entrar pela garagem, mas, se a notícia se espalhar, podem ter que lidar com a mídia e os fotógrafos, no hotel e em todo lugar quando saírem pela cidade."

"Eles não vão vir fazer turismo", meu pai esbravejou.

"Não foi isso que eu quis dizer, Victor." Gideon soltou um suspiro de exaustão. "Só estou pensando em voz alta. Vou dar um jeito. Pode considerar tudo resolvido."

Imaginei a situação na calçada diante do prédio, minha avó e meus primos passando por um circo como aquele. Sacudi a cabeça em um momento de clareza. "Se eles querem vir, é melhor ir direto para a Carolina do Norte, como tínhamos planejado. Os quartos de hotel já estão reservados. Assim vai ser tudo mais tranquilo e íntimo."

De repente, quis estar na praia. Sentindo o vento nos cabelos, as ondas batendo nos meus pés. Eu me sentia viva por lá. E queria aquela sensação de novo. "Já estava tudo certo com o bufê, então teremos comida e bebida para todos."

Gideon olhou para mim. "Mandei Scott ligar para Kristine e cancelar tudo."

"Mas isso foi só algumas horas atrás. O hotel ainda não deve ter reservado o bloco inteiro em tão pouco tempo. E o pessoal do bufê já deve ter tudo pronto a essa altura."

"Você quer mesmo ir para a casa da praia?", ele me perguntou baixinho.

Fiz que sim com a cabeça. Eu não tinha lembranças da minha mãe por lá, não era como na cidade. E, se quisesse sair para uma caminhada, ninguém ia me importunar.

"Tudo bem, então. Eu cuido de tudo."

Olhei para meu pai, torcendo para que não fizesse objeção. Ele estava em pé ao meu lado, com os braços cruzados, olhando para baixo.

Por fim, ele se pronunciou: "O que aconteceu muda tudo. Para todos nós. Quero me mudar para Nova York".

Perplexa, olhei para Gideon e então para o meu pai. "Sério?"

"Vai demorar um pouco para eu resolver as coisas no trabalho e vender a casa, mas é isso que vou fazer." Ele olhou para mim. "Preciso ficar mais perto, não do outro lado do país. Você é tudo o que eu tenho."

"Ai, pai. Você ama seu trabalho."

"Não tanto quanto amo você."

"Vai procurar um emprego?", perguntou Gideon.

Algo em seu tom de voz chamou minha atenção. Gideon se virou um pouco para nos ver melhor, pondo uma das coxas sobre a mesa e cruzando as mãos. Ele observava meu pai atentamente. Seu rosto não demonstrava a mesma surpresa que eu sentia.

"Era sobre isso que eu queria falar", disse meu pai, com o rosto bem sério.

"Eva precisa de um chefe de segurança particular", Gideon foi logo avisando. "Angus e Raúl já estão ocupados demais, e ela precisa ter sua própria equipe de guarda-costas."

Fiquei boquiaberta ao registrar o que meu marido falou. "Quê? Gideon, não."

Ele ergueu as sobrancelhas. "Por que não? Seria perfeito. Ninguém vai proteger você melhor do que seu pai."

"Porque é... esquisito. Meu pai está acostumado a ter autonomia. Seria estranho estar na folha de pagamento do meu marido. Não é... certo."

"Angus é o homem mais próximo de uma figura paterna para mim", ele argumentou, "e faz exatamente esse trabalho." Ele voltou os olhos para meu pai. "Isso não diminui meu respeito por ele. E Chris, que dirige uma empresa da qual sou sócio majoritário, também trabalha para mim, em certo sentido."

"É diferente", respondi.

"Eva." Meu pai pôs a mão no meu ombro. "Se consigo aceitar isso, você também consegue."

Virei meus olhos arregalados para ele. "Está falando sério? Estava pensando nisso antes mesmo de ele oferecer?"

Ele fez que sim com a cabeça, ainda bem sério. "Penso nisso desde que me ligou para falar sobre... sua mãe. Cross tem razão. Não confio em ninguém além de mim mesmo para manter você a salvo."

"A salvo do quê? O que aconteceu ontem à noite... não é uma coisa corriqueira." Era impossível pensar de outro jeito. Viver com medo de que Gideon esteja em perigo o tempo todo? Aquilo me enlouqueceria. E eu com certeza não ia querer pôr meu pai na linha de fogo.

"Eva, vi você mais vezes na televisão, na internet e nas revistas do que pessoalmente no ano passado e quando morava em San Diego." Seu rosto assumiu uma expressão duríssima. "Deus queira que você nunca corra perigo, mas não posso arriscar. Além disso, Cross ia contratar alguém de qualquer jeito. Então que seja eu."

"Você ia?", questionei, virando-me para Gideon.

Ele assentiu. "Sim. Já estava pensando nisso."

"Não gosto da ideia."

"Que pena, meu anjo." Seu tom de voz deixou bem claro que eu teria que engolir aquilo.

Meu pai cruzou os braços. "Não aceito um centavo a mais do que você paga aos outros."

Gideon foi para o outro lado da mesa, abriu uma gaveta e pegou alguns papéis presos por um clipe. "Angus e Raúl concordaram que eu revelasse seus salários para você. Também já determinei a quantia que receberia para começar."

"Não acredito", reclamei. "Você tinha pensado nisso tudo e nem me falou?"

"Fiquei pensando nisso hoje de manhã. Não tive oportunidade de falar até agora, e não ia dizer nada se seu pai não dissesse que pretendia se mudar."

Aquele era Gideon Cross. Nunca dava ponto sem nó.

Meu pai pegou os papéis, passou os olhos pela primeira planilha e encarou Gideon, incrédulo. "Isso é sério?"

"Angus está comigo por mais da metade da minha vida. Ele tem treinamento militar e no serviço secreto. Merece cada centavo." Gideon observou meu pai virar a página. "Raúl está comigo há menos tempo, então não está no mesmo patamar de Angus... ainda. Mas também é muito bem treinado e capacitado."

Meu pai soltou o ar com força quando passou para a página seguinte. "Certo. Isto aqui é..."

"Provavelmente mais do que você esperava, mas também estão descritos os requisitos que precisa cumprir para ter uma remuneração comparável à dos outros seguranças. Você vai ver que é justo, baseado na expectativa de que aceite passar pelo devido treinamento e consiga as permissões, as licenças e os registros necessários."

Vi meu pai endireitar os ombros e erguer o queixo. A teimosia expressa em seus lábios contorcidos se atenuou. O que quer que houvesse ali, encarou como um desafio. "Muito bem."

"Você vai ver que auxílio-moradia está incluído", continuou Gideon, falando no tom profissional de um homem acostumado a dar ordens. "Se quiser, tem um apartamento disponível ao lado daquele em que Eva morava, já mobiliado."

Mordi o lábio inferior, ciente de que ele estava falando do apartamento em que morara enquanto Nathan me rondava. Nós nos encontramos clandestinamente por lá enquanto fingíamos que estávamos separados.

"Vou pensar a respeito", respondeu meu pai.

"Pense também no fato de sua filha ser minha esposa. Claro que respeitaremos sua posição de pai, mas isso não significa que vamos agir de forma menos apaixonada. Vamos continuar sendo íntimos."

Ai, meu Deus. Meus ombros despencaram de vergonha. Olhei feio para Gideon. Meu pai fez o mesmo.

Ele demorou um minuto inteiro para relaxar o maxilar e responder: "Vou levar isso em conta na minha decisão".

Gideon balançou a cabeça. "Muito bem. Mais alguma coisa que precisamos discutir?"

Meu pai sacudiu a cabeça. "No momento, não."

Cruzei os braços, mostrando que a conversa ainda não estava encerrada.

"Quando quiser brigar comigo, você sabe onde me encontrar, meu anjo." Gideon estendeu a mão para mim. "Agora, vamos comer alguma coisa."

O dr. Petersen apareceu por volta das três, parecendo um tanto desalinhado. Passar pela confusão na calçada para entrar no prédio claramente não tinha sido fácil. Gideon o apresentou a todos enquanto eu só observava, tentando capturar sua reação ao conhecer as pessoas sobre quem eu falava em tantos detalhes.

Ele me ofereceu suas condolências rapidamente. Gostava da minha mãe, e muitas vezes relevava seu comportamento neurótico, para minha frustração. Dava para ver que ele estava abalado pela perda, o que fez com que me perguntasse o que acharia do meu comportamento. Não devia ter uma opinião formada. Mal conseguia responder como estava me sentindo.

O dr. Petersen conversou muito mais com Gideon, retirando-se com ele para a sala de estar, onde falaram baixo por um tempo.

Mas não muito. Gideon se virou para mim, e percebi que a conversa estava encerrada. Acompanhei o terapeuta até a saída, e nesse momento vi minha bolsa em uma mesinha.

Quando peguei o celular, havia dezenas de chamadas não atendidas e mensagens não lidas. De Megumi, Will, Shawna, dr. Travis... até de Brett. Abri as mensagens e estava começando a responder quando o aparelho vibrou na minha mão. Quando vi quem estava ligando, procurei por Cary e o vi conversando com meu pai. Fui atender à chamada no quarto.

Pelas janelas, vi que já estávamos no meio da tarde. Em poucas horas seria noite, e meu primeiro dia sem minha mãe acabaria.

"Oi, Trey."

"Eva. Eu... Acho que não deveria estar incomodando em um momento como esse, mas fiquei sabendo e liguei sem pensar. Só queria dizer que lamento muito."

Eu me sentei em uma poltrona, sem querer pensar nas manchetes dos tabloides. "Obrigada por ter pensado em mim."

"Não consigo acreditar no que aconteceu. Se puder fazer alguma coisa, me avisa."

Apoiei a cabeça no encosto e fechei os olhos. Eu me lembrei do rosto bonito de Trey, de seus olhos gentis e amendoados e do calombo em seu nariz, revelando que já havia sido quebrado. "Trey, não quero deixar você se sentindo culpado nem nada do tipo, mas minha mãe era uma pessoa muito importante para Cary. Era meio que uma mãe postiça. Ele está sofrendo demais."

Trey suspirou. "Sinto muito."

"Eu já ia ligar para você... antes." Dobrei as pernas junto ao corpo. "Para saber como você está e... bom, mais uma coisa. Queria dizer que sei que você precisa fazer o que for melhor para sua vida. Mas, se quer continuar tendo alguma coisa com Cary, é bom decidir logo. Essa porta está se fechando."

"Me deixa adivinhar. Ele está saindo com alguém", Trey retrucou secamente.

"Não, o contrário. Está na dele, repensando a vida. Você sabe que ele terminou com a Tatiana, né?"

"Isso é o que ele diz."

"Se não acredita nele, que bom que não estão mais juntos."

"Desculpa." Ele soltou um ruído de frustração. "Não foi isso que eu quis dizer."

"Cary está se recuperando, Trey. Logo vai estar pronto para seguir em frente. Você precisa pensar nisso."

"Tudo o que tenho feito é pensar nisso. E ainda não sei qual é a resposta."

Esfreguei a testa. "Talvez você esteja fazendo a pergunta errada. É mais feliz com ou sem ele? Quando descobrir isso, o resto vai ficar bem claro."

"Obrigado, Eva."

"Por falar nisso, eu e você meio que trilhamos o mesmo caminho. Gideon e eu sempre dissemos que íamos dar um jeito de fazer a coisa funcionar, mas isso era... sei lá..." Procurei pelas palavras na minha mente confusa. "Presunção. Teimosia. Era parte do problema, nós dois sabíamos que era frágil. E não estávamos tomando as medidas necessárias para tornar o relacionamento mais sólido. Isso faz sentindo?"

"Faz, sim."

"Mas decidimos fazer grandes mudanças, assim como Cary está fazendo por você. E grandes concessões."

Senti que Gideon entrava no quarto, e abri os olhos.

"Valeu a pena, Trey", eu disse baixinho. "Agora não é só um desejo. Temos nossos problemas, as pessoas sempre vão tentar atrapalhar, mas agora, quando dizemos que vamos superar tudo, é a mais pura verdade."

"Você acha que devo dar outra chance a Cary."

Estendi a mão para Gideon e senti meu coração disparar quando ele veio até mim. "Acho que vai gostar das mudanças que ele fez. E, se estiver disposto a ceder também, pode descobrir que vale a pena tentar."

Chris foi embora pouco depois das seis da tarde para jantar com Christopher. Por algum motivo, ele e Gideon trocaram um longo olhar enquanto ele o acompanhava até a porta. Preferi não pedir uma explicação. A relação entre os dois tinha mudado. A cautela com que costumavam se tratar desaparecera. De forma alguma eu ia fazer questionamentos ou constranger Gideon ao pensar demais a respeito. Estava na hora das decisões dele começarem a partir do coração também.

Meu pai e Cary foram embora por volta das nove para meu antigo apartamento. Teriam mais espaço ali do que na cobertura.

Meu pai ficaria no quarto onde tinha feito amor com minha mãe pela última vez? Como seria aquilo para ele? Quando Gideon e eu estávamos separados, precisei ficar na casa de Stanton. Meu quarto me trazia recordações demais com Gideon, e a última coisa de que eu precisava era ser atormentada pelas lembranças do que mais queria na vida e temia que nunca mais fosse ter.

Gideon circulou pela cobertura para apagar as luzes dos outros cômodos, com Lucky em seu encalço o tempo todo. Observei os movimentos dele, seu passo mais arrastado que o habitual. Estava cansado demais. Eu não fazia ideia de como conseguira chegar ao fim daquele dia, considerando a quantidade de coisas que fizera depois do almoço — coordenando tudo com Kristine, atendendo às ligações de Scott e informando Arash sobre as conversas com a polícia.

"Meu anjo." Ele estendeu a mão para mim.

Fiquei olhando para ela por um momento. Durante todo o dia, ele a tinha oferecido. Era um gesto simples, mas poderosíssimo. *Estou aqui*, ele dizia com aquilo. *Você não está sozinha. Podemos superar isso juntos.*

Levantei do sofá, entrelacei os dedos com ele e deixei que me conduzisse até o banheiro. Uma vez lá, segui seu ritual. Escovei os dentes, lavei o rosto. Ele tomou um dos comprimidos para dormir que o dr. Petersen receitara. Em seguida eu o segui até o quarto e o deixei tirar minha roupa e colocar uma camiseta em mim. Gideon me pôs na cama com um beijo suave e carinhoso.

"Aonde você vai?", perguntei quando se afastou.

"Lugar nenhum." Ele se despiu com uma eficiência brutal, ficando apenas com a cueca boxer. Logo depois se juntou a mim na cama, ajudou Lucky a subir e apagou a luz.

Rolando na minha direção, ele me abraçou pela cintura e me puxou para mais perto, deitando de conchinha comigo. Gemi baixo ao sentir o calor de seu corpo, e estremeci com um calafrio.

Fechei os olhos e me concentrei no som e na sensação de sua respiração. Em questão de minutos, o ritmo caiu para a cadência tranquila do sono.

O vento balança meu cabelo enquanto caminho pela praia, afundando o pé na areia que as ondas agitam a cada passo. Diante de mim, vejo a fachada da casa que Gideon comprou para nós. Fica posicionada sobre colunas altas de madeira, com suas muitas janelas com vista para o mar. As gaivotas voam gritando sobre minha cabeça, seus mergulhos e rasantes parecendo uma dança em meio à brisa salgada.

"Não acredito que vou perder o casamento."

Viro a cabeça e descubro minha mãe andando ao meu lado. Está usando o mesmo vestido elegante e formal com que a vi pela última vez. Ela é linda. De tirar o fôlego. Meus olhos ardem quando olho para ela.

"Todos vamos perder", eu digo.

"Eu sei. E trabalhei tanto nele." Ela me encara, os cabelos balançando sobre o rosto. "Consegui incluir uns toques de vermelho."

"É mesmo?" Sorrio, apesar da dor. Ela me ama da melhor maneira que pode. O fato de nem sempre ser a maneira que desejo não significa que valha menos.

"Mas não é uma cor apropriada para um casamento. Foi difícil."

"É culpa sua, sabe, por comprar aquele vestido vermelho que usei na primeira vez que saí com Gideon."

"Foi essa sua inspiração?" Ela sacode a cabeça. "Da próxima vez, é melhor escolher um tom mais claro."

"Não vai ter próxima vez. Gideon é perfeito para mim." Pego uma concha e jogo de volta na água. "Algumas vezes fiquei em dúvida se ia dar certo, mas não me preocupo mais com isso. Éramos nossos maiores inimigos, mas deixamos para trás o peso que nos fazia afundar."

"Os primeiros meses em geral são os mais fáceis." Minha mãe faz uma espécie de dancinha na minha frente e dá uma volta graciosa. "A conquista. Viagens incríveis, joias fabulosas."

Solto uma risadinha. "Para nós não foi fácil. Foi a pior parte. Mas está ficando mais tranquilo a cada dia."

"Você precisa ajudar seu pai a encontrar alguém", ela diz, e o tom jovial desaparece de sua voz. "Ele está sozinho há tempo demais."

"Não é fácil substituí-la. Ele ainda é apaixonado por você."

Ela abre um sorriso tristonho e olha para a água. "Eu tinha Richard... Ele é um homem muito bom. Queria que fosse feliz de novo."

Penso no meu padrasto e fico preocupada. Minha mãe era tudo para ele. Quem vai lhe proporcionar alegria agora que ela se foi?

"Nunca vou ser avó", minha mãe comenta, pensativa. "Morri jovem, no auge da vida. Isso não é tão ruim, é?"

"Como pode me perguntar isso?" Deixo as lágrimas rolarem. O dia todo me questionei por que não conseguia chorar. Agora que acontece, a sensação é bem-vinda. Parece o rompimento de uma represa.

"Não chore, querida." Ela se detém e me abraça. Sinto o cheiro do seu perfume. "Você vai ver que..."

Acordo com a respiração acelerada, o corpo sacudido por um sobressalto. Lucky choramingou e me cutucou com a pata, subindo na minha barriga.

Acariciei sua cabeça com uma das mãos enquanto esfregava os olhos com a outra. Estavam secos. A dor do meu sonho se tornava uma lembrança distante.

"Vem cá", murmurou Gideon, com sua voz rouca e afetuosa servindo de farol para mim no quarto iluminado apenas pelo luar. Seus braços me envolveram, puxando-me para junto de si.

Virei-me para ele, procurei sua boca e a encontrei, mergulhando nela com um beijo luxurioso e profundo. A surpresa o deixou imóvel por um instante, mas em seguida sua mão agarrou minha nuca para me manter imóvel, e ele assumiu a iniciativa.

Enrosquei as pernas nas dele, sentindo seus cabelos macios, sua pele deliciosamente quente e os músculos poderosos sob ela. As carícias suaves e ritmadas de sua língua me tranquilizaram e excitaram. Ninguém beijava como Gideon. O poder de persuasão de sua boca era extremamente sensual, mas também carinhoso. Reverente. Seus lábios eram firmes e macios ao mesmo tempo, e ele os usava para me provocar, passando-os de leve nos meus.

Segurei seu pau, que cresceu ao meu toque, até escapar pelo elástico da cueca. Gideon grunhiu, movendo o quadril na minha direção.

"Eva."

Ouvi o tom questionador na maneira como disse meu nome.

"Me faz *sentir*", murmurei.

Ele enfiou a mão por baixo da minha camiseta, tocando com leveza minha barriga e apalpando meus seios. Apertou-os antes de seus dedos ágeis encontrarem o mamilo. Com um conhecimento profundo do meu corpo, beliscou-os com uma pressão constante que mandou ondas de desejo por todo o meu corpo.

Gemi, excitada. Desesperada. Minhas pernas se comprimiram ao redor das dele, para que eu pudesse esfregar meu sexo úmido contra sua coxa.

"Sua bocetinha linda está sedenta, meu anjo?" Ele mordeu de leve minha boca enquanto dizia as palavras sedutoras. "Do que ela precisa? Da minha língua? Dos meus dedos? Do meu pau?"

"Gideon." Gemi sem nenhuma vergonha quando ele se afastou, estendendo os braços em sua direção enquanto se erguia sobre mim. Gideon murmurou para me tranquilizar e pôs Lucky com cuidado no chão. Em seguida me segurou pelos quadris, puxando minha calcinha até o joelho.

"Você não respondeu o que eu perguntei, Eva. O que vai querer que eu enfie na sua bocetinha gostosa? Tudo o que falei?"

"É", respondi, ofegante. "Tudo."

Um instante depois minhas pernas estavam no ar, e sua cabeça morena se dirigia ao ponto sensível entre minhas coxas.

Prendi a respiração, à espera. Da maneira como estava posicionada, não conseguia enxergar...

Senti o toque quente e aveludado da sua língua no meu sexo.

"Ah!" Arqueei as costas.

Gideon gemeu. Resisti, tentando afastar os quadris do êxtase proporcionado por sua boca perversa. Agarrando minhas coxas, ele me manteve imóvel, saboreando-me no ritmo que queria, lambendo sem parar minha boceta molhada e seus arredores... despertando meu desejo de ter sua língua dentro de mim. Seus lábios alcançaram meu clitóris latejante. Ele o sugou e passou a língua no pontinho sensível de prazer.

"Por favor..." Não me importava de ter que implorar. Quanto mais oferecesse a ele, mais teria em retribuição.

Mas Gideon me fez esperar enquanto me saboreava, acariciando com os cabelos a pele fina da parte posterior das minhas coxas, massageando meu clitóris com uma leve pressão da língua.

Segurei seu rosto com as mãos. "Isso é uma delícia... Não para..."

Minha boca se abriu quando ele lambeu mais para baixo, enfiando um pedacinho da língua na abertura trêmula do meu corpo... e depois um pouco mais para baixo, fazendo-me estremecer sob sua carícia sedosa.

"*Ah!*", gemi, sem fôlego, quase enlouquecida com tantas sensações depois de tantas horas anestesiada.

Seu grunhido reverberou dentro de mim. Meu corpo se contorceu quando ele enfim me deu o que eu queria, enfiando a língua na minha boceta de forma lenta e deliciosa.

"Isso", falei. "Me fode."

Sua boca era formidável, uma fonte de prazer e tormento, e sua língua era implacável em seu ataque sensual, abrindo meus músculos delicados.

Gideon me chupou com uma determinação incansável, com tanta avidez e vontade que estremeci com o incrível êxtase que se abateu sobre meu corpo. Senti uma pressão, e então seu polegar escorregou para dentro da minha bunda e começou a penetrar a abertura frágil. O preenchimento contrastava com as investidas cadenciadas de sua língua. Meu ventre se contraiu. Meu corpo estava tenso, flutuando à beira do orgasmo...

Gritei seu nome, sentindo-me em chamas, com a pele quente e molhada. Estava viva, queimando de prazer. O clímax acabou comigo, deixando-me aos pedaços. Mas Gideon não parou, continuou passando a língua no meu clitóris. O segundo orgasmo veio logo em seguida.

Soluçando e gozando com força e sem parar, levei as mãos fechadas aos olhos. "Chega", pedi com a voz rouca, sentindo um tremor nos membros enquanto mais um espasmo emanava do ventre. "Não aguento mais."

Senti o colchão ceder quando ele se moveu, segurando um dos tornozelos com a mão. Ouvi o estalo do elástico quando abaixou a cueca.

"Como você quer?", Gideon perguntou, malicioso. "Devagar e com carinho? Depressa e com força?"

Meu Deus...

Tive que me esforçar para arrancar as palavras dos lábios secos. "Bem fundo. Com força."

Ele montou sobre mim, empurrando minhas pernas para trás até me deixar dobrada no meio.

"Eu te amo", ele falou com a voz rouca.

A cabeça macia de seu pau grosso entrou no meu sexo, acariciando os tecidos já inchados e sensíveis.

Na posição em que eu estava, com as pernas para cima e com os tornozelos presos pela calcinha, fiquei bem apertadinha, e ele era enorme. Estava sendo alargada por seu membro, sentia minha carne arder com suas estocadas intensas. E ele ainda tinha mais a oferecer.

Grunhindo meu nome, Gideon remexia os quadris, entrando e saindo, penetrando cada vez mais fundo. "Está sentindo, meu anjo?", ele perguntou, com a voz áspera de desejo.

"Você é tudo o que eu sinto", murmurei, precisando me mover para senti-lo ainda mais. Porém, ele me mantinha imóvel, fodendo de um jeito que ninguém mais era capaz, acabando comigo.

Senti-lo daquele jeito... tão duro... suas investidas gostosas e incessantes...

Meus dedos agarraram os lençóis. Meu sexo estremeceu freneticamente ao redor dele, envolvendo a cabeça larga de seu pau com um apetite impressionante. A cada vez que recuava, eu me sentia vazia, e cada centímetro de seu pau grosso lançava ondas de prazer pelas minhas veias como uma droga poderosa.

"Eva. Minha nossa."

Gideon pairava sobre mim ao luar, como um anjo caído perigosamente sensual. Seu lindo rosto estava contorcido, e seus olhos brilhavam de desejo por mim. Seus braços e seu tronco estavam rígidos, com os músculos tensionados. "Se continuar sugando meu pau com essa bocetinha apertada vai me fazer gozar. É isso que você quer, meu anjo? Quer que eu preencha você todinha antes de ter tudo o que merece?"

"Não!" Soltei o ar com força, tentando fazer meu ventre se descontrair e parar de apertá-lo. Ele remexeu os quadris, enfiando-se em mim, com a respiração ofegante.

"Sua boceta adora o meu pau."

Apoiando a mão sobre a cabeceira, Gideon estendeu seu corpo sobre mim, com minhas pernas presas entre nós. Totalmente exposta e deleitada de prazer, eu não podia fazer mais nada além de vê-lo ajeitar os quadris e enfiar seus últimos centímetros em mim.

O som que isso produziu me fez gemer bem alto, sentindo um prazer tão intenso que chegava a doer. Ouvi vagamente Gideon soltar um palavrão, e senti seu corpo poderoso estremecer.

"Você está bem?", ele murmurou entre os dentes.

Tentei recuperar o fôlego, expandindo os pulmões o máximo que conseguia.

"Eva." Ele grunhiu meu nome. "Você está bem?"

Incapaz de falar, estendi a mão até seus quadris e me agarrei à sua cueca. Tirei um segundo para pensar no quanto aquilo era excitante que não tínhamos nem nos dado ao trabalho de tirar a roupa...

Então ele voltou a me comer, mexendo os quadris em um ritmo incansável, seu pau grande e grosso saindo e entrando até o fundo em estocadas rápidas. Sustentando todo o peso do corpo nos braços e nos dedos dos pés, ele se enterrou em mim, seu pau duro quase me pregando ao colchão.

Gozei tão forte que minha vista escureceu. Meu corpo foi tomado por um prazer tão intenso que me dominou inteira, embalando-me nas ondas poderosas das sensações eróticas.

Inundada pela ferocidade do clímax, minha pele se arrepiou da cabeça aos pés. Gideon fez uma pausa e então entrou com tudo, proporcionando ao meu corpo a sensação de ter seu pau inteiro dentro de mim. Meu sexo estremeceu de êxtase ao longo daquela ereção deliciosa, apertando-o sedentamente.

"Porra", Gideon gemeu. "Você está ordenhando meu pau pra valer."

Senti um tremor violento, esforçando-me para respirar.

Assim que desabei no colchão, plenamente satisfeita, Gideon tirou o pau de dentro de mim e saiu da cama.

Ergui a mão, sentindo-me abandonada. "Aonde você vai?"

"Espera um pouco." Ele tirou a cueca.

Ainda estava de pau duro, gloriosamente ereto, molhado pelo meu orgasmo — mas eu ainda não estava melada com o dele.

"Você não gozou." Eu estava mole demais para ajudar quando ele tirou minha calcinha. Depois, apoiando uma das mãos nas minhas costas, Gideon tirou minha camiseta.

Seus lábios roçaram minha testa. "Você queria rápido e com força. Eu quero devagar e com carinho."

Ele montou em mim de novo, dessa vez me aninhando entre seus braços e suas pernas. Assim que senti seu peso, seu calor, seu desejo, percebi que também queria fazer devagar e com carinho. Foi quando as lágrimas vieram, finalmente, libertadas pelo calor de sua paixão e pela ternura de seu amor.

"Você é tudo para mim", falei em meio a elas.

"Eva."

Remexendo os quadris, Gideon enfiou a pontinha do pau na minha boceta e entrou devagarinho, preenchendo-me com cuidado. Seus lábios se moviam contra os meus, e as carícias de sua boca eram ainda mais eróticas que o deslizar do seu pau.

"Me abraça", ele murmurou, com os braços curvados sob meus ombros, segurando minha nuca entre as mãos.

Eu o apertei com mais força. Sua bunda se contraiu contra minhas panturrilhas quando ele se enfiou dentro de mim. Senti o suor em suas costas ao acariciar sua pele.

"Eu te amo", ele murmurou, limpando minhas lágrimas com os dedos. "Consegue sentir?"

"Sim."

Vi o prazer tomar conta de seu rosto enquanto se mexia dentro de mim.

Eu o abracei quando grunhiu, e seu corpo estremeceu com o orgasmo.

Limpei suas lágrimas com beijos quando ele chorou silenciosamente comigo.

Desabafei todo o meu sofrimento sob a proteção dos seus braços, sabendo que, na alegria ou na tristeza, Gideon estaria comigo.

"Estou impressionado com este lugar." Cary pôs as mãos sobre a grade que cercava a varanda e olhou para o mar. Seus olhos estavam escondidos atrás dos óculos escuros, e o vento agitava seus cabelos. "A casa é incrível. Parece que estamos a quilômetros de distância de qualquer um. E essa vista... Caralho, é inacreditável."

"Não é?" Encostei a bunda na grade, de frente para a casa. Pelas portas de vidro, vi a família Reyes tomar conta da cozinha e da sala principal. Gideon era refém da minha avó e das minhas tias.

Para mim, o clima alegre parecia manchado por uma tristeza aguda. Minha mãe nunca fizera parte daquele grupo, e agora não teria mais chance de fazer. Mas a vida seguia em frente.

Meus dois primos mais novos corriam com Lucky ao redor do sofá, enquanto os três mais velhos jogavam videogame com Chris. No sofá, meu tio Tony conversava com meu pai, que balançava a sobrinha no joelho.

Gideon tinha medo de família mais do que tudo na vida, e seu lindo rosto refletia todo o seu descontentamento sempre que era cercado pelo caos. Como o conhecia bem, detectei o pânico em seus olhos, mas não era capaz de salvá-lo. Minha avó não o deixaria sair de perto dela.

Cary olhou para trás para ver o que atraía minha atenção. "Já estou até vendo o cara sair correndo."

Dei risada. "Foi por isso que convidei Chris, para dar um apoio para Gideon."

Gideon, eu, Cary, meu pai e Chris tínhamos chegado à praia por volta das dez da manhã. Era pouco mais de meio-dia quando a família do meu pai chegou do hotel trazendo as compras para que minha avó pudesse fazer seu famoso *pozole*. Segundo ela, aquele prato tinha o poder de curar as dores da alma. Fosse verdade ou não, eu sabia que sua versão do ensopado mexicano era deliciosa.

"Chris está deixando ele se virar sozinho", comentou Cary, "assim como você."

"O que posso fazer? Ai, meu Deus." Dei risada. "Minha avó entregou um avental para ele."

Fiquei um pouco apreensiva quando todo mundo apareceu. Não passei muito tempo com a família do meu pai quando era pequena, e só fizera uma ou outra viagem ao Texas com ele quando estava na faculdade. Toda vez que os visitei, os Reyes se mostraram um tanto reservados comigo, talvez por parecer tanto com a mulher que partira o coração do meu pai. Eles a conheceram e não a aprovaram, disseram que não era para o bico do meu pai e que aquilo terminaria mal.

Então, quando minha avó foi andando diretamente na direção de Gideon assim que chegou, prendi a respiração junto com ele.

Ela tirou os cabelos dele da frente do rosto, virou sua cabeça de um lado para o outro e disse que era muito parecido com meu pai. Gideon sabia espanhol e respondeu no idioma materno dela, recebendo o comentário como um elogio. Minha avó adorou aquilo. E continuou falando com ele em espanhol desde então.

"Trey me ligou ontem", Cary comentou em um tom casual.

Eu o encarei. "Ah, é? E como foi a conversa?"

"Você falou alguma coisa para ele, gata? Para me procurar?"

Tentando parecer inocente, respondi com uma pergunta: "Por que acha isso?".

Ele me lançou um olhar de quem sabia o que estava acontecendo e abriu um sorriso malicioso. "Então foi isso mesmo."

"Só avisei que você não ia esperar para sempre."

"Pois é." Ele também tentou parecer inocente, só que eu era melhor naquilo. "Você sabe que eu não dispenso uma trepada por compaixão, né? Então obrigado."

Empurrei seu ombro de leve. "Fala sério."

Alguma coisa tinha mudado em Cary nas semanas anteriores. Ele não se voltou para seus mecanismos de defesa autodestrutivos habituais e, como estava se saindo melhor sem eles, torcia para que não voltasse atrás.

"Tudo bem." Cary abriu seu sorriso brilhante e sincero, e não só o de fachada que eu conhecia tão bem. "Mas transar com Trey é uma ideia bem tentadora. Acho que para ele também, então vou usar isso em minha vantagem."

"Vocês vão se ver?"

Ele assentiu com a cabeça. "Ele vai comigo à cerimônia na casa de Stanton na segunda."

"Ah." Suspirei, sentindo uma dor no coração. Clancy tinha ligado para Gideon para passar as informações a respeito naquela manhã.

Eu deveria ter cuidado daquilo pessoalmente para preservar Stanton? Não sabia. Ainda estava tentando aceitar o fato de que minha mãe tinha morrido. Depois de chorar durante horas na noite anterior, a culpa chegara com tudo. Falara tantas coisas para minha mãe de que me arrependia, e agora não havia mais como voltar atrás. Não foram poucas as vezes em que fui desrespeitosa com ela.

Agora eu via que seu maior problema era me amar demais.

Como meu padrasto a amava — desmesuradamente.

"Tentei ligar para Stanton", contei, "mas só caiu na caixa postal."

"Eu também." Cary coçou a barba por fazer. "Espero que ele esteja bem, mas não deve estar."

"Acho que vai demorar até algum de nós ficar bem."

Ficamos em silêncio por um momento antes de Cary voltar a falar. "Estava conversando com seu pai hoje de manhã, antes de ir para o aeroporto, sobre a ideia de se mudar para Nova York."

Franzi o nariz. "Eu ia adorar ter meu pai por perto, mas não consigo deixar de achar estranho que ele trabalhe para Gideon."

Cary balançou a cabeça de leve. "Entendo."

"O que você acha?"

Ele se virou para me encarar. "Bom, esse lance da gravidez e de saber que vou ter um filho mudou minha vida, sabe? Então, multiplicando isso por vinte e quatro anos, no seu caso, eu diria que um pai amoroso faria de tudo para tornar as coisas mais fáceis para sua filha."

Cary tinha mudado mesmo. Às vezes um empurrão na direção certa fazia toda a diferença. Para ele, fora a ideia de ser pai. Para mim, tinha sido conhecer Gideon. E, para Gideon, a possibilidade de me perder.

"Enfim", continuou Cary, "ele me falou que Gideon ofereceu um auxílio-moradia e que estava pensando em dividir o apartamento comigo."

"Uau. Certo." Havia muito em que pensar naquele caso. Primeiro, meu pai estava levando a sério a possibilidade de trabalhar para Gideon em Nova York. Segundo, meu melhor amigo estava contemplando a vida sem mim. Eu não sabia como me sentir a respeito. "Pensei que meu pai não conseguiria ficar naquele quarto depois que ele e minha mãe... você sabe."

Eu não podia ficar na cobertura sem Gideon. Havia acontecido muita coisa entre nós por lá. Não sabia se suportaria a memória de algo que não tinha mais.

"Pois é, pensei nisso também." Cary pôs a mão no meu ombro, um toque suave e reconfortante. "Mas, sabe como é, as lembranças já eram a única coisa que Victor tinha de Monica."

Assenti com a cabeça. Meu pai acreditou durante muitos anos que seu amor não era correspondido. Naquela tarde com minha mãe, talvez tenha percebido que não era verdade. Era uma boa lembrança à qual se agarrar.

"Então você está pensando em ficar por lá", eu falei. "Minha mãe disse que tinha sugerido isso."

Ele me abriu um sorriso carregado de melancolia. "Estou pensando nisso, sim. Vai ser mais fácil para seu pai também. Avisei que talvez tivesse um bebê em casa de vez em quando. Fiquei com a impressão de que ele vai gostar disso."

Olhando de novo para casa, vi meu pai fazendo caretas para distrair minha priminha. Ele era o único entre seus irmãos que só tinha uma filha, e eu já era adulta.

Franzi a testa quando vi Gideon caminhar até a porta da frente. Aonde ele ia com o avental amarrado na cintura? Abriu a porta e ficou imóvel por um tempão. Percebi que alguém devia ter batido, mas não consegui ver quem era, porque Gideon estava bloqueando minha visão. Enfim, ele deu um passo para o lado.

Cary olhou para o que estava me distraindo e franziu a testa. "O que ele está fazendo aqui?"

Quando o irmão de Gideon entrou, eu me perguntei a mesma coisa. Então Ireland apareceu atrás dele com um presente na mão.

"Por que o presente?", perguntou Cary. "Era para o casamento e ela não conseguiu devolver?"

"Não." Vi o papel de embrulho, colorido e festivo demais para um casamento. "É um presente de aniversário."

"Ai, merda", murmurou Cary. "Esqueci completamente."

Quando Gideon fechou a porta, percebi que sua mãe não estava lá. Ela ia perder o aniversário do próprio filho. Uma mistura potente de compaixão e dor tomou conta de mim, fazendo-me cerrar os punhos.

Qual era o problema daquela mulher, porra? Gideon não falara mais com ela desde o dia em que a confrontara no escritório. Considerando a data, era inacreditável que Elizabeth fosse tão sem consideração.

Aquilo me fez perceber que eu não fora a única a perder a mãe nos dias anteriores.

Chris se levantou e foi cumprimentar os filhos, abraçando Christopher enquanto Ireland abraçava Gideon. Ela sorriu para ele e entregou o presente. Gideon o pegou e se virou, apontando para onde eu estava na varanda.

Linda e jovial com um vestido estampado de verão, Ireland veio nos encontrar do lado de fora. "Uau, Eva. Essa casa é demais."

Eu a abracei. "Gostou?"

"Como não gostaria?" Ireland abraçou Cary, e então seu belo rosto ficou sério. "Lamento muito pela sua mãe, Eva."

As lágrimas, que tinham deixado de ser uma coisa distante, fizeram meus olhos arder. "Obrigada."

"Não consigo nem imaginar", ela disse. "E isso porque não estou nada bem com minha mãe no momento."

Estendi a mão e toquei seu braço. Por mais que não gostasse de Elizabeth, não queria que ninguém sentisse o mesmo arrependimento que eu, principalmente Ireland. "Espero que vocês se acertem. Se eu tivesse minha mãe, voltaria atrás em um monte de coisas que fiz e falei."

E, como dizer aquilo me deu vontade de chorar, pedi licença e comecei a descer as escadas até a praia, e segui até a água. Parei quando meus tornozelos ficaram submersos, e deixei a brisa do mar secar as lágrimas.

Fechando os olhos, tentei conter a dor pelo menos naquele dia. Era aniversário de Gideon, uma data que eu queria celebrar, pois era o dia em que ele tinha vindo ao mundo, para anos depois entrar na minha vida.

Tive um sobressalto quando dois braços musculosos me envolveram pela cintura, e um corpo bem familiar se aproximou das minhas costas.

Gideon apoiou o queixo na minha cabeça. Senti seu peito se expandir e se contrair em um suspiro profundo quando coloquei meus braços sobre os dele.

Quando me controlei o suficiente para falar, comentei: "Estou surpresa que minha avó tenha deixado você fugir".

Ele deu uma risadinha. "Ela diz que eu lembro seu pai... bom, ela me lembra de você."

Fazia sentido, então, que nós duas tivéssemos o mesmo nome. "Porque não consigo largar você?"

"Porque, apesar do medo, não consigo sair de perto dela."

Comovida, virei a cabeça e apoiei o rosto em seu peito, ouvindo as batidas fortes e constantes. "Não sabia que seus irmãos vinham."

"Nem eu."

"O que você acha da presença de Christopher aqui?"

Senti que ele deu de ombros. "Se não der uma de cuzão, por mim tudo bem."

"Está certo." Se a aparição inesperada de seu irmão não era um problema para ele, para mim também não seria.

"Tem umas coisas que eu queria contar para você", ele falou. "Sobre Christopher. Mas agora não é hora."

Abri a boca para retrucar, mas mudei de ideia. Gideon estava certo. Aquele era o dia em que deveríamos renovar nossos votos, cercados pelos amigos e pela família. Comemoraríamos seu aniversário e não haveria espaço para lamentos. Em vez disso, o dia ficaria marcado por uma tristeza que precisávamos esconder. Não fazia sentido acrescentar mais um assunto desagradável à lista.

"Tenho uma coisa para dar a você", contei.

"Hum... Fico tentado, meu anjo, mas a casa está cheia."

Demorei um tempinho para perceber que ele estava brincando. "Ai, meu Deus. Seu tarado."

Enfiei a mão no bolso e peguei o presente dele, guardado em segurança em um saquinho de veludo preto. Veio em uma caixa bonita de presente, mas escolhi levá-lo no bolso, para manter a espontaneidade e dá-lo no momento certo. Não queria que ganhasse aquele presente junto com os outros.

Eu me virei para Gideon e entreguei o presente abrindo a palma da mão. "Feliz aniversário, garotão."

Seu olhar foi da minha mão para meu rosto. Havia um brilho em seus olhos que eu via apenas quando lhe dava alguma coisa. Aquilo sempre me fazia querer dar mais, tudo o que estivesse ao meu alcance. Meu marido merecia ser feliz. Era minha missão garantir aquilo.

Gideon pegou o saquinho e o abriu.

"Só queria que você soubesse", comecei, tentando esconder meu nervosismo, "que é uma loucura comprar um presente para alguém que já tem tudo, inclusive boa parte da ilha de Manhattan."

"Eu não estava esperando nada, mas sempre adoro as coisas que você me dá."

Soltei o ar com força. "Bom, se não quiser usar, eu entendo. Quer dizer, não se sinta obrigado..."

O relógio de bolso de platina Vacheron Constantin escorregou para a palma das mãos dele, reluzindo sob a luz do sol. Mordendo o lábio, esperei que abrisse a tampa e olhasse dentro dele.

Gideon leu as palavras gravadas em voz alta. "*Sua a toda hora. Eva.*"

"Você pode pôr uma foto por cima da inscrição. Eu queria tirar uma no casamento, mas..." Limpei a garganta quando ele me olhou com tanto amor que senti um frio na barriga. "É antiquado, eu sei. Só achei que, como você usa colete, poderia usar um desses. Você usa relógio de pulso, então acho que não vai precisar, mas..."

Ele me beijou para me calar. "Vou usar o tempo todo. Obrigado."

"Ah." Lambi os lábios, sentindo seu gosto. "Tem uma correntinha para ele na caixa."

Gideon pôs o relógio com cuidado de volta no saquinho e o enfiou no bolso. "Tenho uma coisa para você também."

"Comporte-se", eu o provoquei dessa vez. "Temos plateia."

Gideon olhou por cima do ombro e viu que vários dos nossos familiares tinham saído para a varanda. O bufê tinha trazido uma boa quantidade de bebidas e canapés, e o pessoal estava começando a beliscar enquanto a carne de porco do *pozole* assava no forno.

Ele ergueu o punho fechado e o abriu para me mostrar a linda aliança na palma de sua mão. Diamantes grandes e redondos circulavam o anel inteiro, refletindo diversas tonalidades.

Levei os dedos à boca, sentindo os olhos cheios de lágrimas outra vez. A brisa salgada dançava ao redor de nós, trazendo o grito das gaivotas, que voavam sobre as ondas. O movimento ritmado da maré roçava meus pés, prendendo-me ao momento.

Peguei a aliança com os dedos trêmulos.

Gideon fechou a mão e sorriu. "Ainda não."

"Quê?" Empurrei seu ombro. "Não me provoca!"

"Ah, mas eu sempre compenso você por isso depois", ele murmurou.

Olhei feio. Seu sorrisinho malicioso desapareceu.

Gideon passou os dedos no meu rosto. "Tenho muito orgulho de ser seu marido", ele anunciou solenemente. "Minha maior conquista é você me considerar digno disso."

"Ah, Gideon." Ele sabia mesmo me surpreender. Fiquei maravilhada, sentindo-me plena de amor. "A sorte é toda minha."

"Você mudou minha vida, Eva. E fez o impossível: me transformou. Gosto de quem sou agora. Pensei que isso nunca fosse acontecer."

"Você sempre foi maravilhoso", falei em um tom entusiasmado. "Eu me apaixonei assim que te vi. E estou ainda mais apaixonada agora."

"Não existem palavras para expressar o que você significa para mim."

Ele abriu a mão de novo. "Mas espero que, quando olhar para a aliança na sua mão, se lembre de que brilha tanto quanto esses diamantes para mim, e é infinitamente mais preciosa."

Fiquei na ponta dos pés sobre a areia molhada e quase chorei de alegria quando ele beijou minha boca. "Você foi a melhor coisa que aconteceu na minha vida."

Ele estava sorrindo quando pegou a minha mão e pôs a aliança no meu dedo, junto com o lindíssimo diamante que havia me comprado no nosso casamento.

Os gritos e aplausos nos pegaram de surpresa. Olhamos para a casa e vimos nossos familiares enfileirados na varanda, observando-nos. As crianças já estavam descendo as escadas, correndo atrás de Lucky, ansioso para ficar com Gideon.

Eu entendia muito bem aquele sentimento. Pelo resto da nossa vida, sempre voltaria para ele.

Respirando fundo, deixei que a esperança e a alegria afastassem a tristeza por um momento.

"É perfeito", murmurei, e as palavras se perderam no vento. Sem vestido, sem flores, sem formalidades nem rituais. Só Gideon e eu, comprometidos um com o outro, cercados de pessoas que nos amavam.

Ele me abraçou e me girou no ar, fazendo-me rir de puro prazer.

"Eu te amo!", gritei para o mundo todo ouvir.

Ele me pôs no chão e me beijou até me deixar sem fôlego. Então, com a boca colada ao meu ouvido, murmurou: "Crossfire".

16

Foi difícil ver Eva tentando consolar Richard Stanton, que não era nem sombra do homem com quem passáramos o fim de semana em Westport. Naquela ocasião, ele parecia cheio de vida, muito mais jovem do que de fato era. Agora parecia frágil e cabisbaixo, com os ombros carregados de tristeza.

Uma infinidade de buquês de flores brancas cobria todas as superfícies disponíveis na sala de estar da espaçosa cobertura dele. Fotos de Monica estavam espalhadas ao redor dos arranjos, mostrando a mãe de Eva em seus melhores momentos na companhia de Stanton.

Victor estava com Cary e Trey em uma sala menor, afastada da principal. Quando chegamos, houve um momento em que o pai de Eva e Stanton ficaram imóveis, encarando-se. Para mim, ambos se ressentiam da parte de Monica que cabia ao outro: Victor tinha seu amor; Stanton, sua companhia.

A campainha tocou. Meu olhar seguiu Eva e Martin, que foram juntos atender. Stanton não se moveu da poltrona, claramente perdido em seus pensamentos. Senti toda a sua dor quando ele abriu a porta para nós, no sobressalto que teve quando viu Eva.

Era bom saber que minha esposa e eu iríamos para o aeroporto assim que saíssemos de lá. Por um mês, ficaríamos longe da cidade e dos holofotes. Quando voltássemos, talvez Stanton já pudesse suportar ver a filha da mulher que amava, tão parecida com ela.

"Cross."

Virei a cabeça e dei de cara com Benjamin Clancy. Assim como a detetive Graves, Clancy sabia o que eu tinha feito para eliminar a ameaça que Nathan Barker representava para Eva. Clancy ainda tinha ajudado a encobrir meu envolvimento, adulterando a cena do crime e criando uma situação fictícia para pôr a culpa em outro morto, que havia pagado por seus crimes com a própria vida e não perderia nada pagando pelo meu também.

Minhas sobrancelhas se ergueram em uma expressão de interrogação.

"Preciso conversar com você um minuto." Ele apontou para o corredor, à espera da minha concordância.

"Vamos lá."

Eu o segui até a biblioteca, onde observei as prateleiras de livros que cobriam as paredes. A sala cheirava a couro e papel, e a paleta de cores era uma mistura bem masculina de marrom e verde-escuro. Havia quatro lugares diferentes para os visitantes se sentarem, além de um bar totalmente equipado para deixar todos à vontade.

Clancy fechou a porta e se sentou em uma das poltronas perto da lareira. Eu me acomodei na outra.

Ele foi direto ao ponto. "A sra. Stanton deixou para trás vinte e cinco anos de diários particulares e um disco rígido cheio de escritos no computador. Ela pediu que eu entregasse tudo a Eva quando morresse."

Mantendo minha curiosidade sob controle, respondi: "Vou providenciar para que chegue às mãos dela".

Ele se inclinou para a frente, apoiando os cotovelos nos joelhos. Ben Clancy era um homem grandalhão, com braços e pernas musculosos. Usava os cabelos loiros em um corte militar, e seus olhos tinham a frieza e a aparência mortal dos olhos de um tubarão-branco — mas se amenizavam para Eva, como os de um irmão mais velho dos mais protetores.

"Você vai ter que decidir quando mostrar isso a ela", ele falou. "Isso *se* achar que deve mostrar."

"Entendi." Então eu precisaria ler tudo. Fiquei sem graça ao pensar em fazer aquilo.

"Além disso", continuou Clancy, "há algumas obrigações financeiras da qual você vai ter que cuidar, no lugar de Lauren. Não é nada desprezível, mas não deve ser problema para você."

Fiquei tenso ao ouvir aquele nome, sentindo um alerta soar dentro de mim.

Clancy balançou a cabeça e falou: "Você começou a pesquisar o histórico dela depois que os Tramell morreram".

"Mas você já tinha limpado a maior parte dos dados." Aquilo era a única coisa daquela conversa que fazia sentido para mim.

"O que foi possível. Investiguei o passado dela quando o relacionamento com o sr. Stanton ficou sério. Quando a confrontei a respeito, ela me disse o que vou contar agora... e nada disso chegou ao conhecimento do sr. Stanton. Eu gostaria que continuasse assim. Ele foi feliz com ela. O passado não faz diferença agora, então ele não precisa saber."

O que quer que fosse, tinha deixado Clancy abalado. Restava saber se também me deixaria.

Ele fez uma pausa. "Você vai descobrir mais coisas lendo os diários. Eu mesmo não li, mas a história de Lauren certamente é bem mais dramática do que os fatos concretos que vou relatar."

"Entendo. Vá em frente."

"Lauren Kittrie nasceu em uma cidadezinha perto de Austin, no Texas. Era de família pobre. A mãe a abandonou junto com a irmã gêmea e o pai delas, que trabalhava em um rancho local. Era um homem ocupado, pouco interessado ou capaz de criar duas meninas bonitas e de personalidade forte."

Recostando-me na poltrona, tentei imaginar duas Monicas adolescentes. Era uma imagem bem mais do que impressionante.

"Como você pode imaginar", ele continuou, "elas chamavam a atenção. Quando estavam terminando o colégio, cruzaram o caminho de um grupo de universitários que estudavam em Austin. Um bando de moleques ricos que se achavam os donos do mundo. O líder deles era Jackson Tramell."

Balancei a cabeça. "Ela se casou com ele."

"Isso foi depois", ele disse, sem se alterar. "Lauren sabia o que queria dos homens desde o início. Não desejava ter a mesma vida dos pais, mas sabia reconhecer um barco furado logo de cara. Ela o rejeitou uma porção de vezes. Katherine, sua irmã, não era tão esperta. Achou que Tramell poderia ser sua porta de saída de lá."

Inquieto, eu me remexi na poltrona. "Quanto dessa história eu realmente preciso ouvir?"

"Contra os conselhos de Lauren, Katherine aceitou sair com ele. Vendo que a irmã não voltou naquela noite nem no dia seguinte, Lauren ligou para a polícia. Katherine foi encontrada por um fazendeiro na plantação dele, quase inconsciente por causa de uma combinação de bebida com drogas ilegais. Tinha sido atacada brutalmente. Apesar de nada ter sido provado, a suspeita era de que havia vários rapazes envolvidos."

"Nossa."

"Katherine ficou muito mal", continuou Clancy. "As drogas alucinógenas no organismo, combinadas com o trauma do estupro coletivo, causaram danos cerebrais permanentes. Ela precisava de acompanhamento médico constante por tempo indeterminado, e seu pai não podia pagar por isso."

Sem conseguir ficar parado, fui até o bar, mas então me dei conta de que a última coisa que queria naquele momento era beber.

"Lauren procurou os Tramell para falar sobre seu filho e o que ela suspeitava que ele tinha feito. O rapaz negou tudo, e ninguém poderia provar nada, porque não havia evidências físicas. Mas ele viu uma oportunidade ali e soube aproveitar. Lauren era quem sempre quisera, então conseguiu convencer os pais a cobrir as despesas do tratamento de Katherine em troca de Lauren e seu silêncio em relação ao estupro."

Eu me virei para encará-lo. O dinheiro era capaz de encobrir inúmeros pecados. O fato de Stanton ter conseguido esconder os registros do caso de Eva era uma prova daquilo. O pai de Nathan Barker, porém, permitira que seu filho pagasse pelos crimes que tinha cometido. Os Tramell decidiram esconder o que o deles havia feito.

Clancy se endireitou na poltrona. "Jackson só queria sexo. Lauren negociou o casamento com os pais dele, o que garantiria que Katherine sempre teria assistência médica disponível."

Mudei de ideia sobre a bebida e enchi até a metade de um copo com uísque.

"Durante alguns meses, a situação de Lauren e Jackson foi estável. Eles viviam..."

"Estável?" Uma risada áspera escapou da minha garganta. "Ela se vendeu para o cara que liderou o estupro coletivo da irmã gêmea. Minha nossa..."

Virei a bebida.

Monica — ou Lauren — era mais forte do que qualquer um imaginava. Mas Eva precisava saber daquela história horrorosa?

"A situação era estável", reiterou Clancy, "até ela conhecer Victor."

Eu o encarei. Mesmo quando o cenário parecia ruim o suficiente, sempre havia como piorar.

Ele cerrou os dentes. "Ela engravidou de Eva. Quando Jackson descobriu que o bebê não era dele, tentou resolver a situação... na base da violência. Os dois moravam na casa dos pais dele, mas os Tramell nunca interferiram nos desentendimentos entre eles. Lauren temia pela vida da criança."

"Ela deu um tiro nele." Passei as mãos pelos cabelos, desejando ser capaz de tirar aquela imagem da mente. "A morte em circunstâncias não reveladas... ela o matou."

Clancy ficou sentado em silêncio, esperando que absorvesse a informação. Eu não era o único a ter matado alguém para proteger Eva.

Comecei a caminhar de um lado para o outro. "Os Tramell ajudaram Lauren a escapar da acusação. Por quê?"

"Durante o tempo que passou com Jackson, Lauren documentou em segredo tudo o que pudesse usar contra ele mais tarde. Os Tramell queriam preservar sua reputação — e a de Monica, sua filha debutante —, e queriam que Lauren e todos os problemas que causou desaparecessem. Ela foi embora com as roupas do corpo e a consciência de que, dali em diante, o tratamento de Katherine seria responsabilidade sua."

"Então foi tudo por nada", murmurei. "Ela voltou para o ponto de partida."

Então tudo fez sentido. "Katherine ainda está viva."

Aquilo explicava os casamentos com homens ricos e sua preocupação com dinheiro. Durante todos aqueles anos, ela teve que conviver com a ideia de que sua filha a considerava superficial, mas aguentou firme, em vez de revelar a verdade.

Eu mesmo tinha torcido para que Eva jamais descobrisse o que fizera com Nathan. Temia que ela fosse me considerar um monstro.

Clancy se levantou com leveza, apesar do corpo robusto. "Como falei no início, o tratamento de Katherine agora é uma obrigação financeira sua. Se vai ou não revelar sua existência para Eva, cabe a você decidir."

Eu o encarei. "Por que está me confiando isso?"

Ele ajeitou o paletó. "Eu vi você se jogando em cima de Eva quando Hall abriu fogo. Isso, além da maneira como lidou com Barker, me mostrou que é capaz de tudo para proteger Eva. Se acha que é melhor para ela saber, então conte quando for a hora."

Com um aceno repentino de cabeça, ele saiu da sala.

Fiquei por lá, para clarear os pensamentos.

"Ei."

Eu me virei na direção da voz de Eva. Ela entrou e andou até mim.

"O que você está fazendo aqui?", perguntou, lindíssima em seu vestido preto básico. "Estava procurando você. Clancy me falou que estava aqui."

"Vim beber alguma coisa", contei a ela, revelando parte da verdade.

"Quanto você bebeu?" O leve brilho em seus olhos mostrava que ela não estava chateada. "Você passou um tempão aqui, garotão. Precisamos levar meu pai para o aeroporto."

Assustado, olhei para o relógio e me dei conta de que tinha me perdido nos meus pensamentos. Tive que me esforçar para voltar ao presente e me desvencilhar da história trágica de Lauren. Era impossível mudar o passado.

Mas o que eu precisava fazer estava bem claro. O tratamento da irmã dela seria garantido. E eu cuidaria de sua filha. Assim, honraria a mulher que Monica havia sido. E, um dia, se achasse que era a coisa certa a fazer, eu a apresentaria a Eva.

"Eu te amo", disse para Eva, pegando-a pela mão.

"Você está bem?", ela perguntou, pois me conhecia bem demais.

"Estou." Acariciei seu rosto e abri um sorrisinho. "Vamos lá."

Epílogo

"Que escolha de hotel mais estranha para uma lua de mel."

Viro a cabeça e vejo minha mãe deitada na espreguiçadeira ao meu lado no deque. Está usando um biquíni roxo, sua pele firme está bronzeada e suas unhas estão pintadas em um tom elegante de bege.

A felicidade toma conta de mim. É uma alegria muito grande vê-la de novo.

"É uma piada interna", explico, observando o oceano Pacífico brilhar além da floresta verdejante à nossa frente. "Falei para Gideon que tenho uma fantasia com Tarzan, então ele arrumou uma casa na árvore de luxo para nós."

Fiquei deliciada quando vi a suíte do hotel sobre os galhos de uma figueira ancestral. A vista panorâmica do deque era indescritivelmente linda, algo de que Gideon e eu desfrutamos toda vez que saímos do nosso refúgio verde.

"Então você é a Jane..." Minha mãe sacode a cabeça. "Sem comentários."

Abro um sorriso, contente por ainda ser capaz de deixá-la chocada de vez em quando.

Com um suspiro, minha mãe joga a cabeça para trás e fecha os olhos para curtir o sol. "Que bom que seu pai resolveu se mudar para Nova York. Fico tranquila sabendo que vai estar lá com você."

"É... Ainda estou me acostumando com a ideia."

Mais difícil é aceitar que minha mãe é uma pessoa totalmente diferente do que eu imaginava. Fico em dúvida se menciono o assunto. Não quero estragar a alegria de poder falar com ela de novo. Mas as anotações em seus diários foram escritas na forma de cartas para mim, e não consigo conter a necessidade de falar a respeito.

"Estou lendo seus diários", revelo.

"Eu sei."

Ela responde de forma casual. A raiva e a frustração logo aparecem, mas eu as afasto. "Por que você nunca me contou sobre seu passado?"

"Eu ia contar." Ela vira a cabeça para mim. "Sempre pretendi fazer isso um dia. Então Nathan... aconteceu, e você precisou de um tempo para se recuperar. Depois conheceu Gideon. Achei que não precisava ter pressa."

Sei que isso não é bem verdade. A vida nunca para. Sempre vai haver uma desculpa para adiar. Minha mãe não estava esperando até que eu fosse capaz de aceitar o que fez por sua irmã — estava esperando até ela mesma ser capaz de aceitar.

Só uma mulher muito forte tomaria as atitudes que ela tomou. Era bom saber isso a seu respeito, e principalmente entender a origem de sua fragilidade. Minha mãe era uma mulher atormentada pelo rumo que sua vida seguiu. O assassinato de Jackson a atormentava, porque ela o odiava tanto que ficou contente com sua morte, apesar do horror de tê-lo matado com as próprias mãos.

Abandonar meu pai equivalia a destruir uma parte vital de quem ela era, assim como fingir que sua irmã, Katherine, não existia. Minha mãe teve que se separar de dois pedaços de seu coração, mas mesmo assim conseguiu seguir em frente. Seu caráter superprotetor fazia sentido para mim agora — ela não teria sobrevivido se me perdesse também.

"Gideon disse que vamos ver Katherine quando voltarmos", revelo. "Estamos pensando em colocar minha tia em um lugar mais perto da gente, para que faça parte da nossa vida." Estou me preparando para essa ocasião, ciente de que as duas são irmãs gêmeas.

Minha mãe me encara com um sorriso tristonho. "Ela vai ficar contente. Ouve falar de você há anos."

"Sério?" Pelos diários, fiquei sabendo que minha mãe raramente podia se encontrar com Katherine, pois seus maridos a queriam sempre por perto. Ela precisava se contentar com cartas e cartões-postais, já que e-mails e chamadas telefônicas deixavam rastros.

"Claro. Eu ficava me gabando o tempo todo. Tenho o maior orgulho de você."

Meus olhos se enchem de lágrimas.

Ela inclina a cabeça para receber o sol no rosto. "Por muito tempo, fiquei furiosa com o que fizeram com Kathy... minha irmã nunca voltou ao normal. Então percebi que a mente dela a protegeu daquela noite infernal. Ela não lembra. E, com os pensamentos simples que tem hoje, consegue extrair uma alegria juvenil de quase tudo."

"Vamos cuidar dela", prometo.

Minha mãe estende a mão, e eu a aceito. "Essas casas na árvore têm champanhe?", ela pergunta.

Dou risada e aperto sua mão. "Claro."

Acordei aos poucos, saindo lentamente dos domínios do sono para a lucidez. A luz do sol entrava filtrada pelo mosquiteiro que envolvia a cama. Eu me espreguicei, movendo o braço à procura de Gideon, mas ele não estava deitado ao meu lado.

Eu o encontrei parado na janela ao lado da mesa rústica que estava usando como escritório, falando ao telefone. Por um instante, simplesmente apreciei a visão. Descabelado e com a barba por fazer, ele estava tão sexy que eu mal conseguia me aguentar. O fato de Lucky estar esparramado aos seus pés só tornava a visão ainda mais agradável.

Gideon estava só de bermuda, com o zíper fechado, mas o botão aberto, então dava para ver que não usava cueca. Era o máximo que ele se mantinha vestido na nossa lua de mel. Em alguns dias, nada cobria seu corpo além de suor, o que era tão lindo de ver e sentir que eu precisava garantir que ele se mantivesse assim por mais tempo.

Quanto a mim, fiquei surpresa ao ver na minha bagagem alguns vestidos que não tinha levado e ao constatar que minhas roupas íntimas haviam desaparecido. A qualquer momento, a saia subia quando eu me agachava e alguma parte do corpo do meu marido entrava em contato comigo. Estávamos em lua de mel fazia duas semanas, e Gideon tinha treinado meu corpo a se antecipar a seus desejos. Ele era capaz de me excitar e me satisfazer com a mesma velocidade.

Estava sendo uma viagem deliciosa e insaciavelmente hedonista.

Entre uma sessão e outra de sexo enlouquecido, conversávamos e fazíamos planos para quando voltássemos a fazer parte do mundo. Víamos filmes, e Gideon me ensinou a jogar baralho. Às vezes ele precisava trabalhar. Enquanto isso, eu lia os diários da minha mãe. Só fiquei sabendo da existência deles uns dois dias depois de Gideon, mas foi na hora certa.

Conversamos muito sobre eles também.

"Essa exigência é inaceitável", Gideon disse ao telefone, vendo-me vestida com um robe curto de seda. "Existe margem de negociação em outros pontos. A atenção deles precisa ser direcionada para isso."

Joguei um beijo para ele e fui para a cozinha.

Enquanto preparava o café, fiquei olhando para a vista do deque, para as copas das árvores à minha frente e para o oceano mais além. Talvez fôssemos à praia aquele dia. Tínhamos um espaço só para nós ali. Por ora, só a companhia um do outro nos bastava.

Senti um frio na espinha ao ouvir as patinhas de Lucky se arrastando pelo piso de madeira. Ele devia estar seguindo Gideon, a quem idolatrava. Meu marido o adorava também. Seus pesadelos vinham se tornando cada vez menos frequentes, mas, quando aconteciam, Lucky estava sempre lá para acordá-lo.

"Bom dia", murmurou Gideon, segurando-me entre os braços.

Eu me apoiei nele. "Tecnicamente, boa tarde."

"Podemos voltar para a cama até ser noite", ele provocou, passando o nariz na minha nuca.

"Não acredito que ainda não se cansou de mim."

"Meu anjo, se está cansada, podemos apimentar um pouco mais as coisas."

Estremeci ao pensar nas imagens que aquelas palavras evocaram. Gideon era um amante vigoroso a qualquer momento. Durante a lua de mel, ainda mais. Dava para ver que seu corpo estava mais malhado, só pelo exercício sexual. Eu com certeza estava mais satisfeita com meu corpo do que nunca.

"Quem era ao telefone?", perguntei.

Ele respirou fundo. "Meu irmão."

"Sério? É a terceira vez em duas semanas?"

"Não precisa ficar com ciúmes. Você é muito mais sexy que ele."

Bati nele de leve com o cotovelo.

Gideon me contou sobre os arquivos de Hugh. Chris tinha conversado com Christopher. O que foi dito, não sabíamos. Foi um diálogo particular. Mas depois daquilo Christopher tinha procurado Gideon duas vezes — agora três — pedindo conselhos.

"É sempre de negócios que ele quer falar?"

"Sim, mas as coisas que pergunta... ele já sabe a resposta."

"Algo pessoal?"

Chris garantiu a Gideon que não contou nada sobre os abusos que ele tinha sofrido, e meu marido queria que tudo continuasse assim. Christopher tinha causado muito estrago ao longo dos anos e, sem um pedido de desculpas, Gideon não ofereceria um perdão incondicional tão cedo.

Ele encolheu os ombros. "Se estamos nos divertindo... como está o tempo... Esse tipo de coisa."

"Ele está se aproximando à sua própria maneira, acho. Quer ir até a praia?", perguntei, querendo mudar de assunto.

"Pode ser..."

Virei-me em seus braços e olhei para Gideon. "Você tem alguma outra coisa em mente?"

"Queria conversar algumas coisas com você antes de dar o trabalho como encerrado por hoje."

"Certo. Só preciso de uma dose de cafeína primeiro."

Fiz nosso café com um sorriso no rosto. Quando chegamos à mesa, ele abriu o laptop.

A imagem na tela era autoexplicativa. Puxei uma cadeira e me sentei. "Mais ideias para a campanha GenTen?"

Eu tinha visto mais de uma dezena de conceitos até então. Algumas eram inteligentes, outras espertinhas demais, outras absolutamente simplórias.

"Algumas coisas foram mudadas depois da última conversa", ele explicou, pondo uma das mãos no encosto da cadeira e outra na mesa, cercando-me com seu cheiro deliciosamente masculino e sua pele quente. "E surgiram outras ideias."

Observei os layouts e aprovei quase tudo, mas uma imagem me fez sacudir negativamente a cabeça. "Essa não."

"Também não gostei", disse Gideon. "Mas por que você achou ruim?"

"Acho que passa a mensagem errada. Isso de a mãe e profissional só ter um tempinho para si distraindo a família com o GenTen." Eu o encarei. "As mulheres já sabem que são perfeitamente capazes de fazer tudo ao mesmo tempo. Podemos mostrar uma mulher jogando com a família, ou curtindo o GenTen sozinha."

Ele balançou a cabeça. "Eu disse que não ia perguntar de novo, mas como estamos falando sobre as mulheres serem capazes de tudo... Você ainda acha que fez a coisa certa largando seu emprego?"

"Sim." Não hesitei nem por um instante antes de responder. "Ainda quero trabalhar", ponderei, "e ajudar em coisas nas quais você não precisa de mim não vai me satisfazer por muito tempo. Mas com o tempo vamos achar um lugar para mim."

Ele abriu um sorrisinho sarcástico. "Se eu não quisesse sua opinião, não pediria."

"Você entendeu o que eu quis dizer."

"Entendi." Ele abriu uma apresentação na tela. "Aqui tem alguns projetos que são prioridade no momento. Quando tiver um tempinho, dá uma olhada e vê qual deles interessa mais."

"Para você são todos interessantes, certo?"

"Claro."

"Certo." Eu faria algumas listas por ordem de interesse e conhecimentos e habilidades exigidas. Depois compararia os projetos. Acima de tudo, discutiria tudo aquilo com Gideon. Era daquilo que eu mais gostava em trabalhar com ele — ver o funcionamento de sua mente fascinante.

"Não quero segurar você", ele disse baixinho, passando a mão pelo meu ombro e pelo meu braço. "Quero que voe alto."

"Eu sei, lindo." Peguei a mão que me acariciava e a beijei. O céu era o limite para um marido tão amoroso.

O sol se pôs à distância no horizonte, incendiando o oceano.

Gideon encheu de novo nossas taças de champanhe, e algumas gotas escaparam quando o iate foi levemente sacudido pelas ondas.

"Está gostoso aqui", ele falou, abrindo um sorriso fácil.

"Que bom que você gostou."

Eu estava impressionada de vê-lo tão feliz e relaxado. Sempre tinha visto Gideon Cross como uma tempestade. Relâmpago e trovão, feroz e lindamente poderoso, ao mesmo tempo perigoso e fascinante. Quase impossível de conter, como o vórtice de um tornado.

Eu o descreveria como a calmaria depois da tempestade, o que só o tornava uma força da natureza ainda maior. Estávamos ambos... centrados. Sentindo-nos confiantes e comprometidos. Ter um ao outro tornava qualquer coisa possível.

Tudo aquilo me fez pensar em um jantar em alto-mar.

"Vem cá, meu anjo." Ele ficou de pé e estendeu a mão para mim.

Levamos o champanhe da mesa à luz de velas para o luxuoso sofá, onde nos acomodamos, abraçadinhos.

Ele acariciou minhas costas com a mão. "Estou pensando em céu aberto e uma travessia tranquila."

Sorri. Muitas vezes, nossos pensamentos seguiam pelo mesmo caminho.

Ergui os braços e segurei sua nuca, passando os dedos por seus cabelos sedosos. "Estamos ficando bons nisso."

Gideon baixou a cabeça para me beijar, mexendo a boca de leve, passando a língua lentamente, reafirmando que nosso vínculo ficava mais forte a cada dia. Os fantasmas do passado pareciam sombras discretas agora, tendo começado a se dissolver antes mesmo de renovarmos nossos votos.

Um dia, eles desapareceriam para sempre. Até então, tínhamos um ao outro. E não precisávamos de nada além daquilo.

Nota da autora

Amigas e amigos queridos,

É sempre difícil se despedir ao fim de uma jornada e se separar daqueles que aprendemos a amar. Dizer adeus a Gideon e Eva é uma alegria e uma tristeza ao mesmo tempo. Passei muitos anos com eles e lhes dediquei centenas de milhares de palavras (*Todo seu* é o romance mais longo que escrevi em doze anos de carreira!). Agora que a série Crossfire acabou, sei que os dois estão prontos para seguir em frente sozinhos. Não precisam mais da minha ajuda.

Agora é hora de apresentar a vocês Kane Black. Seu amor intenso e épico por Lily me comoveu de maneira singular. Ao contrário da série Crossfire, que se passa em poucos meses, a série Blacklist acompanha o casal protagonista por vários anos. O Kane que se apaixona por Lily não é o mesmo homem que luta para reconquistá-la, mas adoro sua versão mais jovem tanto quanto a mais madura. E sei que vocês também vão adorar.

Então fiquem na companhia de Kane. A história dele só está começando...

Com amor,
Sylvia

Veja na página ao lado uma amostra do próximo livro de Sylvia Day: Tão perto

Um

No instante em que a morena elegante entra pela porta, sei que meu chefe vai seduzi-la. Ela chegou de braço dado com outro homem, mas isso não importa. Vai ceder; acontece com todas.

Sua semelhança com as fotos que o sr. Black admira tanto é impressionante. Sem dúvida faz o tipo dele: cabelo preto sedoso, olhos verdes reluzentes, pele clara e lábios vermelhos.

Cumprimento os dois com um ligeiro aceno de cabeça. "Boa noite. Posso guardar seus casacos?"

O homem a ajuda a tirá-lo, e aproveito para olhar ao redor, assegurando-me de que os garçons estão ali, oferecendo canapés e bebidas e recolhendo copos e pratos de maneira discreta.

Manhattan se revela pelas janelas que vão do chão ao teto da cobertura, em uma infinidade de luzes. É uma recepção de gala em homenagem a uma nova start-up. O sr. Black organiza muitas festas, cercando-se de pessoas como se isso fosse capaz de dar a ele a vida que não traz dentro de si.

Sua casa é uma profusão de vidro, aço e couro, sem qualquer cor ou sentimento. Mesmo assim, é um lugar confortável, ainda que não seja muito convidativo, mobiliado com peças grandes cuidadosamente posicionadas para deixar o vasto espaço amplo e arejado. É o local ideal para exibir a tempestade turbulenta de poder que é meu chefe.

Às vezes, pergunto-me se sua preferência por preto e branco é um reflexo da visão que tem do mundo. Incolor. Sem vida.

Observo o sr. Black por um momento, à espera de sua reação diante da convidada. Vejo exatamente o que imaginei: ao pousar os olhos nela, uma quietude repentina domina sua energia incansável, para então dar lugar a um olhar ávido. Ao examinar a mulher, sua mandíbula se tensiona. Os sinais são sutis, mas noto a decepção e o despontar da raiva.

Ele queria que fosse ela. *Lily*. A mulher cuja imagem enfeita seus aposentos privados.

Eu não a conheci. Ela foi embora da vida do sr. Black antes que eu começasse a trabalhar para ele. Sei seu nome só porque meu chefe comentou uma vez quando estava bêbado, numa noite atormentada. Sei o poder que Lily tem sobre ele; posso senti-lo quando olho para seu rosto na enorme impressão em tela pendurada sobre a cama dele.

As fotografias de Lily são o único vestígio de cor em toda a casa, mas não é isso que as torna tão impressionantes. São seus olhos, a confiança absoluta e o desejo feroz que contêm.

Quem quer que Lily tenha sido, amou Kane Black do fundo do coração.

"Obrigada", diz a morena, enquanto seu acompanhante me passa seu casaco. Está falando comigo, mas o sr. Black já chamou sua atenção, e seu olhar está fixo nele. É um homem impossível de ignorar, uma tempestade sombria contida apenas por pura força de vontade.

Kane Black foi eleito há pouco tempo o solteiro mais cobiçado de Manhattan, já que o último detentor do título anunciou em rede nacional que havia se casado secretamente. Com menos de trinta anos, já é rico o suficiente para pagar meu salário, um mordomo de sétima geração e impecável linhagem britânica. É um jovem carismático, do tipo que atrai as mulheres em detrimento do seu sentido de autopreservação. Minha filha garante que sua beleza é incomum e que ele tem um magnetismo de animal selvagem, o que diz ser ainda mais atraente. Ela diz também que seu ar de inatingibilidade é irresistível.

Receio, no entanto, que seja mais do que aparência. Tirando seus muitos casos sexuais, o sr. Black faz jus ao nome.

Entregou seu coração a Lily, e ficou sem ele quando ela foi embora. Restou apenas a casca de um homem que amo como um filho.

"Você a colocou para fora?"

Na manhã seguinte, o sr. Black entra na cozinha, trajando um impecável terno de alfaiate e uma gravata com um nó perfeito, comprados depois que comecei a trabalhar para ele. Eu o eduquei na arte das roupas feitas sob medida para cavalheiros, e ele absorveu a informação com uma sede de conhecimento que aprendi ser insaciável.

Por fora, eu mal podia ver o jovem inculto que me contratara. Estava transformado, uma tarefa à qual se dedicara com ferocidade obstinada.

Eu me viro e coloco seu café da manhã na bancada, dispondo o prato perfeitamente entre os talheres de prata que já estavam lá. Ovos, bacon, frutas — o de sempre. "Sim, a srta. Ferrari saiu enquanto o senhor estava no banho."

Uma sobrancelha escura se ergue. "Ferrari? Sério?"

Que ele não tenha sequer perguntado o nome dela não chega a me surpreender, apenas me entristece. Elas não significam nada para ele. Apenas se parecem com Lily.

O sr. Black pega o café, provavelmente considerando seu plano de ataque para o dia, a última amante já dispensada de seus pensamentos para sempre. Ele dorme raramente e trabalha muito. Tem rugas profundas em ambos os lados da boca, que não deveriam existir em alguém tão jovem. Já o vi sorrir e até já o ouvi rir, mas a diversão nunca chega aos seus olhos.

Uma vez comentei que ele deveria tentar aproveitar mais tudo aquilo que havia conquistado. Ele respondeu que aproveitaria melhor quando estivesse morto.

"Bom trabalho na festa ontem, Witte", comenta, distraído. "Como sempre." Sua boca se curva num meio sorriso. "Nunca é demais dizer o quanto aprecio seu trabalho, é?"

"Não, sr. Black. Obrigado."

Deixo-o ler o jornal enquanto termina o café da manhã. Pego o corredor até a parte privada do apartamento, que ele não compartilha com ninguém. A bela srta. Ferrari passou a noite no lado oposto da cobertura, um lugar livre do espectro visual de Lily.

Paro à porta da suíte principal, sentindo o resquício de umidade do banho recente. Meus olhos são atraídos para a enorme tela pendurada na parede diante de mim. É um retrato íntimo. Lily está numa cama desarrumada, os braços delgados emaranhados num lençol branco, o longo cabelo escuro sobre um travesseiro amarrotado. Seu desejo sensual é intenso e evidente, os lábios parecem avermelhados e inchados por beijos, as bochechas pálidas estão ruborizadas, os olhos apaixonados estão semicerrados, as pálpebras pesadas de ardor.

Como será que ela morreu? Um acidente trágico? Uma doença terrível?

Era tão jovem. Gostaria de ter conhecido o sr. Black quando estava com ela. Devia ser uma força da natureza.

É uma pena que duas chamas tão ardentes tenham sido apagadas antes do auge.

Atrás do volante da Range Rover, ouço o sr. Black dar ordens pelo celular. São quase oito da manhã, estamos no trânsito, e ele já está profundamente mergulhado na gerência dos vários braços de seu império em crescimento.

Manhattan fervilha à nossa volta, um fluxo intenso de carros em todos os sentidos. Nas calçadas, pilhas de sacos de lixo esperam a coleta. A visão me incomodou quando cheguei à cidade, mas agora sei que são apenas uma parte do ambiente.

Morando aqui, aprendi a desfrutar de Manhattan, tão diferente dos vales verdejantes da minha terra natal. Não há nada que não possa ser encontrado nesta pequena ilha, e a energia das pessoas... a diversidade e a complexidade... é incomparável.

Meus olhos passam dos carros para os pedestres. A rua de mão única à nossa frente está bloqueada por um caminhão de entrega. Na calçada à esquerda, um homem barbudo controla com destreza meia dúzia de coleiras, acompanhado por um grupo de cães animados em sua caminhada matinal. À direita, uma mulher com roupa de academia empurra um carrinho de bebê na direção do parque. É um dia bonito, mas os arranha-céus e a copa das árvores enchem a rua de sombras. Buzinas começam a soar com a lentidão do trânsito.

O sr. Black prossegue com as negociações com facilidade e autoconfiança, a voz calma e assertiva. Os carros começam a se mover lentamente, até que vão aumentando de velocidade. Seguimos em direção ao centro. Por um curto período de tempo, pegamos uma sequência de sinais verdes. Por fim, nossa sorte acaba, e paro no semáforo.

Um mundo de pessoas atravessa a rua apressado à nossa frente, a maioria com a cabeça baixa, algumas com fones de ouvido, que devem oferecer algum alívio à cacofonia da cidade agitada. Confiro o relógio, certificando-me de que estamos na hora.

Um ruído de dor repentino faz meu sangue gelar; um lamento estrangulado e vagamente desumano. Virando a cabeça depressa, olho para o banco de trás, alarmado.

O sr. Black está quieto, os olhos escuros como carvão, a pele bronzeada drenada de toda a cor. Seu olhar acompanha o movimento dos pedestres na faixa à nossa frente. Olho na mesma direção, em busca do que o assustou.

Uma morena magra se afasta de nós, correndo para tentar chegar ao outro lado da rua antes de o sinal abrir. O cabelo é curto na nuca, alongando-se um pouco mais nas laterais e envolvendo o queixo. Não parece em nada com os cachos luxuriantes de Lily. Mas, quando a mulher se vira para caminhar pela calçada, acho que reconheço seu rosto.

A porta traseira se abre violentamente. O sr. Black salta assim que o sinal fica verde. O táxi atrás de nós buzina, mas ouço meu chefe gritar por cima dele:

"Lily!"

A moça se vira na nossa direção. Então tropeça. E fica imóvel.

Seu rosto empalidece tanto quanto o do sr. Black. Vejo seus lábios se moverem, vejo o nome que pronuncia. *Kane.*

Todo mundo conhece o belo rosto e o sucesso do sr. Black, mas o reconhecimento chocado da moça é íntimo e inconfundível. Como o sofrimento desesperado que é incapaz de esconder.

É ela.

O sr. Black olha na direção do trânsito, então se lança em meio aos carros em movimento, quase causando um acidente. A sinfonia de buzinas se torna ensurdecedora.

O som brusco sacode Lily visivelmente. Ela começa a correr, abrindo caminho por entre a multidão na calçada, em pânico, o vestido esmeralda funcionando como um farol no meio da aglomeração.

E o sr. Black, um homem que consegue o que quer sem esforço, vai atrás dela.

TIPOGRAFIA Adriane por Marconi Lima
DIAGRAMAÇÃO Verba Editorial
PAPEL Pólen Soft
IMPRESSÃO RR Donnelley, abril de 2016

A marca FSC® é a garantia de que a madeira utilizada na fabricação do papel deste livro provém de florestas que foram gerenciadas de maneira ambientalmente correta, socialmente justa e economicamente viável, além de outras fontes de origem controlada.